WEBSTER'S French–English English–French Dictionary

Dictionnaire Français–Anglais Anglais–Français WEBSTER

AM Productions

Printed in Canada
Imprimé au Canada

Printed in Canada

Sommaire

Summary

Table des matières

Français–Anglais

Abréviations

adj.	adjectif
adv.	adverbe
art.	article
con.	conjonction
dem.	démonstratif
f.	féminin
fig.	figuratif
impers.	impersonnel
inf.	infinitif
int.	interjection
m.	masculin
pers.	personne
pl.	pluriel
poss.	possessif
pp.	participe passé
prep.	préposition
pron.	pronom
qch.	quelque chose
qn.	quelqu'un
re.	relatif
s.	substantif
sing.	singulier
s.o.	someone
sth.	something
v.a.	verbe actif
v.a. & n.	verbe actif et neutre
v.aux.	verbe auxiliare
v.n.	verbe neutre
*	verbe irregulier

Prononciation

Le tableau ci-dessous explique la prononciation des sons anglais les plus communs. Chaque son est décrit avec un mot commun anglais et un mot français ayant la même prononciation.

	Exemple en anglais	**Prononcée comme**
A	*a* dans le mot *fate*	*é* de *fée*
	a dans le mot *far*	*â* de *mâle*
	a dans le mot *fall*	*o* de *mort*
	a dans le mot *fat*	*a* de *mal*
E	*e* dans le mot *me*	*i* de *lit*
	e dans le mot *met*	*è* de *lève*
I	*i* dans le mot *pin*	*i* de *il*
O	*o*dans le mot *no*	*o* de *nos*
	o dans le mot *move*	*ou* de *mou*
	o dans le mot *nor*	*o* de *mort*
	o dans le mot *not*	*o* de *motte*
U	*u* dans le mot *tube*	*iou* de *Sioux*
	u dans le mot *tub*	*e* de *je*
	u dans le mot *bull*	*ou* de *jour*
	u dans le mot *burn*	*eu* de *beurre*
OI	*oi* dans le mot *oil*	*oï* de *Moïse*
OU	*ou* dans le mot *pound*	*aou* de *caoutchouc*

Grammaire anglaise

parties d'une phrase

L'Article
Un petit mot qui se place ordinairement devant les noms communs pour indiquer qu'ils sont employés dans un sens déterminé *e.g., the, a, an.*

Le Nom
Un mot qui sert à désigner des êtres réels *(e.g., sister, cat)* ou imaginaires *(e.g., purity, goodness).* Il existe deux sortes de nom : les noms communs qui désignent des diverses classifications comprenant plusieurs êtres *(e.g., man, dog, country)*; et les noms propres qui désignent un être ou une groupe d'êtres en particulier *(e.g., John, Rover, Canada).*

L'Adjectif
Une partie du discours exprimant la qualité du substantif ou le déterminant. L'adjectif qualificatif désigne une qualité ou une manière d'être *e.g., white, good.* L'adjectif déterminatif appelle l'attention sure le nom auquel il est joint *e.g., this, that.* L'article n'est qu'un adjectif déterminatif.

Le Pronom
Un mot qui tient la place d'un nom et qui permet ainsi d'en éviter la répétition, *e.g., he, she, it, we, them.*

L'Adverbe
Un mot invariable qui se joint aux verbes, aux adjectifs ou à d'autres adverbes pour en modifier la signification de diverses manières, *e.g., very, quietly, gently.*

Le Verbe

Un mot qui sert à affirmer que l'attribut convient aux sujet, et qui exprime ordinairement les circonstances de modes, de temps, de personnes et de nombre, et qui contient souvent l'attribut lui-même.

Le verbe est l'élément essenticl et indispensable de toute proposition et il offre une très grande variété de formes grammaticales. Placé dans des rapports variés, influencé par différentes circonstances, il est généralement appelé à marquer par des terminaisons particulières : 1) la nature même dc la phrase soit question, commande, désire; 2) le temps auquel l'action se rapporte soit passé, présent ou futur; 3) la personne du sujet de la proposition; 4) le nombre (singulier ou pluriel); 5) l'état du sujet, selon que le sujet est actif ou passif.

En anglais les verbes sont conjugés au singulier et au pluriel. On forme le passé d'un verbe en ajoutant *-ed* à son présent *(e.g., watch, watched)*. On forme le futur d'un verbe en ajoutant *will* en devant du verbe au présent *(e.g., watch, will watch)*.

Cependant, il existe plusiers exceptions à ces règles de grammaire. Conjugés ci-dessous sont les verbes irréguliers de la langue anglaise les plus communs.

Grammaire anglaise

verbes irréguliers

Infinitif	Prétérit	P. Passé	Français
arise	arose	arisen	se lever
awake	awoke	awoken	éveiller
be/am/is	was	been	être
beat	beat	beaten	battre
become	became	become	devenir
bend	bent	bent	courber
bet	bet	bet	parier
bite	bit	bitten	mordre
bleed	bled	bled	saigner
blow	blew	blown	souffler
break	broke	broken	casser
breed	bred	bred	élever
bring	brought	brought	apporter
build	built	built	construire
burn	burnt	burnt	brûler
burst	burst	burst	éclater
buy	bought	bought	acheter
can	could		pouvoir
cast	cast	cast	jeter
catch	caught	caught	attraper
choose	chose	chosen	choisir
come	came	come	venir
cost	cost	cost	coûter
cut	cut	dealt	couper
do/does	did	done	faire
drink	drank	drunk	boire
drive	drove	driven	conduire
eat	ate	eaten	manger
fall	fell	fallen	tomber
feed	fed	fed	nourir

Infinitif	Prétérit	P. Passé	Français
feel	felt	felt	sentir
fly	flew	flown	voler
forget	forgot	forgotten	oublier
freeze	froze	frozen	geler
get	got	got	obtenir
give	gave	given	donner
go	went	gone	aller
grow	grew	grown	croître
hang	hung	hung	pendre
have, has	had	had	avoir
hear	heard	heard	entendre
hit	hit	hit	frapper
hold	held	held	tenir
hurt	hurt	hurt	blesser
keep	kept	kept	garder
know	knew	known	savoir
learn	learnt	learnt	apprendre
leave	left	left	laisser
lend	lent	lent	prêter
let	let	let	laisser
light	lit	lit	allumer
lose	lost	lost	perdre
make	made	made	faire
may	might		pouvoir
pay	paid	paid	payer
put	put	put	mettre
quit	quit	quit	arrêter
read	read	read	lire
redo	redid	redone	refaire
ring	rang	rung	sonner
run	ran	run	courir
say	said	said	dire
see	saw	seen	voir
seek	sought	sought	chercher
sell	sold	sold	vendre
send	sent	sent	envoyer
shake	shook	shaken	secouer
shine	shone	shone	briller
shoot	shot	shot	tirer
show	showed	shown	montrer

Infinitif	Prétérit	P. Passé	Français
shrink	shrank	shrunk	rétrécir
shut	shut	shut	fermer
sing	sang	sung	chanter
sit	sat	sat	assoire
sleep	slept	slept	dormir
slide	slid	slid	glisser
sling	slung	slung	lancer
smell	smelt	smelt	sentir
speak	spoke	spoken	parler
spell	spelt	spelt	épeler
spill	spilt	spilt	verser
spin	spun	spun	filer
spread	spread	spread	répandre
spring	sprang	sprung	s'élancer
steal	stole	stolen	voler
stick	stuck	stuck	coller
sting	stung	stung	piquer
stink	stank	stunk	puer
swim	swam	swum	nager
take	took	taken	prendre
teach	taught	taught	enseigner
tell	told	told	dire
think	thought	thought	penser
throw	threw	thrown	lancer
undo	undid	undone	défaire
wear	wore	worn	porter
weep	wept	wept	pleurer
wet	wet	wet	mouiller
win	won	won	gagner
write	wrote	wrote	écrire

Pays

Africa	l'Afrique (f.)
Argentina	l'Argentine (f.)
Australia	l'Australie (f.)
Austria	l'Autriche (f.)
Belgium	la Belgique
Bosnia	la Bosnie
Brazil	le Brésil
Canada	le Canada
Chile	le Chili
China	la Chine
Denmark	le Danemark
Egypt	l'Égypte (f.)
England	l'Angleterre (f.)
Ethiopia	l'Éthiope (f.)
France	la France
Germany	l'Allemagne (f.)
Great Britain	la Grande-Bretagne
Greece	la Grèce
Holland	la Hollande
Hungary	la Hongrie
India	l'Inde (f.)
Ireland	l'Irlande (f.)
Iran	l'Iran (m.)
Iraq	l'Iraq (m.)
Israel	l'Israël (m.)
Italy	l'Italie (f.)
Jamaica	la Jamaïque
Japan	le Japon
Lebanon	le Liban
Libya	la Libye
Mexico	le Mexique
Morocco	le Maroc
New Zealand	la Nouvelle-Zélande
Norway	la Norvège

Poland	la Pologne
Russia	la Russie
Scotland	L'Écosse (f.)
Spain	l'Espagne (f.)
Sweden	la Suède
Switzerland	la Suisse
Turkey	la Turquie
United States	les États-Unis (m.)
Yugoslavia	la Yougoslavie

Canada : Provinces

British Columbia	la Colombie Britannique
Alberta	l'Alberta
Saskatchewan	le Saskatchewan
Manitoba	le Manitoba
Ontario	l'Ontario
Quebec	le Québec
New Brunswick	le Nouveau Brunswick
Newfoundland	la Terre Neuve
Nova Scotia	la Nouvelle Écosse
Prince Edward Island	l'Île du Prince Édouard
Yukon	le Yukon
Northwest Territories	les Territoires du Nord-Ouest

Phrases

Anglais	Français
Good morning.	Bonjour.
Goodbye.	Au revoir.
I beg your pardon.	Je vous demande pardon.
How are you?	Comment-allez vous?
Very well, and you?	Très bien, et vous?
It is fine/bad weather.	If fait beau/mauvais temps.
You're pulling my leg.	Vous moquez de moi.
So much the better.	Tant mieux.
I cannot speak French.	Je ne parle pas français.
I cannot speak English.	Je ne parle pas anglais.
What time is it?	Quelle heure est-il?
This evening, tonight, last night.	Ce soir, hier soir.
The bill, please.	L'addition, s'il vous plaît.
Do you sell ...?	Est-ce que vous vendez ...?
I have a train to catch.	J'ai un train à prendre.
I do not feel well.	Je ne me sens pas bien.
Where can I buy ...?	Où puis-je acheter ...?
Have you a map?	Avez-vous une carte?
We are lost.	Nous sommes perdus.
Here is my address.	Voici mon adresse.
Here is my phone number.	Voici mon numéro de téléphone.
That's all right.	Je vous en prie.
Don't mention it.	Il n'ya pas de quoi.
Can I help you?	Puis-je vous aider?
I am sorry.	Je suis désolé.
Thank you.	Merci.
It is too much.	C'est trop cher.
You are right.	Vous avez raison.

Anglais	Français
You are wrong.	Vous avez tort.
You are joking.	Vous plaisantez.
Please speak slowly.	Parlez lentement, s'il vous plaît.
Listen.	Écoutez.
Agreed. O.K.	Entendu. D'accord.
Do not touch.	Ne pas toucher.
The day before yesterday.	Avant-hier.
The day after tomorrow.	Après-demain.
Call me a taxi.	Appelez-mois un taxi.
Where is the office?	Où est le bureau?
Weather permitting.	Si le temps le permet.
How much do I owe?	Combien est-ce que je vous dois?
Please don't mention it.	Je vous en prie.
A little more ...	Encore un peu de ...
Can you lend me ...?	Pouvez-vous me prêter ...?
I am coming with you.	Je vous suis.

Français–Anglais

A

à, au *prep.* to; at
abaisser *v.a.* lower, let down; **s'~** stoop
abandonner *v.a.* forsake, abandon
abat-jour *s. m.* lampshade
abbaye *s. m.* abbey
abbé *s. m.* abbot
abdication *s. f.* abdication
abdiquer *v.n.* abdicate; *v.a.* renounce
abeille *s.f.* bee
abject *adj.* abject, low
abjurer *v.a.* abjure; give up
abolir *v.a.* abolish
abondance *s. f.* plenty, abundance
abondant *adj.* abundant
abonder *v.n.* abound
abonner, s'~ subscribe to, take in
abord *adv.* **d'~** (at) first
aboutir *v.n.* end in, come to
aboyer *v.n.* bark
abricot *s. m.* apricot
abrupt *adj.* steep
absence *s. f.* absence; **~ d'esprit** absence of mind
absent *adj.* absent
absenter, s'~ leave, depart
absolu *adj.* absolute
absorber *v.a.* absorb
absoudre* *v.a.* absolve
abstraction *s. f.* abstraction
abstrait *adj.* abstract
absurde *adj.* absurd
abus *s. m.* abuse
académie *s. f.* academy
accélérer *v.a.* accelerate, hasten
accent *s. m.* accent, stress
accentuer *v.a.* accent
accepter *v.a.* accept; admit
accès *s. m.* access; fit
accessible *adj.* accessible
accident *s. m.* accident; **par ~** accidentally
accidentel, -elle *adj.* accidental
acclamer *v.a.* acclaim
acclimater *v.a.* acclimatize; **s'~** become acclimatized
accommoder *v.a.* accommodate; fit up; **s'~** put up with, come to terms
accompagner *v.a.* accompany
accomplir *v.a.* accomplish, carry out

accord *s. m.* agreement, accord, harmony

accorder *v.a.* grant, confer; agree

accoutumer *v.a.* accustom; **s'~** get accustomed (to)

accréditer *v.a.* accredit

accrocher *v.a.* hang up, hook; run against

accroître *v.a.* increase; **s'~** increase

accueil *s. m.* reception

accueillir *v.a.* receive, welcome

accumuler *v.a.* accumulate, heap up

accusation *s. f.* accusation, charge

accuser *v.a.* accuse

achat *s. m.* purchase; **faire des ~s** go shopping

acheter *v.a.* purchase, buy

achèvement *s. m.* completion

achever *v.a.* complete finish; achieve

acide *adj.* acid, sour; *s. m.* acid

acier *s. m.* steel

acoustique *s. f.* acoustics

acquérir* *v.a.* acquire, purchase; get

âcre *adj.* acrid, sour

acte *s. m.* action, deed, act; transaction, document, certificate; (theatre) act

acteur *s. m.* actor

actif, -ive *adj.* active; *s. m.* assets *(pl.)*

action *s. f.* action; act, deed; effect; lawsuit; plot; story

activité *s. f.* activity

actrice *s. f.* actress

actualité *s. f.* topic of the hour; **~s** current events; newsreel

actuel, -elle present, of present interest; actual

adapter *v.a.* adapt; **s'~** adapt oneself

addition *s. f.* addition; bill

additionner *v.a.* add up

adhérer *v.a.* adhere, stick

adieu *s. m. (pl.* **-x***)* goodbye; **faire ses ~x** take one's leave

adjoint *adj. & s. m.* assistant; deputy

adjuger *v.a.* award

administrateur, -trice *s. m. f.* manager, director

administratif, -ive *adj.* administrative

administration *s. f.* management, direction; administration

administrer *v.a.* administer; manage

admirable *adj.* admirable

admiration *s. f.* admiration

admirer *v.a.* admire, wonder at

admission *s. f.* admission, admittance

adolescent *s. m.* adolescent, youth

adopter *v.a.* adopt, pass

adoption *s. f.* adoption

adorer *v.a.* adore

adresse *s. f.* address; skill, dexterity

adresser *v.a.* address, direct; **s'~** apply (to)

adroit *adj.* clever, skilful

adulte *adj. & s.* adult

adversaire *s. m.* adversary

aérien, -enne *adj.* aerial

aérodrome *s. m.* airport

aéroport *s. m.* airport

affaiblir *v.a.* weaken

affaire *s. f.* business, affair, matter; lawsuit

affamé *adj.* hungry

affecter *v.a.* affect, feign; move; assume

affection *s. f.* affection; disease

affectueux, -euse *adj.* affectionate

affermir *v.a.* strengthen; **s'~** become stronger

affiche *s. f.* poster, bill

afficher *v.a.* post up, stick up, placard

affiler *v.a.* sharpen

affirmatif, -ive *adj.* affirmative

affirmer *v.a.* affirm

affliger *v.a.* afflict

affluer *v.n.* flow into

affranchir *v.a.* (set) free; stamp

affreux, -euse *adj.* dreadful, terrible

affronter *v.a.* facc

afin *conj.* **~ de** in order to; **~ que** in order that, so that

africain (A) *adj. & s. m. f.* African

âge *s. m.* age; period; **quel ~ avez-vous?** how old are you?

agence *s. f.* agency

agent *s. m.* agent; policeman

aggraver *v.a.* aggravate

agile *adj.* agile, active

agilité *s. f.* agility

agir *v.n.* act; take effect; behave; **s~** be in question

agitation *s. f.* agitation

agiter *v.a.* agitate

agneau *s. m.* lamb

agonie *s. f.* agony

agréable *adj.* agreeable

agréer *v.a.* accept, receive favourably

agrément *s.m.* consent, approval; pleasure

agressif, -ive *adj.* aggressive

agression *s. f.* aggression, attack

agriculture *s. f.* agriculture

aide *s. f.* help

aider *v.a.* help

aïeux *s.m. pl.* ancestors

aigle *s. m.* eagle

aigre *adj.* sour, acid

aigrir, s'~ turn sour

aigu *adj.* pointed, sharp; keen; **accent ~** acute accent

aiguille *s. f.* needle; hand, index; point, switch; **grande ~** minute hand

aiguiser *v.a.* sharpen

ail *s. m.* garlic

aile *s. f.* wing; flank; aisle; mudguard

ailleurs *adv.* somewhere else, elsewhere; **d'~** in addition, besides

aimable *adj.* amiable, pleasant, kindly

aimer *v.a. & n.* like, love, be fond of, care for

aîné *adj. & s. m. f.* elder, eldest; senior

ainsi *adv. & conj.* so, thus; likewise; **~ de suite** and so on; **~ que** as well as

air *s. m.* air; look(s), appearance, manner; (music) air

aisance *s. f.* ease; comfort; facility; **étre dans l'~** be well off

aise *s. f.* ease, comfort

aisé *adj.* easy; well off

adjourner *v.a.* adjourn

alcool *s. m.* alcohol

alcoolique *adj.* alcoholic

algèbre *s. f.* algebra

aliment *s. m.* aliment, food

alimentation *s. f.* alimentation; feeding

alimenter *v.a.* feed

aliter *v.a.* **être alité** be confined to bed, be laid up

allaiter *v.a.* give suck to; nurse

allée *s. f.* (garden) path, lane, walk, alley

alléger *v.a.* lighten; alleviate, soothe

allégresse *s. f.* gaiety, delight

allemand (A) *adj. & s. m. f.* German

aller* *v.n.* go, proceed; get on; grow, get; ~ **à pied** walk; ~ **en auto** drive; ~ **en avion** fly; ~ **bien** well; **comment allez-vous ?** how are you? **allons !** come on!; **allez !** indeed; **s'en ~** go away, be off

alliance *s. f.* alliance, union; wedding ring

allié, -e *s. m. f.* **ally;** *adj.* allied

allier *v.a.* alloy; match; unite; **s'~** join with, unite

allonger *v.a.* lengthen, stretch out, prolong; ~ **le pas** step out; **s'~** get longer

allumer *v.a.* light (up), set on fire; excite

allumette *s. f.* match

allure *s. f.* gait, pace; manner, behaviour; direction

allusion *s. f.* allusion, hint; reference

alors *adv.* then

alpinisme *s. m.* mountaineering

altérer *v.a.* alter, change; **s'~** alter, degenerate

alternance *s. f.* alternation

alternatif, -ive *adj.* alternate, alternative

alterner *v.n. & a.* alternate

altitude *s. f.* altitude

aluminium *s. f.* aluminium

amaigrir *v.a.* make thin; **s'~** grow thin

amant, -e *s. m. f.* lover

amas *s.m.* heap, mass, pile

amateur *s. m.* amateur, lover, fancier

ambassade *s. f.* embassy

ambassadeur *s. m.* ambassador

ambassadrice *s. f.* ambassadress

ambitieux, -euse *adj.* ambitious

ambition *s. f.* ambition

ambulance *s. f.* ambulance; ~ (automobile) ambulance(-car)

âme *s. f.* soul; mind

améliorer *v.a.* ameliorate, improve; **s'~** improve

aménager *v.a.* fit up, out

amender *v.a.* amend, improve

amener *v.a.* bring, draw; bring before in, out; introduce; induce

amer, -ère *adj.* bitter

américain, -e (A) *adj. & s. m. f.* American

ami, -e *s. m. f.* friend; sweetheart; **bon ~, bonne ~e** sweetheart

amical *adj.* friendly, kind

amiral *s. m.* admiral

amitié *s. f.* friendship; affection; **meilleures ~s** kindest regards

amortir *v.a.* lessen, soften; pay (off), write off

amortisseur *s. m.* shock absorber

amour *s. m.* love; **faire l'~** court, make love to; **mon ~** my darling

amoureux, -euse *adj.* in love (*de* with), enamoured (*de* of)

amplificateur *s. m.* amplifier

amplifier *v.a.* amplify

ampoule *s. f.* blister; bulb

amulette *s. f.* amulet

amusant *adj.* amusing

amusement *s. m.* amusement, pastime, fun

amuser *v.a.* amuse, entertain; **s'~** enjoy oneself

an *s. m.* year; **il y a un** ~ a year ago

analogie *s. f.* analogy

analogue *adj.* analogous

analyse *s. f.* analysis

analyser *v.a.* analyse

ananas *s.m.* pineapple

anatomie *s. f.* anatomy

ancêtre *s. m. f.* ancestor

ancien, -enne *adj.* ancient, old, antique

ancre *s. f.* anchor; **lever l'~** weigh anchor

âne *s. m.* ass

anéantir *v.a.* annihilate

anecdote *s. f.* anecdote

ange *s. m.* angel

anglais, -e (A) *adj.* English; *s. m. f.* Englishman, Englishwoman

angle *s. m.* angle, corner; bend

angoisse *s. f.* anguish

animal *s. m.* animal; beast

anneau *s. m.* circle, ring

année *s. f.* year; ~ **scolaire** school-year; **bonne** ~ a happy New Year!

annexer *v.a.* annex

anniversaire *s. m.* anniversary, birthday

annonce *s. f.* announcement, advertisement

annoncer *v.a.* announce, give notice of; advertise

annuaire *s. m.* yearbook, annual, directory

annuel, -elle *adj.* annual

annuler *v.a.* annul

anonyme *adj.* anonymous; **société** ~ joint-stock company

anormal *adj.* abnormal

anse *s. f.* handle; creek

antécédent, -e *adj. & s. m.* antecedent

antenne *s. f.* aerial

antérieur *adj.* anterior, previous

antibiotique *s. m.* antibiotic

antichambre *s. f.* entrance hall

anticiper *v.a. & n.* anticipate; encroach

antipathie *s. f.* antipathy

antiquaire *s. m.* antiquarian

antique *adj.* antique, ancient

antiquité *s. f.* antiquity

antiseptique *adj. & s. m.* antiseptic

anxiété *s. f.* anxiety

anxieux, -euse *adj.* anxious

août *s. m.* August

apaiser *v.a.* appease, pacify, quiet

apercevoir *v.a.* perceive, catch sight of; remark, notice

aplanir *v.a.* smooth, level, even off; **s'~** become level

aplatir *v.a.* flatten

apologie *s. m.* apology, defence

apoplexie *s. f.* apoplexy

apostolique *adj.* apostolic(al)

apostrophe *s. f.* apostrophe

apôtre *s. m.* apostle

apparaître *v.n.* appear

appareil *s. m.* apparatus, device, appliance, gear; camera; ~ **de TV** TV set; ~ **de direction** steering-gear

apparence *s. f.* appearance, look(s); likelihood; **en** ~ apparently

apparent *adj.* apparent

apparition *s. f.* appearance; apparition

appartement *s. m.* flat; apartment

appartenir *v.n.* belong, appertain (*à* to)

appel *s. m.* call; appeal; **faire l'~** call the roll

appeler *v.a.* call in, out, up, down; ring up; name, term; **en ~** appeal; **faire ~** send for; **s'~** be called, call oneself

appendice *s. m.* appendix

appendicite *s. f.* appendicitis

appesantir *v.a.* make heavy, weigh down

appétit *s. m.* appetite

applaudir *v.n.* applaud, clap

application *s. f.* application; diligence

appliquer *v.a.* apply; lay on

apporter *v.a.* bring

appréciation *s. f.* appreciation; estimation

apprécier *v.a.* value

appréhension *s. f.* apprehension, fear

apprendre *v.a.* learn, acquire; hear of; teach

apprentissage *s. m.* apprenticeship

apprêter *v.a.* prepare; season; dress; **s'~** prepare oneself, get ready

approbation *s. f.* approvation, approval

approche *s. f.* approach, advance

approcher *v.a.* bring toward, forward

approprié *adj.* appropriate

approprier, s'~ appropriate, take; accommodate, adapt oneself

approuver *v.a.* sanction, approve

approximatif, -ive *adj.* approximate

approximation *s. f.* approximation

appui *s. m.* support

appuyer *v.a.* support; lean; *v.n.* **~ sur** lay stress (up)on; **s'~** lean, rest, rely (upon)

après *adv.* after; behind; next (to); **~ coup** too late; **~ tout** after all; **d'~** after, according to; by

après-demain *adv. & s. m.* (the) day after tomorrow

après-midi *s. m.* afternoon

à-propos *adv.* in good time; *s. m.* timely word; fitness

apte *adj.* apt, suitable

aptitude *s. f.* aptitude, ability, talent

aquarelle *s. f.* watercolour

arabe (A) *adj. & s. m. f.* Arab, Arabian; Arabic

araignée *s. f.* spider

arbitre *s. f.* arbiter, judge; umpire, referee

arbre *s. m.* tree; shaft; **~ fruitier** fruit-tree; **~ coudé** crank shaft

arc *s. m.* bow; arc(h)

arcade *s. f.* arcade

arche *s. f.* arch, vault

archet *s. m.* bow

archevêque *s. m.* archbishop

architecture *s. f.* architecture

archives *s. f. pl.* archives

ardemment *adv.* ardently

ardent *adj.* burning, fiery, ardent, eager

ardeur *s. f.* keenness; ardour, zeal

arête *s. f.* fish-bone; edge; ridge

argent *s. m.* silver; money; **~ en caisse** cash in hand; **~ comptant** ready money; **~ de la poche** pocket-money; **à-court d'~** pressed for money

argenterie *s. f.* plate

argentin[1] *adj.* silvery

argentin[2], **-e (A)** *adj. & s. m. f.* Argentine

argile *s. f.* clay

argot *s. m.* slang

argument *s. m.* argument, proof, evidence

aristocratie *s. f.* aristocracy

aristocratique *adj.* aristocratic

arme *s. f.* arm, weapon; **~s à feu** firearms; **faire des ~s** fence

armée *s. f.* army

armer *v.a.* arm; fortify; **s'~** arm oneself

armoire *s. f.* cupboard; wardrobe

armure *s. f.* armour; armature

arracher *v.a.* pull (out), tear up; extract, draw; remove from

arrangement *s. m.* arrangement; agreement, settlement, **~s** terms

arranger *v.a.* arrange, settle, fix (up); **s'~** come to an agreement, make **arrangements** (for); make shift (to)

arrestation *s. f.* arrest

arrêt *s. m.* stop (of bus, tram, etc.); pause; standstill; sentence; arrest; **~ facultatif** request stop; **sans ~** non-stop

arrêter *v.a.* check, stop; arrest; engage, book; decide, decree; settle; **s'~**stop; draw up; leave off

arrière *adv.* behind, backward; **en ~** back(ward); *s. m.* back part, rear

arriéré *adj.* overdue; backward; under-developed; *s. m.* arrears *(pl.)*

arrivée *s. f.* arrival; **à l'~** on arrival

arriver *v.n.* arrive, come; turn up; happen; occur; **~ à** attain, arrive at, reach; **le train arrive à** the train is due at

arrogance *s. f.* arrogance

arroser *v.a.* water, sprinkle; baste

art *s. m.* art; **les beaux ~s** the fine arts

artère *s. f.* artery; thoroughfare

article *s. m.* article; **~s de grande consommation** consumer(s') goods

articulation *s. f.* joint

articuler *v.a.* articulate

artificiel, -elle *adj.* artificial

artillerie *s. f.* artillery

artisan *s. m.* craftsman

artiste *s. m. & f.* artist; player

ascenseur *s. m.* lift

asile *s. m.* refuge, asylum

aspect *s. m.* aspect

asperge *s. f.* asparagus

aspirateur *s. m.* vacuum cleaner

aspiration *s. f.* aspiration

aspirer *v.a.* inspire; *v.n.* aspire (*à* to)

assaillir* *v.a.* assault

assaisonner *v.a.* season; dress

assassin *s. m.* assassin

assassiner *v.a.* assassinate, murder

assaut *s. m.* assault

assemblage *s. m.* assemblage, gathering, collection

assemblée *s. f.* assembly, meeting

assembler *v.a.* assemble; put together; gather; **s'~** assemble

asseoir* *v.a.* seat; place; **s'~** take a seat

assez *adv.* enough; pretty, fairly

assiduité *s. f.* assiduity

assiéger *v.a.* attack, besiege

assiette *s. f.* posture; seat; position; plate

assimiler *v.a.* assimilate (*à* to)

assistance *s. f.* presence, attendance; audience; assistance, help

assister *v.n.* attend, be present (*à* at); *v.a.* assist, help

association *s. f.* association; partnership, company

associer *v.a.* associate, link up; share interests with; **s'~** associate oneself (*avec* with)

assommant *adj.* boring, dull

assortir *v.a.* match, assort; **s'~** be suitable, go well together

assoupir *v.a.* make drowsy, sleepy; **s'~** grow sleepy

assujettir *v.a.* subject, subjugate

assumer *v.a.* assume

assurance *s. f.* assurance; insurance; **~ sur la vie** life insurance

assuré *adj.* assured, confident, sure; insured

assurer *v.a.* assure, secure; insure; **s'~** make sure (of)

astre *s. m.* star

astronaute *s. m.* astronaut, spaceman

astronautique *s. f.* astronautics, space travel

astronef *s. m.* space-craft, spaceship

atelier *s. m.* workshop; studio

athée *s. m. f.* atheist

athlète *s. m.* athlete

athlétique *adj.* athletic

atome *s. m.* atom

atomique *adj.* atomic; **bombe ~** atom(ic) bomb; **énergie ~** atomic energy

attache *s. f.* tie, fastner; bond, strap; *fig.* attachment

attaché *s. m.* attaché

attacher *v.a.* fasten, tie (up), attach; associate; engage; **s'~** attach (to), become attached (to)

attaque *s. f.* attack

attaquer *v.a.* attack

attarder *v.a.* delay; **être attardé** be delayed

atteindre* *v.a.* attain, reach; hit, strike

atteinte *s. f.* blow, stroke; fit; injury; **hors d'~** out of reach

attendre *v.a. & n.* await, wait for, expect; **s'~** hope for, expect

attendrir *v.a.* soften; *fig.* move, touch; **s'~** be moved

attendrissement *s. m.* compassion; tenderness

attente *s. f.* waiting; hope

attentif, -ive *adj.* attentive, considerate

attention *s. f.* attention, notice, heed, care; *(pl.)* attentions; **faire ~** be careful, mind, take notice of, take heed (to); **~ !** look out!

atténuer *v.a.* extenuate, attenuate

atterrir *v.n.* land

atterrissage *s. m.* landing; **piste d'~** landing strip

attester *v.a.* attest

attirail *s. m.* implements *(pl.)*, utensils *(pl.)*, gear; tackle

attirer *v.a.* attract

attitude *s. f.* attitude

attraction *s. f.* attraction

attrape *s. f.* trap; catch

attribuer *v.a.* assign, allot; attribute, ascribe

attribut *s. m.* attribute

au *(pl. aux)* to the, at the

auberge *s. f.* inn, tavern; ~ **de la jeunesse** youth hostel

aucun *adj. & pron.* no, none, no one, not any

au-dessous *adv.* below; ~ **de** under

au-dessus *adv.* (~ **de**) above, over

audience *s. f.* audience, public; sitting, session

audiovisuel, -elle *adj.* audio-visual

auditeur, -trice *s. m. f.* listener; auditor

auditoire *s. m.* audience; congregation

auge *s. m.* trough; bucket

augmentation *s. f.* augmentation, increase; rise

augmenter *v.a.* augment, increase; **s'~** increase

aujourd'hui *adv.* today

auparavant *adv.* previously, earlier; before

auprès *adv.* near, by, close by; ~ **de** near

auquel *rel. pron.* to whom, to which

aurore *s. f.* dawn

aussi adv. also, too; ~ **...** **que** as ... as; *conj.* and so, therefore; ~ **bien que** as well as; ~ **bien** in fact

austère *adj.* austere, severe

autant *adv. & conj.* as much, as many, as far; ~ **que** as far as, as much as

autel *s. m.* altar

auteur *s. m.* author

authentique *adj.* authentic, genuine

auto *s. f.* car

autobus *s. m.* (motor-)bus

autocar *s. m.* (motor-)coach

automatique *adj.* automatic; *s. m.* dial-telephone

automne *s. m. f.* autumn

automobile *s. m. f.* motorcar

autonomie *s. f.* autonomy

autorisation *s. f.* authorization, permission; licence

autoriser *v.a.* authorize

autorité *s. f.* authority; rule

autoroute *s. f.* motorway

auto-stop *s. m.* hitchhiking

auto-stoppeur, -euse *s. m. f.* hitchhiker

autour *adv. & prep.* ~ **de** about, (a)round; **tout** ~ all round

autre *adj.* different, other, another, else; **un** ~ another; **d'~ part** on the other hand; ~ **part** elsewhere; **de temps à** ~ now and then, at times; **l'~ jour** the other day; **l'un et l'~** both; **l'un l'~** each other

autrefois *adv.* formerly, long ago

autrichien, -enne (A) *adj. & s. m. f.* Austrian

autrui *pron.* others, other people

avalanche *s. f.* avalanche

avaler *v.a.* swallow; *fig.* endure, pocket

avance *s. f.* advance

avancé *adj.* advanced

avancement *s. m.* advance, progress; promotion

avancer *v.a.* advance, bring, put forward; pay in advance; *v.n.* advance, proceed, move on; **s'~** come, move, go forward

avant *prep. & adv.* before, in front (of), in advance; ~ **tout** above all, before everything; **en** ~ forward, to the front; **mettre en** ~ bring forward; **en** ~ **de** in front of; *s. m.* front (part); bow (of ship); forward

avantage *s. m.* advantage, benefit, profit; (tennis) vantage

avantageux, -euse *adj.* advantageous

avant-hier *adv.* day before yesterday

avant-propos *s. m.* foreward, preface

avare *s. m. f.* miser; *adj.* avaricious, miserly

avarice *s. f.* avarice

avec *prep.* with

avenir *s. m.* future; **à l'~** in the future

aventure *s. f.* adventure; chance, luck

aventurer *v.a.* risk; **(s'~)** venture

aventurier, -ère *s. m. f.* adventurer

avenue *s. f.* boulevard; avenue

averse *s. f.* shower (of rain)

aversion *v. f.* aversion, dislike

avertir *v.a.* inform, let know; warn; **faire ~ de** give notice of

avertissement *s. m.* information, notification; advice; warning

aveu *s. m.* admission, confession; consent

aveugle *adj.* blind

aveuglement *s. m.* blindness

avide *adj.* greedy, eager

avidité *s. f.* avidity

avilir *v.a.* debase, disgrace, degrade

avion *s. m.* (aero)plane; **~ de ligne** airliner; **~ à réaction** jet plane; **par ~** by airmail

avis *s. m.* opinion; advice, counsel; information, notice; hint; mind; **changer d'~** change one's mind

aviser *v.a.* perceive; inform; let know; advise; **s'~** de think, find

avocat *s. m.* barrister, advocate, counsel

avoine *s. f.* oat(s)

avoir* *v.a.* have, possess; have on, wear; feel; **~ raison** be right; **~ faim** be hungry; **~ de** take after; **~ à** have to; **il y a** there is, there are; ago

avorter *v.n.* miscarry, have a miscarriage

avorton *s. m.* abortion

avoué *s. m.* attorney, solicitor; lawyer

avouer *v.a. & n.* admit, confess; acknowledge; approve

avril *s. m.* April

axe *s. m.* axis; axle

azote *s. m.* nitrogen

B

baccalauréat *s. m.* baccalaureate, bachelor's degree

bachelier *s. m.* bachelor (of arts, etc.)

bacille *s. m.* bacillus

bagage *s. m.* luggage; **plier ~** pack up one's kit

bague *s. f.* ring

bai *adj.* bay

baie[1] *s. f.* bay

baie[2] *s. f.* berry

baigner, se ~ bathe

baignoire *s. m.* bath, bathtub; pit-box

bâiller *v.n.* yawn, gape

bain *s. m.* bath; **salle de ~** bathroom

baïonette *s. f.* bayonet

baiser *v.a.* kiss

baisse *s. f.* fall; decline

baisser *v.a.* lower, let down; bring down; turn down; cast down; *v.n.* decline, fall; sink; **se ~** stoop

bal *s. m.* ball; **~ costumé** fancy-dress ball

balai *s. m.* broom, mop; (house-) brush; **donner un coup de ~** sweep

balance *s. f.* balance, scales *(pl.)*

balancer *v.a. & n.* balance; weigh; swing, rock; give the sack; **se ~** swing, wave; balance

balayer *v.a.* sweep (out), clear away

balcon *s. m.* balcony; dress-circle

baleine *s. f.* whale

ballade *s. f.* ballad

balle *s. f.* ball; bullet; bale

ballon *s. m.* balloon; (foot-)ball

balnéaire *adj.* pertaining to baths; **station ~** watering place

bambou *s. m.* bamboo

ban *s. m.* ban; **~s de mariage** banns

banal *adj.* banal, common, ordinary

banane *s. f.* banana

banc *s. m.* bench, form; bank; pew; stand

bande *s. f.* band, strip; bandage; troop, gang, set; **~ de papier** slip of paper; **~ transporteuse** conveyor belt

bander *v.a.* bind up

bandit *s. m.* bandit

banlieu *s. f.* outskirts, suburbs *(pl.)*

bannir *v.a.* banish, exile

banque *s. f.* bank; **billet de ~** banknote; **compte en ~** bank account

banquet *s. m.* banquet, feast

banquier, -ère *s. m. f.* banker

baptême *s. m.* baptism

baptiser *v.a.* baptize

barbare *adj. & s. m.* barbarian

barbarie *s. f.* barbarousness, cruelty

barbe *s. f.* beard; **faire la ~** a shave

barbet *s. m.* poodle

barbier *s. m.* barber

baron *s. m.* baron

baronne *s. f.* baroness

barque *s. f.* boat, barge

barrage *s. m.* barrier, barrage, dam

barre *s. f.* bar

barreau *s. m.* (small) bar; the Bar

barrer *v.a.* fasten, bat; cut off, shut out; steer

barrière *s. f.* barrier, town-gate, gate; bar; obstacle

barrique *s. f.* barrel, cask

bas[1] *adj.* low; **à ~ prix** cheap; **terre ~se** lowland; **en ~** (down) below, down(-wards); *s. m.* bottom, lower part

bas[2] *s. m.* stocking; **~ nylons** nylon stockings

base *s. f.* base; basis

basique *adj.* basic

basse *s. f.* bass; bass-viol

bassesse *s. f.* lowness, meanness

basset *s. m.* basset (dog)

bassin *s. m.* basin, pool

bataille *s. f.* battle

bataillon *s. m.* battalion

bateau *s. m.* boat

batelier *s. m.* boatman

bâtiment *s. m.* building; building trade; ship

bâtir *v.a.* build, erect

bâtisseur, -euse *s. m. f.* builder

bâton *s. m.* stick, staff

batte *s. f.* bat; beater

battement *s. m.* clap(ping); flapping

batterie *s. f.* battery; fight, row; percussive instruments *(pl.)*; ~ **de cuisine** kitchen utensils *(pl.)*

battre* *v.a. & n.* beat, strike, thrash; **se** ~ fight

battu *adj.* beaten

bavard, -e *s. m. f.* gossip

bavarder *v.n.* chat(ter), gossip

bazar *s. m.* bazaar

beau, bel; belle; beaux, belles *adj.* beautiful, handsome, good-looking, fair; considerable; **il y a ~ temps que** it seems an age since; **un ~ jour** one fine day; *s. m.* beauty

beaucoup *adv.* (~ **de**) a good deal, many, much; plenty (of); **à ~ près, de** ~ by far

beau-frère *s. m.* brother-in-law

beau-père *s. m.* father-in-law

beauté *s. f.* beauty

beaux-arts *s. m. pl.* (the) fine arts

bébé *s. m.* baby

bec *s. m.* beak, bill, nib; mouthpiece; jet; ~ **de gaz** gas-burner, gas-jet

bêche *s. f.* spade

bégayer *v.n. & a.* stammer, stutter

belge (B) *adj. & s. m. f.* Belgian

belle-fille *s. f.* daughter-in-law; step-daughter

belle-mère *s. f.* mother-in-law; stepmother

belle-soeur *s. f.* sister-in-law

bémol *s. m. & adj.* flat (music)

bénédiction *s. f.* benediction, blessing

bénéfice *s. m.* benefit, advantage, profit

bénir *v.a.* bless; praise

berceau *s. m.* cradle; *fig.* origin

bercer *v.a.* rock, lull (to sleep); *fig.* lull (with promises)

béret *s. m.* beret

berger *s. m.* shepherd

bergère *s. f.* shepherdess; deep easy chair

bésicles *s. f. pl.* spectacles; goggles

besogne *s. f.* (piece of) work, job, task

besoin *s. m.* need, want; requirement; **avoir ~ de** want, need; **être dans le** ~ be poor

bétail *s. m.* cattle

bête *s. f.* beast; animal; *adj.* foolish, silly, stupid, dull

bêtise *s. f.* foolishness, stupidity; nonsense; trifle

beurre *s. m.* butter

biais *s. m.* bias, slant, slope

biaiser *v.n.* slant, slope

bibelot *s. m.* trinket, gew-gaw

biberon *s. m.* feeding-bottle

bible *s. f.* Bible

bibliothécaire *s. m. f.* librarian

bibliothèque *s. f.* library; bookcase; bookstall

bicyclette *s. f.* bicycle, bike

bicycliste *s. m. f.* cyclist

bien *adv.* well, right, properly, fully; **assez** ~ fairly; **faire du** ~ benefit; **ou** ~ or else; **très** ~ very well, all right; ~ **avant** long before; very bad indeed; ~ **que** (al)though; *s. m.* good, welfare, benefit; property, goods; **aller à** ~ prosper, be successful

bien-être *s. m.* welfare, well-being

bienfaisance *s. f.* beneficence

bienfaisant *adj.* charitable, king; humane

bienfait *s. m.* kindness; benefaction

bientôt *adv.* soon, shortly; **à ~ !** so long!

bienveillance *s. f.* benevolence, kindness

bienveillant *adj.* kind(ly), benevolent, charitable

bienvenu *adj.* welcome; **soyez le ~** welcome!

bière *s. f.* beer

bifteck *s. m.* beef-steak

bijou *s. m. (pl.* **-x***)* jewel

bijouterie *s. f.* jewellery; jeweller's shop

bijoutier, -ière *s. m. f.* jeweller

bile *s. f.* bile; **se faire de la ~** worry, fret

bille *s. f.* billard-ball

billet *s. m.* note; ticket; certificate; **~ d'aller et retour** return ticket; **~ d'entrée** admission ticket; **~ de banque** banknote

billot *s. m.* block; yoke

biographe *s. m. f.* biographer

biographie *s. f.* biography

biologie *s. f.* biology

biologiste, biologue *s. m. f.* biologist

bis *int.* encore!

biscuit *s. m.* biscuit

bison *s. m.* bison

bistro *s. m.* pub; wineshop

bizarre *adj.* strange, odd

blaque *s. f.* pouch

blaireau *s. m.* badger; shaving brush

blâme *s. m.* blame, reprimand

blâmer *v.a.* blame; find fault with

blanc, blanche *adj.* white; hoary; blank

blanchir *v.a.* whiten, bleach; whitewash; *v.n.* turn white, whiten

blasphème *s. m.* blasphemy

blasphémer *v.a. & n.* blaspheme

blé *s. m.* wheat

blême *adj.* pale

blesser *v.a.* wound, injure, hurt; offend; **se ~** wound oneself; be offended

blessure *s. f.* wound, injury; offence

bleu *adj. & s. m.* blue; **~ marine** navy blue

bloc *s. m.* block; **en ~** in the lump

blond *adj.* fair, blond

bloquer *v.a.* blockade; block (up); tighten

blouse *s. f.* blouse, smock

bobine *s. f.* bobbin, spool

boeuf *s. m.* ox, beef

bohème *adj.* bohemian

boire* *v.a. & n.* drink; swallow; **~ à la santé de X** drink X's health; *s. m.* drink(ing)

bois *s. m.* wood; timber; **de, en ~** wood(en)

boisson *s. f.* drink, beverage

boîte *s. f.* box, case; can, tin; **~ aux lettres** letter-box; **~ de vitesse** gear-box; **en ~** tinned

boiteux, -euse *adj.* lame

bombardement *s. m.* bombardment

bombarder *v.a.* bombard, shell

bombe *s. f.* bomb, shell; **~ H** H-bomb

bon, bonne *adj.* good; kind, nice; right; valid; **c'est ~ !** (all) right!; **~ à rien** good for nothing; **~ne année !** Happy New Year!; **de**

~ne heure early; *s. m.* good(ness); bond, order

bonbon *s. m.* bonbon, sweet

bond *s. m.* bound, leap

bondé *adj.* crowded

bonder *v.a.* load, cram

bondir *v.n.* bound, leap, spring

bonheur *s. m.* happiness; good fortune; success

bonhomme *s. m.* good-natured man; simple man; fellow

bonjour *s. m.* good morning; salutation

bonne *s. f.* maid-servant; ~ **(d'enfants)** nursery-maid

bonnet *s. m.* cap, hood

bonsoir *s. m.* good evening

bonté *s. f.* goodness, kindness, benevolence

bord *s. m.* edge, border, brink, (b)rim, verge; side, board, bank; **à** ~ on board; **monter à** ~ go on board

border *v.a.* border, adjoin

bordure *s. f.* border, edging; verge; kerb

borne *s. f.* milestone; bound(ary), limit

borner *v.a.* bound, limit, restrict

bosse *s. f.* bump, protuberance; knob

botanique *adj.* botanical; *s. f.* botany

botte[1] *s. f.* (high) boot

botte[2] *s. f.* bottle; truss

bottine *s. f.* boot

bouche *s. f.* mouth; orifice, muzzle

boucher *s. m.* butcher

boucherie *s. f.* butcher's (shop)

bouchon *s. m.* plug, cork, stopper

boue *s. f.* mud, dirt

bouger *v.n.* stir, budge

bougie *s. f.* candle, (sparking-)plug

bouillir* *v.n. & a.* (also **faire ~**) boil

bouillon *s. m.* bubble; stock; ~ **de boeuf** beef-tea

bouillotte *s. f.* kettle

boulanger, -ère *s. m. f.* baker; baker's wife

boulangerie *s. f.* bakery, baker's (shop)

boule *s. f.* ball, bowl

boulevard *s. m.* boulevard

bouleverser *v.a.* overthrow, upset; turn upside down; distract

boulon *s. m.* bolt, pin

bouquet *s. m.* cluster, bunch; bouquet

bourdonnement *s. m.* buzz(ing), humming

bourdonner *v.n.* buzz, hum, drone

bourg *s. m.* (small) town; village

bourgeois, -e *s. m. f.* citizen; townsman

bourgeoisie *s. f.* citizens *(pl.)*; middle class

bourse *s. f.* purse; exchange; Stock Exchange; scholarship, bursary

bousculade *s. f.* hustling

bousculer *v.a.* upset, hustle, jostle; **se** ~ hustle each other

bout *s. m.* end, extremity, tip, top, button; **un ~ de chemin** a short distance

bouteille *s. f.* bottle

boutique *s. f.* shop; booth, stall

bouton *s. m.* button; stud; bud; nipple; knob; **~s de manchette** cuff-links

boutonnière *s. f.* buttonhole

boxer *v.n.* box, fight

boxeur *s. m.* boxer

bracelet *s. m.* bracelet

braconner *v.n.* poach

bracconnier *s. m.* poacher

brancard *s. m.* stretcher; shaft

branche *s. f.* branch

branier *v.a.* shake, totter, waver

bras *s. m.* arm; hand; branch

braser *v.a.* braze, solder

brasserie *s. f.* brewery; beershop

brave *adj.* brave; honest, worthy, good

braver *v.a.* face, brave

bravoure *s. f.* bravery, courage

brebis *s. f.* ewe, sheep

brèche *s. f.* breach, gap

bref, brève *adj.* brief, short

bretelles *s. f. pl.* braces

brevet *s. m.* patent; certificate

bride *s. f.* bridle, reins

brièveté *s. f.* brevity

brigade *s. f.* brigade

brigadier *s. m.* corporal, overseer

brigand *s. m.* brigand, armed robber

brillant *adj.* brilliant, shiny, glittering

briller *v.n.* shine, glitter, sparkle

brin *s. m.* shoot, sprig, blade (of grass)

brioche *s. f.* brioche

brique *s. f.* brick; bar (of soap)

briquet *s. m.* lighter

briquette *s. f.* briquette

brise *s. f.* breeze

briser *v.a.* break (to pieces), smash; v.*n.* break; **se ~** break to pieces

britannique *adj.* British

broche *s. f.* brooch; knitting needle; spindle, spit

brochure *s. f.* pamphlet

broder *v.a.* embroider

broderie *s. f.* embroidery, braid

bronchite *s. f.* brochitis

bronze *s. m.* bronze

brosse *s. f.* brush; **~ à barbe** shaving brush; **~ à dents** toothbrush; **~ à cheveux** hairbrush; **donner un coup de ~** a brush up

brosser *v.a.* brush; **se ~** brush oneself

brouillard *s. m.* mist, fog

brouille *s. f.* quarrel

brouiller *v.a.* mingle, mix; confuse, embroil; shuffle (cards)

broyer *v.a.* crush, pound

bruire *v.n.* rustle

bruit *s. m.* noise, din; fuss; rumour

brûlant *adj.* burning, hot, scorching; fiery

brûler *v.a. & n.* burn, scorch, roast; **~ de** long for

brume *s. f.* mist, fog

brumeux, -euse *adj.* foggy

brun *adj.* brown

brusque *adj.* sudden, curt, gruff

brutal *adj.* brutal, rude, savage

brute *s. f.* brute

bruyant *adj.* noisy, loud

budget *s. m.* budget

buffet *s. m.* sideboard; buffet; refreshment room

buisson *s. m.* bush, shrub

bulbe *s. m.* bulbe

bulle *s. f.* bubble; bull

bulletin *s. m.* bulletin

bureau *s. m.* (writing-)desk; bureau, office; department; board, committee; **~ de location** box-office; **~ de poste** post-office; **~ de tabac** tobacconist's (shop); **~ central** exchange

burlesque *adj.* burlesque, ridiculous; *s. m.* burlesque

but *s. m.* butt, target; goal; aim, object, purpose; scope

buter, *v.n.* stumble (*contre* against); **se ~** grow obstinate

butin *s. m.* booty

butte *s. f.* hill, mount, knoll

C

ça *pron.* that; **comme ~** in that way; *adv.* here; *int.* now then!

cabaret *s. m.* tavern; wineshop; night-club, music hall

cabine *s. f.* cabin, berth; cage, car; **~ téléphonique** call-box

cabinet *s. m.* small room; study; water-closet; office; business; cabinet (council); cabinet; **~ de consultation** consulting room; surgery

câble *s. m.* rope, cable

cabriolet *s. m.* cabriolet

cacao *s. m.* cocoa

cacher *v.a.* hide, conceal; **se ~** hide oneself

cadeau *s. m.* present, gift

cadet *adj. & s. m.* younger, junior; cadet

café *s. m.* coffee; café, coffeehouse; **~ au lait** white coffee; **~ concert** music hall

cafetière *s. f.* coffee pot

cage *s. f.* cage; coop; case, crate

cahier *s. m.* exercise book

caillou *s. m.* pebble, stone

caisse *s. f.* box, case; cash(-box), till; cashier's office; drum; **en ~** in hand

caissier, -ère *s. m. f.* cashier

calcul *s. m.* calculation, reckoning; arithmetic

calculateur *s. m.* calculator, computer

calculer *v.a. & n.* calculate, reckon, compute

caleçon *s. m.* pants *(pl.)*; **~ de bain** bathing drawers *(pl.)*

calendrier *s. m.* calendar

calme *adj.* quiet, calm; *fig.* cool; *s. m.* calm

calmer *v.a.* quiet, calm

calomnier *v.a.* calumniate, slander

calorie *s. f.* calorie

calorifère *s. m.* heating apparatus

calvaire *s. m.* Calvary

camarade *s. m.* comrade, fellow; **~ d'école** school-friend

cambrioler *v.a.* burgle, break into

cambrioleur *s. m.* burglar

caméra *s. f.* (cine-)camera

camion *s. m.* lorry

camp *s. m.* camp; side

campagnard *s. m.* countryman, peasant

campagne *s. f.* country(side), fields *(pl.)*; campaign, expedition

camper *v.n.* camp

camping *s. m.* camping; **terrain de ~** camping site; **matériel de ~** camping equipment; **faire du ~** camp

canal *s. m.* canal; channel

canapé, *s. m.* sofa, couch

canard *s. m.* duck, drake

candidature *s. f.* candidature, candidacy

canif *s. m.* penknife

canne *s. f.* stick, cane; **~ à pêche** fishing rod

canon *s. m.* gun, cannon

canot *s. m.* boat

cantine *s. f.* canteen

canton *s. m.* canton, district

cantonade *s. f.* wings *(pl.)*; **à la ~** behind the scenes

caoutchouc *s. m.* rubber; waterproof, mackintosh

capable *adj.* capable, able; efficient; fit

capacité *s. f.* capacity; (cap)ability

capitaine *s. m.* captain, leader

capital *adj.* capital, chief; *s. m.* main point; capital, fund

capitale *s. f.* capital; capital letter

capitalisme *s. m.* capitalism

capituler *v.n.* capitulate

caprice *s. m.* caprice

capricieux *adj.* capricious, fickle

capsule *s. f.* capsule

captif, -ive *adj. & s. m. f.* captive

captiver *v.a.* captivate

capturer *v.a.* capture

car *conj.* for, because

caractère *s. m.* character, temper; nature; type, print, letter

caractériser *adj. & s. f.* characteristic

cardinal *s. m.* cardinal; *adj.* chief, cardinal; **points card naux** cardinal points

caresser *v.a.* caress, fondle; foster

caricature *s. f.* caricature

carnaval *s. m.* carnival

carnet *s. m.* note-book, pocket-book; book of tickets; **~ de chèques** chequebook

carotte *s. f.* carrot

carreau *s. m.* square; (paving-)tile; tile flooring; pane; diamond

carrière *s. f.* career; racecourse; race; quarry

carrosserie *s. f.* body

carte *s. f.* card; map; ticket; bill (of fare); **partie de ~s** game of cards; **~ postale** postcard; **~ routière** road map; **~ de visite** visiting-card; **~ marine** chart; **~ d'entrée** admission ticket; **~ grise** driving licence; **à la ~** à la carte

carton *s. m.* pasteboard, cardboard; (paper)box

cas *s. m.* case, event; instance, fact; **dans le ~ où, en ~ de** in case; **en tout ~** in any case

caserne *s. f.* barracks *(pl.)*

casquette *s. f.* cap

casser *v.a. & n.* break; crack, snap; annul; dismiss; **se ~** break, get broken

casserole *s. v.* saucepan

casuel, -elle *adj.* casual, accidental

catalogue *s. m.* catalogue

catastrophe *s. f.* catastrophe, disaster

catégorie *s. f.* category, class

cathédrale *s. f.* cathedral

catholicisme *s. m.* catholicism

catholique *adj.* catholic

cause *s. f.* cause, reason, ground; case; **à ~ de** on account of, owing to

causer[1] *v.a.* cause

causer[2] *v.n.* talk, converse, chat

cavalerie *s. f.* cavalry

cavalier *s. m.* horseman, cavalier

cave *s. f.* cave; cellar

caverne *s. f.* cave(n)

ce[1], **c'** *pron.* this, it

ce[2], **cet; cette** *dem. adj.* *(pl.* **ces***)* this *(pl.* these); that *(pl.* those)

ceci *pron.* this

céder *v.a.* give up, yield, cede, make over; *v.n.* yield, give in, up

ceinture *s. f.* belt, girdle
cela *pron.* that it; **c'est** ~ that's right
célébration *s. f.* celebration
célèbre *adj.* celebrated
célébrer *v.a.* celebrate
célibataire *adj.* unmarried, single
cellule *s. f.* cell
celtique *adj.* Celtic
celui, celle *dem. pron. (pl.* **ceux, celles***)* he, she, they, those
celui-ci, celui-là, celle-ci, celle-là *dem. pron. (pl.* **ceux-ci, -là, celles-ci, -là***)* this one, this person, the latter, these ones
cément *s. m.* cement
cendre *s. f.* ash(es)
cendrier *s. m.* ashtray
cent *adj. & s. m.* hundred; **pour** ~ per cent
centime *s. m.* centime
centimètre *s. m.* centimetre
central *adj.* central
centrale *s. f.* ~ **électrique** power-plant, -station
centre *s. m.* centre
cependant *conj.* however, yet, still, nevertheless; in the meantime; ~ **que** while
céramique *s. f.* ceramics; *adj.* ceramic
cercle *s. m.* circle, ring; party, club
cercueil *s. m.* coffin
cérémonie *s. f.* ceremony
cerf *s. m.* stag, hart
cerise *s. f.* cherry
certain *adj.* certain, sure
certainement *adv.* certainly, surely
certificat *s. m.* certificate, testimonial
certifier *v.a.* certify
certitude *s. f.* certainty
cerveau *s. m.* brain(s)
ces see **ce**[2]
cesse *s. f.* ceasing, pause; **sans** ~ unceasingly
cesser *v.a. & n.* cease, stop; give up; **faire** ~ put an end to
cet see **ce**[2]
ceux see **celui**
chacun *pron.* each, each one, every one; everybody
chagrin *s. m.* grief, sorrow, vexation; *adj.* sad, sorrowful; sorry; gloomy
chaîne *s. f.* chain; range (of mountains); ~ **de montage** assembly line
chair *s. f.* flesh; pulp (of fruit)
chaire *s. f.* chair; pulpit; seat, see
chaise *s. f.* chair
châle *s. m.* shawl
chaleur *s. f.* heat; fire
chambre *s. f.* room; bedroom; chamber; apartment; hall; ~ **à coucher** bedroom; ~ **Haute** Upper House; ~ **de commerce** chamber of commerce
chameau *s. m.* camel
champ *s. m.* field, country; *fig.* space, opportunity, theme
champagne *s. m.* champagne
champignon *s. m.* mushroom
champion, -onne *s. m. f.* champion
championnat *s. m.* championship
chance *s. f.* chance, fortune, risk; luck
chancelier *s. m.* chancellor
chancellerie *s. f.* chancery
chandail *s. m.* sweater, pullover
chandelle *s. f.* candle
change *s. m.* change, changing; succession; (foreign) exchance, barter; **agent de** ~ stockbroker;

bureau de ~ exchange office; **lettre de ~** bill of exchange

changer *v.a.* change, alter; exchange; **se ~** be transformed; change one's clothes

chanson *s. f.* song

chant *s. m.* singing; song, tune; chant(ing)

chanter *v.a. & n.* warble; chant; praise

chanteur, -euse *s. m. f.* singer

chantier *s. m.* yard, timber-yard, work-yard

chapeau *s. m.* hat; bonnet; cap

chapelain *s. m.* chaplain

chapelle *s. f.* chapel

chapitre *s. m.* chapter; subject, head

chaque *adj.* each, every

charbon *s. m.* coal; embers *(pl.)*; **~ de bois** charcoal

charcuterie *s. f.* pork-butchery

charcutier, ière *s. m. f.* pork-butcher

charge *s. f.* load, burden; post, function, charge, office; attack; accusation

charger *v.a. & n.* load; burden; charge; entrust

charité *s. f.* charity

charmant *adj.* charming

charme *s. m.* charm

charpente *s. f.* timber-work

charpentier *s. m.* carpenter

charrette *s. f.* cart, wagon

charrue *s. f.* plough

charte *s. f.* charter

chasse *s. f.* chase, hunt-(ing), shooting

chasser *v.a. & n.* chase, pursue, hunt, shoot, go shooting; drive out

chasseur *s. m.* hunter; page-boy

chaste *adj.* chaste, pure

chat *s. m.* (he-)cat

châtaigne *s. f.* chestnut

château *s. m.* castle; palace

chatte *s. f.* (she-)cat

chaud *adj. & adv.* hot, warm; ardent

chauffage *s. m.* heating, warming; **~ central** central heating

chauffe-bain *s. m.* geyser

chauffer *v.a. & n.* heat, warm; urge on; coach

chauffeur *s. m.* driver

chausse *s. f.* hose

chausser *v.a. & n.* put on (shoes, etc.), wear; **se ~** put on one's stockings, etc.

chaussette *s. f.* sock

chausseure *s. f.* footwear, shoes *(pl.)*

chauve *adj.* bald

chef *s. f.* chief; **~ de train** guard; **~ d'orchestre** conductor

chemin *s. m.* road, way; lane; **se mettre en ~** start; **~ de fer** railway

cheminée *s. f.* chimney, fireplace, funnel

chemise *s. f.* shirt

chêne *s. m.* oak(-tree)

chèque *s. m.* cheque; **~ en blanc** blank cheque; **~ de voyage** traveller's cheque

cher, chère *adj.* dear

chercher *v.a.* seek, look for, search for

chéri, -e *adj.* dear; *s. m. f.* darling

cheval *s. m.* horse; **à ~** on horseback; **monter à ~** ride

chevalerie *s. f.* chivalry

chevalier *s. m.* knight
chevelure *s. f.* hair
cheveu *s. m.* hair; **en** ~ bareheaded
cheville *s. f.* wooden pin, peg; ankle
chèvre *s. f.* (she-)goat
chevreau *s. m.* kid-(leather)
chez *prep.* at, in, at the house of; ~ X at X's
chic *adj.* smart, spruce, fashionable; *s. m.* chic; trick; elegance
chien, -enne *s. m. f.* dog
chiffon *s. m.* rag, scrap; chiffon
chiffre *s. m.* figure, digit; number
chignon *s. m.* knot (of hair), bun
chimie *s. f.* chemistry
chimique *adj.* chemical
chimiste *s. m. f.* chemist
chinois, -e (Ch) *adj. & s. m. f.* Chinese
chirurgie *s. f.* surgery
chirugien, -enne *s. m. f.* surgeon
choc *s. m.* shock, clash, collision
chocolat *s. m.* chocolate
choeur *s. m.* chorus; choir
choisir *v.a.* choose, pick out, select
choix *s. m.* choice
chômage *s. m.* stoppage, cessation of work; unemployment
choquer *v.a.* run into, strike against, collide with; shock, offend; **se** ~ come into collision be shocked
chose *s. f.* thing, object, matter; goods; event; **quelque** ~ something, anything
chou *s. m.* cabbage, cole
chou-fleur *s. m.* cauliflower
chrétien, -enne *adj. & s. m. f.* Christian
christianisme *s. m.* Christianity
chronique *adj.* chronic; *s. f.* chronicle
chuchoter *v.n. & a.* whisper
chute, *s. f.* fall, downfall, descent; slope
ci *adv.* here
ci-dessous *adv.* below, underneath
ci-dessus *adv.* above, aforesaid
cidre *s. m.* cider
ciel *s. m.* (*pl.* **cieux**) heaven; sky; weather; climate
cierge *s. m.* wax candle
cigare *s. m.* cigar
cigarette *s. f.* cigarette
cigogne *s. f.* stork
cil *s. m.* eyelash
cime *s. f.* top, summit
ciment *s. m.* cement
cimetière *s. m.* cemetery; churchyard
cinéma *s. m.* cinema
cinérama *s. m.* cinerama
cinq *adj. & s. m.* five; fifth
cinquante *adj. & s. m.* fifty; fiftieth
circonstance *s. f.* circumstance; occurrence, occasion, event
circuit *s. m.* circuit
circulation *s. f.* circulation; currency; traffic
circuler *v. n.* circulate; **circulez !** move on!
cire *s. f.* wax
cirer *v.a.* wax; polish
ciseau *s. m.* chisel
ciseaux *s. m. pl.* scissors
citation *s. f.* citation
cité *s. f.* city, town
citer *v.a.* cite; quote
citoyen, -enne *s. m. f.* citizen
citron *s. m.* lemon

citronnade *s. f.* lemon squash
civil *adj.* civil; *s. m.* civilian
civilisation *s. f.* civilization, culture
clair *adj.* light, clear
clapet *s. m.* valve
claquement *s. m.* clap-(ping); snap
claquer *v.n. & a.* crack, clap; chatter; bang
clarté *s. f.* light, brightness; clearness
classe *s. f.* class; order, rank; form, classroom
classer *v.a.* class, rank
classifier *v.a.* classify
classique *adj.* classic(al)
clause *s. f.* clause
clé, clef *s. f.* key; spanner, wrench; fig. clue; ~ **de contact** ignition key
clerc *s. m.* clerk; scholar
clergé *s. m.* clergy
clérical *adj.* clerical
client *s. m.* client, customer, patron
clientèle *s. f.* clients *(pl.)*
cligner *v.a. & n.* wink
clignotant *s. m.* indicator
clignoter *v.a. & n.* blink, wink
climat *s. m.* climate
clinique *adj. & s. f.* clinic, clinical
cloche *s. f.* bell
cloître *s. m.* cloister
clore* *v.a.* shut, close
clos *adj.* closed
clôture *s. f.* enclosure, fence; close
clou *s. m.* nail, stud; boil, furuncle
clouer *v.a.* nail (down)
club *s. m.* club
cocher *s. m.* coachman, driver
cochon *s. m.* pig, swine
code *s. m.* code; law, rule
coeur *s. m.* heart; *fig.* mind, soul, courage; **par** ~ by heart
coffre *s. m.* chest
coffre-fort *s. m.* safe
cognac *s. m.* cognac
cogner *v.n. & a.* beat, knock, strike; **se** ~ knock against
coiffer *v.a.* put on (hat); dress, do someone's hair
coiffeur, -euse *s. m. f.* hairdresser
coiffure *s. f.* headdress, cap; hairdo; **salon de** ~ hairdresser
coin *s. m.* corner; angle
coïncider *v.n.* coincide
coke *s. m.* coke
col *s. m.* collar; neck
colère *s. f.* anger
colis *s. m.* parcel; item (of luggage)
collaborateur, -trice *s. m. f.* fellow worker; collaborator
collaborer *v.n.* work jointly, collaborate
collectif, -ive *adj.* collective
collection *s. f.* collection
collège *s. m.* college; grammar school
collègue *s. m. f.* colleague, fellow worker
coller *v.a.* stick, paste
collet *s. m.* collar; neck
collier *s. m.* necklace; collar
colline *s. f.* hill
collision *s. f.* collision; **entrer en** ~ collide
colombe *s. f.* dove
colonel *s. m.* colonel
colonie *s. f.* colony; dominion
colonne *s. f.* column
coloré *adj.* coloured; colourful
colossal *adj.* colossal
combat *s. m.* fight, combat

combattre *v.a. & n.* fight (against), combat (with)

combien *adv.* (~ **de**) how much, how many, how far; ~ **de temps ?** how long?

combinaison *s. f.* combination

combiner *v.a.* combine, unite; contrive, devise

comédie *s. f.* comedy

comédien *s. m.* comedian, actor

comestible *adj.* edible

comique *adj.* comic; *s. m.* comic actot

comité *s. m.* committee

commandant *s. m.* commander

commande *s. f.* order

commandement *s. m.* command, order; commandment

commander *v.a.* command, order; control

comme *adv. & conj.* as, like; as ... as; while; ~ **il faut** decent, proper; **tout** ~ just like; ~ **si** as if, as though

commémorer *v.a.* commemorate

commencant, -e *s. m. f.* beginner; *adj.* beginning

commencement *s. m.* beginning

commencer *v.a. & n.* begin, commence

comment *adv.* how, in what manner; why; ~ **allez-vous ?** how are you?; ~ **(dites-vous) ?** (I beg your) pardon?

commentaire *s. m.* comment; commentary

commenter *v.a.* comment (on); criticize

commercant, -e *s. m. f.* merchant, dealer

commerce *s. m.* commerce, trade; **voyageur de** ~ commercial traveller; ~ **de gros** wholesale trade; **faire le** ~ trade

commercer *v.n.* trade, deal with, in

commercial *adj.* commercial

commettre *v.a.* commit; **se** ~ commit oneself

commis *s. m.* clerk, employee

commissaire *s. m.* commissary; commissioner

commissariat *s. m.* police station

commission *s. f.* commission; charge; committee; errand

commode *adj.* convenient, handy, comfortable; *s. f.* chest of drawers

commun *adj.* common; joint; usual; vulgar; **peu** ~ unusual; *s. m.* common people

communauté *s. f.* community

commune *s. f.* district

communication *s. f.* communication, message; call

communier *v.n.* communicate

communion *s. f.* communion

communiqué *s. m.* communiqué

compact *adj.* compact

compagnie *s. f.* company

compagnon *s. m.* companion, fellow

comparaison *s. f.* comparison

comparer *v.a.* compare

compartiment *s. m.* compartment; ~ **de fumeurs** smoking compartment; ~ **pour non-fumeurs** non-smoker

compas *s. m.* compass(es)

compatriote *s. m. f.* compatriot, (fellow) countryman

compensation *s. f.* compensation

compenser *v.a. & n.* compensate

compétent *adj.* competent

compétiteur, -trice *s. m. f.* competitor

compétition *s. f.* competition

compilation *s. f.* compilation

compiler *v.a.* compile

complainte *s. f.* complaint

complaisance *s. f.* complaisance, kindness

complaisant *adj.* complaisant, obliging, kind

complément *s. m.* complement; object

complémentaire *adj.* complementary

complet, -ète *adj.* complete, full

compléter *v.a.* complete

complexe *adj.* complex, compound

complication *s. f.* complication

compliment *s. f.* compliment; congratulation

compliquer *v.a.* complicate

comploter *v.a.* plot

composant, -e *adj. & s. f.* component

composer *v.a.* compose, **se ~ de** be composed of, consist of

compositeur, -trice *s. m. f.* composer

composition *s. f.* composition; paper

comprendre *v.a.* comprehend; understand

comprimé, -e *adj.* pressed; *s. m.* tablet

compromettre *v.a.* compromise, commit; **se ~** commit oneself

compromis *s. m.* compromise

comptabilité *s. f.* bookkeeping, accounts *(pl.)*

compte *s. m.* account; amount, sum; **~ courant** current account; **faire le ~ de** count; **régler un ~** settle an account; **~ rendu** report, account, statement; review; **tenir ~ de** take into account

compter *v.a. & n.* count, reckon, calculate

comptoir *s. m.* counter

computer *v.a.* compute

comte *s. m.* count

comtesse *s. f.* countess

concéder *v.a.* grant

concentration *s. f.* concentration; reduction

concentrer *v.a.* condense, concentrate

concept, -tion *s. m. f.* concept(ion), idea

concernant *prep.* concerning

concerner *v.a.* concern, relate to

concert *s. m.* concert

concevoir* *v.a. & n.* conceive; think; imagine; apprehend

concierge *s. f. m.* porter

concile *s. m.* council

concis *adj.* concise

conclure* *v.a. & n.* conclude, end

conclusion *s.f.* conclusion, end

concombre *s. m.* cucumber

concorder *v.n.* agree

concourir *v.n.* contribute, concur; compete

concours *s. m.* concourse; help; assistance; competition

concret, -ète *adj.* concrete

concurrence *s. f.* competition; rivalry

concurrent *s. m.* competitor; rival

condamnation *s. f.* condemnation; sentence

condamner *v.a.* condemn, sentence

condenser *v.a.* condense

condition *s. f.* condition, state; service; stipulation, condition; **à ~ que** on condition that, provided that

conditionnel *adj.* conditional

conditionnement *s. m.* **~ de l'air** air-conditioning

conducteur, -trice *s. m. f.* conductor; driver

conduire* *v.a. & n.* conduct, lead; drive; show (to), take (to); manage; **permis de ~** driving licence

conduit *s. m.* pipe, tube

conduite *s. f.* conducting, leading; driving; behaviour, conduct

cône *s. m.* cone

confection *s. f.* ready-made clothes *(pl.)*

confédération *s. f.* confederation, confederacy

conférence *s. f.* comparison; conference; lecture; **maître de ~s** lecturer; **faire une ~** deliver a lecture

conférencier, -ère *s. m. f.* lecturer

conférer *v.a.* grant, confer, bestow; compare

confesser *v.a.* confess

confession *s. f.* confession

confiance *s. f.* confidence, trust, reliance; **avoir ~** count on, trust

confiant *adj.* confident

confidence *s. f.* confidence

confidentiel, -elle *adj.* confidential

confier *v.a.* trust; entrust, give in charge

confinement *s. m.* imprisonment

confiner *v.n. & a.* confine

confirmation *s. f.* confirmation

confirmer *v.a.* confirm

confiserie *s. f.* confectionery, sweet-shop

confiture *s. f.* jam, preserve

conflit *s. m.* conflict

confondre *v.a.* confound

conformer *v.a.* conform, adapt; **se ~ à** conform oneself (to)

confort *s. m.* comfort, ease

confortable *adj.* comfortable

confrère *s. m.* fellow-worker, colleague

confronter *v.a.* confront, compare

confus *adj.* confused

confusion *s. f.* confusion

congé *s. m.* leave, holiday; permission; discharge; warning, notice; **donner ~** give notice (to); dismiss; **prendre ~ de** take leave of; **être en ~** be on holiday

congédier *v.a.* dismiss

congratulation *s. f.* congratulation

congrès *s. m.* congress, assembly

conjecture *s. f.* conjecture

conjecturer *v.a. & n.* conjecture, guess

conjonction *s. f.* conjunction, union

connaissance *s. f.* knowledge; acquaintance; **faire ~ avec** get acquainted with

connaître* *v.a.* know, understand; be acquainted with

connexion *s. f.* connection

conquérir* *v.a. & n.* conquer; win (over)

conscience *s. f.* consciousness; conscience; **avoir la ~ de** be conscious of, be aware of

conscient *adj.* conscious

conscrit *s. m.* conscript

conseil *s. m.* counsel, advice; adviser; council, board, staff

conseiller[1], **-ère** *s. m. f.* counsellor, councillor
conseiller[2] *v.a. & n.* advise, counsel
consentir *v.n.* consent, agree (*à* to)
conséquence *s. f.* consequence, result
conséquent *adj.* consistent; **par ~** consequently
conservatoire *s. m.* conservatory
conserver *v.a.* keep, preserve; tin
considérable *adj.* considerable
considération *s. f.* consideration; esteem
considérer *v.a.* consider; esteem
consigne *s. f.* cloak-room, left-luggage office
consigner *v.a.* deposit
consister *v.n.* consist (of), be made (of)
consoler *v.a.* console
consommateur, -trice *s. m. f.* consumer, customer
consommer *v.a.* consummate; consume
consomption *s. f.* consumption
consonne *s. f.* consonant
conspiration *s. f.* conspiracy
conspirer *v.a. & n.* conspire, plot
constant *adj.* constant, firm
constipation *s. f.* constipation
constituer *v.a.* constitute, compose
constitutionnel, -elle *adj.* constitutional
constructeur *s. m.* builder
construction *s. f.* construction, building
construire* *v.a.* build, construct
consul *s. m.* consul
consulat *s. m.* consulate
consulter *v.a.* consult
consumer *v.a.* consume
contact *s. m.* contact, touch, switch
contaminer *v.a.* contaminate
conte *s. m.* story, tale
contemplation *s. f.* contemplation
contempler *v.a. & n.* contemplate
contemporain, -e *adj. & s. m. f.* contemporary
contenance *s. f.* capacity, contents *(pl.)*
contenir *v.a.* contain, hold; restrain; **se ~** restrain oneself
content *adj.* content
contentement *s. m.* content, satisfaction
contenter *v.a.* content, satisfy; **se ~** be contented, do with
contenu *s. m.* contents *(pl.)*
conter *v.a. & n.* tell, relate
continent *s. m.* continent
continental *adj.* continental
continuation *s. f.* continuation, continuance
continuel, -elle *adj.* continual
continuer *v.a. & n.* go on (with), keep on; **se ~** be continued
contour *s. m.* contour, outline
contracter *v.a.* contract, bargain for
contradiction *s. f.* contradiction
contraindre* *v.a.* compel, force; **se ~** restrain oneself
contrainte *s. f.* constraint
contraire *adj. & s.m.* contrary; **au ~** on the contrary
contrairement *adv.* **~ à** contrary to
contraste *s. m.* contrast
contraster *v.n.* contrast (*avec* with)
contrat *s. m.* contract
contre *prep.* against
contrée *s. f.* country

contrefaçon *s. f.* counterfeit(ing); forgery
contrefaire *v.a.* counterfeit; pirate; forge
contre-partie *s. f.* counterpair
contresigner *v.a.* countersign
contribuant *s. m.* contributer
contribuer *v.n.* contribute (*à* to)
contribution *s. f.* contribution, tax
contrôle *s. m.* control, check; hallmark
contrôler *v.a.* control, check
contrôleur *s. m.* ticket-collector
contusion *s. f.* bruise
convaincre *v.a.* convince
convenable *adj.* suitable, appropriate
convenance *adj.* suitability, convenience
convenir *v.n.* suit, be convenient (to), fit
conventionnel, -elle *adj.* conventional
conversation *s. f.* conversation, talk
converser *v.n.* converse
convertir *v.a.* convert
conviction *s. f.* conviction
convier *v.a.* invite
convive *s. m.* guest
convoi *s. m.* convoy; funeral procession
convoquer *v.a.* convoke
coopération *s. f.* co-operation
coopérer *v.n.* co-operate
copie *s. f.* copy
copier *v.a.* copy
coq *s. m.* cock
coquille *s. f.* shell
coquin *s. m.* rogue
corail *s. m.* coral
corbeau *s. m.* raven
corbeille *s. f.* basket
corde *s. f.* cord, rope
cordial *adj.* cordial
cordonnier *s. m.* shoemaker
corne *s. f.* horn; hooter
corneille *s. f.* crow, rook
cornet *s. m.* horn; cornet
cornichon *s. m.* gherkin
corporation *s. f.* corporation
corps *s. m.* body, corpse; corporation, corps
correct *adj.* correct
correction *s. f.* correction
correspondance *s. f.* correspondence; relation; communication; connection
correspondant *adj.* corresponding
correspondre *v.n.* correspond; communicate
corriger *v.a.* correct
corrompre *v.a.* corrupt, spoil; **se ~** become corrupted
corruption *s. f.* corruption
corset *s. m.* stays *(pl.)*
cortège *s. m.* escort
cosmétique *adj.* cosmetic; *s. m.* **~s** cosmetics
cosmonaute *s. m.* cosmonaut, spacemen
costume *s. m.* dress, costume; **~ de bain**(s) bathing costume
côte *s. f.* rib; slope; shore
côté *s. m.* side, part; **à ~** by the side; **de ~** on one side; **d'un ~** on the one hand; **de l'autre ~** on the other hand; **passer a ~** pass by; **à ~ de** next (door) to; beside
côtelette *s. f.* chop
coton *s. m.* cotton
cottage *s. m.* cottage

cou *s. m.* neck

couche *s. f.* bed; napkin, diaper; coat; layer; *(pl.)* confinement

coucher *v.a.* put to bed; lay; *v.n.* lie down; sleep; **être couché** lie; **se ~** go to bed, lie down; *s. m.* bedtime; setting

couchette *s. f.* berth, bunk; napkin

coude *s. m.* elbow; angle, bend

coudre* *v.a. & n.* sew

couler *v.n.* flow, run, stream; leak; sink

couleur *s. f.* colour

coulisse *s. f.* groove; skip, wings *(pl.)*; **dans les ~s** behind the scenes

couloir *s. m.* passage; corridor; lobby

coup *s. m.* blow, stroke, knock; smack; pull; kick; shot; draught; cast, move; **d'un seul ~** at once; **~ de feu** rush hours *(pl.)*; **de froid** chill; **~ de main** sudden attack; **~ d'oeil** glance, look; **~ de soleil** sunstroke

coupe *s. f.* wine-cup

couper *v.a.* cut; cut down, off, up; divide; cross; mix; **se ~** cut oneself, cut one's (finger, etc.)

couple *s. f.* pair, brace; *m.* couple

cour *s. f.* (court)yard; court; courting, courtship; **faire la ~ à** court, make love to

courage *s. m.* courage

courageux, -euse *adj.* courageous, brave

courant *adj.* current; running; *s. m.* current; stream; course run; **~ d'air** draught

courbe *s. f.* curve, bend

courbé *adj.* curved; bent

courber *v.a. & n.* bend, bow; **se ~** bend, be bent; bow

courir* *v.n.* run; hurry; flow; be current

couronne *s. f.* crown

couronner *v.a.* crown

courrier *s. m.* messenger, courier, post, mail

cours *s. m.* course; current, flow; currency

course *s. f.* race, run; course; drive

court *adj.* short, brief; *adv.* short; suddenly; *s. m.* tennis-court

courtiser *v.a.* pay court to, court

courtois *adj.* courteous, polite

courtoisie *s. f.* courtesy

cousin, -e *s. m. f.* cousin

coussin *s. m.* cushion

coût *s. m.* cost, price

couteau *s. m.* knife

coûter *v.n. & a.* cost

coûteux, -euse *adj.* costly, expensive, dear; **peu ~** inexpensive

coutume *s. f.* custom, habit; **de ~** customary

couture *s. f.* sewing, seam; needlework; scar

couturière *s. m.* dressmaker

couvent *s. m.* convent

couver *v.a.* brood (on), sit; hatch, breed

couvercle *s. m.* cover, lid, cap

couvert *adj.* covered; covert, sheltered; cloudy; secret; *s. m.* set (of fork and spoon); cover; protection; **mettre le ~** lay the table

couverture *s. f.* cover-(ing); blanket; **~s** bedclothes

couvrir* *v.a.* cover; load; protect; be sufficient for

crabe *s. m.* crab

cracher *v.n. & a.* spit

craie *s. f.* chalk

craindre *v.a.* fear, be afraid of
crainte *s. f.* fear; **de ~ de** for fear of; **de ~ que** lest
crampe *s. f.* cramp
crampon *s. m.* cramp
crâne *s. m.* skull; *adj.* bold
craquer *v.n.* crack
cravate *s. f.* (neck)tie
crayon *s. m.* pencil; crayon
créance *s. f.* credence, belief, trust
créancier, -ère *s. m. f.* creditor
création *s. f.* creation
créature *s. f.* creature
crèche *s. f.* crèche
crédit *s. m.* credit; **à ~** on credit
créditer *v.a.* credit
créditeur *s. m.* creditor
créer *v.a.* create, make
crème *s. f.* cream, custard; **~ à raser** shaving cream
crémerie *s. f.* dairy
crêpe s. *m.* crape, crêpe
creuser *v.a.* dig; deepen
creux, -euse *adj.* hollow, empty; *s. m.* hollow
crevaison *s. f.* puncture
crever *v.a. & n.* burst; puncture; die
cri *s. m.* cry, scream; call, shout
crible *s. m.* sieve, screen
cric *s. m.* jack
crier *v.a. & n.* cry (out)
crime *s. m.* crime, guilt
criminel, -elle *adj. & s. m. f.* criminal
crise *s. f.* crisis
crisper *v.a.* contract, shrivel
cristal *s. m.* crystal
critique *adj.* critical; *s. f.* criticism, critique; *s. m. f.* critic, reviewer
crochet *s. m.* hook; crochet(-work); hanger
croire* *v.a. & n.* believe, credit, trust; think
croiser *v.a.* cross; *v.n.* cruise
croître* *v.n.* grow, increase; grow up; *v.a.* increase
croix *s. f.* cross
croquis *s.m.* sketch
crouler *v.n.* fall (to pieces), fall in
croûte *s. f.* crust; **casser la ~** have a snack
croyance *s. f.* belief, faith; creed
croyant, -e *s. m. f.* believer; *adj.* faithful
cru *adj.* raw; crude
cruauté *s. f.* cruelty
crue *s. f.* rise, growth
cruel, -elle *adj.* cruel
crypte *s. f.* crypte
cube *s. m.* cube
cueillir* *v.a.* gather, pick glean
cuiller, -ère *s. f.* spoon; **~ à pot** ladle; **a café** teaspoon
cuir *s. m.* skin; leather
cuire* *v.a. & n.* cook; boil; roast; burn; **faire trop ~** overdo
cuisine *s. f.* kitchen; cooking, cookery; **batterie de ~** kitchen utensils; **de ~** culinary; **livre de ~** cookery-book
cuisinière *s. f.* cook; kitchen range, cooker
cuisse *s. f.* thigh; leg
cuit *adj.* cooked, baked
cuivre *s. m.* copper
cul *s. m.* bottom
culinaire *adj.* culinary
culotte *s. f.* panties; breeches *(pl.)*
culte *s. m.* cult, worship
cultivateur, -trice *s. m. f.* farmer

cultiver *v.a.* cultivate, till; *fig.* improve

culture *s. f.* culture

culturel, -elle *adj.* cultural

cure *s. f.* care; cure

curé *s. m.* priest; vicar

cure-dent *s. m.* toothpick

curieux, -euse *adj.* curious, strange, inquisitive

curiosité *s. f.* curiosity; **~s** sights

cuve *s. f.* tub, vat

cuvette *s. f.* **~ de lavabo** wash-basin

cycle *s. m.* cycle

cygne *s. m.* swan

cylindre *s. m.* cylinder

D

dactylo(graphe) *s. m. f.* typist

dame *s. f.* lady; queen

danger *s. m.* danger

dangereux, -euse *adj.* dangerous

danois, -e (D) *adj. & s. m. f.* Dane, Danish

dans *prep.* in, into; inside; during; **~ le temps** formerly

danse *s. f.* dance

danser *v.n.* dance

danseur, -euse *s. m. f.* dancer

date *s. f.* date; **prendre ~**fix a day

dater *v.a. & n.* date

datte *s. f.* date

davantage *adv.* more, further; **bien ~** much more; **pas ~** no more; **en ~** some more

de *prep.* of, from, out of, on account of

dé *s. m.* thimble

déballer *v.a.* unpack

débarquer *v.a. & n.* land, disembark, arrive

débarrasser *v.a.* clear (up), rid, free; **se ~** get rid (of)

débat *s. m.* debate

débattre *v.a. & n.* debate

débit *s. m.* sale; debit; output; utterance; **~ de tabac** tobacconist's shop

déborder *v.n. & a.* overflow, run over

débouché *s. m.* outlet, issue

déboucher *v.a.* uncork, open; *v.n.* run into

débourser *v.a.* disburse

debout *adv.* upright, standing; **être ~** stand

début *s. m.* start, outset; first appearance

débuter *v.n.* begin, start; make one's first appearance

décadence *s. f.* decadence

décagramme *s. m.* decagramme

décéder *v.n.* die, decease

décembre *s. m.* December

déception *s. f.* deception, deceit; disappointment

décharge *s. f.* discharge; outlet

décharger *v.a.* unload, unburden; release; discharge; **se ~** unburden oneself

déchausser *v.a.* take off (shoes)

déchéance *s. f.* decadence, decay; decline

déchiffrer *v.a.* decipher; make out

déchirer *v.a.* tear, rend

dechoir* *v.n.* fall off, decay

décider *v.a. & n.* decide, settle; **se ~** make up one's mind; be settled

décilitre *s. m.* decilitre

décimal, -e *adj. & s. f.* decimal

décimètre *s. m.* decimetre

décisif, -ive *adj.* decisive, final

décision *s. f.* decision

déclaration *s. f.* declaration, statement

déclarer *v.a.* declare, state; **se ~** declare itself

décliner *v.n.* decline

décolletage *s. m.* low neck

décolleter *v.a.* cut low

décomposer *v.a.* decompose; spoil; **se ~** decompose

décomposition *s. f.* decomposition

décompte *s. m.* discount; particulars *(pl.)*

décor *s. m.* decoration; scene, environment; scenery

décoratif, -ive *adj.* decorative

décorer *v.a.* decorate; trim

découper *v.a.* cut out, carve

décourager *v.a.* discourage

découverte *s. f.* discovery

découvrir* *v.a.* discover, find out; uncover; **se ~** uncover oneself, disclose oneself

décret *s. m.* decree, order

décrier *v.a.* cry down

décrire *v.a.* describe

décrocher *v.a.* unhook, take down

décroissance *s. m.* decrease

décroître *v.n.* decrease

déçu *adj.* disappointed

dédain *s. m.* disdain, scorn

dedans *adv.* within, inside; indoors, at home

dédicace *s. f.* dedication

dédier *v.a.* dedicate

déduire* *v.a.* deduct

défaire *v.a.* undo; break; unfasten, take off; defeat; **se ~** come undone

défaite *s. f.* defeat

défaut *s. m.* defect, deficiency, want; fault; flaw; **à ~ de** for want of; **sans ~** faultless

défavorable *adj.* unfavourable

défendre *v.a.* defend; forbid; **se ~** defend oneself

défense *s. f.* defence, protection; prohibition; tusk; **se mettre en ~** stand on one's guard

défiance *s. f.* distrust, mistrust

défier *v.a.* defy

défigurer *v.a.* disfigure, deface, spoil

défiler *v.n.* defile

défini *adj.* definite

définir *v.a.* define

définitif, -ive *adj.* definitive, final

définition *s. f.* definition

défunt, -e *adj. & s. m. f.* deceased, defunct

dégager *v.a.* redeem, release, disengage; emit

dégorger *v.a.* disgorge, discharge; *v.n.* discharge, overflow

dégoût *s. m.* disgust

dégoûtant *adj.* disgusting

dégoûter *v.a.* disgust; **se ~** get tired of

dégradation *s. f.* degradation

dégrader *v.a.* degrade; damage

degré *s. m.* degree

déguisement *s. m.* disguise

déguiser *v.a.* disguise, hide

dehors *adv.* out, outside, out of doors; **au ~** outside, abroad; **en ~ de** outside of, apart from

déjà *adv.* already; previously

déjeuner *s. m.* lunch(eon); **petit ~** breakfast; *v.n.* have breakfast; take lunch

delà *prep.* beyond; **au ~ de** beyond

délai *s. m.* delay; **à bref** ~ at short notice

délégation *s. f.* delegation

déléguer *v.a.* delegate

délibération *s. f.* deliberation, resolution; **en** ~ under consideration

délibérer *v.n.* deliberate, ponder; *v.a.* bring under discussion

délicat *adj.* delicate; feeble; fastidious, dainty

délicatesse *s. f.* delicacy; delicateness; daintiness

délice *s. m.* delight

délicieux, -euse *adj.* delicious, delightful

délier *v.a.* untie; loosen

délivrance *s. f.* deliverance

délivrer *v.a.* deliver, (set) free

déloyal *adj.* disloyal, unfair

demain *adv.* tomorrow

demande *s. f.* request, application, inquiry, call, request, demand

demander *v.a.* ask, inquire (after); beg, demand; request, require; **se** ~ wonder

démanger *v.n.* itch

démarche *s. f.* walk, gait; proceeding

démasquer *v.a.* unmask

déménagement *s. m.* removal, moving

déménager *v.n. & a.* move (house); remove

démesuré *adj.* immoderate, excessive

demeure *s. f.* delay; home, dwelling

demeurer *v.n.* live; stay

demi, -e *adj.* half; **à** ~ by half; **une heure et ~e** half past one; an hour and a half; *s. f.* half-hour

demi-cercle *s. m.* semi-circle

demi-heure *s. f.* half an hour

demi-jour *s. m.* twilight

démobiliser *v.a.* demobilize

démocratie *s. f.* democracy

démocratique *adj.* democratic

démodé *adj.* old-fashioned

demoiselle *s. f.* young lady, miss

démolir *v.a.* demolish, pull down

démon *s. m.* demon

démonstratif, -ive *adj.* demonstrative

démonstration *s. f.* demonstration

démontrer *v.a.* demonstrate

dénaturé *adj.* unnatural

dénombrer *v.a.* number

dénomination *s. f.* denomination

dénoncer *v.a.* denounce

dénoter *v.a.* denote; indicate

dense *adj.* dense, compact

densité *s. f.* density

dent *s. f.* tooth; **mal de ~s** toothache

dental *adj.* dental

dentelle *s. f.* lace

dentier *s. m.* set of (false) teeth, denture

dentrifice *s. m.* **pâte** ~ toothpaste

dentiste *s. m. f.* dentist

dénué *adj.* destitute

dénuement *s. m.* destitution

départ *s. m.* departure

département *s. m.* department; territory

départir *v.a. & n.* pass, exceed, go beyond

dépêche *s. f.* despatch, wire, telegram

dépêcher *v.a.* dispatch; *v.n. & a.* **se**~ hurry

dépendance *s. f.* dependance

dépendant, -e *adj.* dependent; *s. m. f.* dependant

dépendre *v.n.* depend

dépense *s. f.* expense; larger

dépenser *v.a. & n.* spend; waste

dépit *s. m.* spite; **en ~ de** in spite of

déplacement *s. m.* displacement; shift

déplacer *v.a.* displace, move, shift; **se ~** move

déplaire *v.n.* displease

déplier *v.a.* unfold, lay out

déplorer *v.a.* deplore

déportation *s. f.* transportation, deportation

déposer *v.a.* put down, set down; deposit; **se ~** settle

dépot *s. m.* deposit; storeroom, warehouse; lock-up

dépourvu *adj.* needy

dépraver *v.a.* deprave

déprécier *v.a.* depreciate

dépression *s. f.* depression

déprimer *v.a.* depress

depuis *prep.* since, from; **~ longtemps** long since

députation *s. f.* deputation

député *s. m.* deputy; member of the French parliament

dérangé *adj.* deranged; upset

déranger *v.a.* upset, put out of order

déraper *v.n.* skid

dérèglement *s. m.* irregularity; disorder

dérivation *s. f.* derivation

dériver *v.n.* drift, be derived

dernier, -ère *adj. & s. m. f.* latter, last, latest; **le ~** the latter

dernièrement *adv.* lately

dérober *v.a.* rob, steal; **se ~** steal away

déroger *v.n.* derogate (from)

dérouler *v.a.* unroll, unfold

déroute *s. f.* defeat

derrière *adv. & prep.* behind, back; *s. m.* back (part); bottom

dès *prep.* from, as early as, since; **~ que** as soon as

désagréable *adj.* disagreeable, unpleasant

désarmer *v.a.* disarm

désastre *s. m.* disaster

désavantage *s. m.* disadvantage

descendance *s. f.* descent

descendant *adj.* decending; **en ~** downward, downhill

descendre *v.n.* descend, come down, go down; alight; **~ terre** land; *v.a.* take down

descente *s. f.* descent; landing

description *s. f.* description

désert[1] *s. m.* desert

désert[2] *adj.* deserted, desolate

déserter *v.n. & a.* leave, desert

désespérer *v.n.* despair, give up

désespoir *s. m.* despair

déshabilier *v.a.* undress; take off clothes

déshonneur *s. m.* dishonour, disgrace

déshonorer *v.a.* dishonour, disgrace

désigner *v.a.* designate; denote; appoint

desinfecter *v.a.* disinfect

désir *s. m.* desire

désirable *adj.* desirable

désirer *v.a. & n.* desire, long for

désireux, -euse *adj.* desirous, anxious

désobéir *v.n.* disobey

désobéissance *s. f.* disobedience

désobéissant *adj.* disobedient

désoeuvré *adj.* idle, unoccupied

désolation *s. f.* devastation; desolation

désoler *v.a.* desolate; afflict, distress; **se ~** grieve, be sorry

désordre *s. m.* disorder

dessert *s. m.* dessert

dessin *s. m.* drawing, sketch; design; **~ animé** cartoon

dessiner *v.a.* draw; sketch; design

dessous *adv. & prep.* under, underneath, below, beneath; *s. m.* under-part; undies *pl.*

dessus *adv. & prep.* on, upon, over, above, on top; *s. m.* upper part, top

destin *s. m.* destiny, fate

destinataire *s. m. f.* receiver, addressee

destination *s. f.* destination

destinée *s. f.* destiny

destiner *v.a.* destine; mean (for); **se ~** be destined (*à* for)

détachement *s. m.* disengagement; detachment

détacher *v.a.* loose(n), unfasten; detach; **se ~** get loose, come undone

détail *s. m.* detail, particular; retail; **en ~** in detail

détention *s. f.* detention

détermination *s. f.* determination

déterminé *adj.* definite, determinate; resolute; limited

déterminer *v.a.* determine, fix; limit; settle

détestable *adj.* hateful

détester *v.a.* detest

détonation *s. f.* detonation

détour *s. m.* turning, winding, turn; roundabout way; evasion

détourner *v.a.* turn aside; lead astray

détroit *s. m.* strait, pass

détruire* *v.a.* destroy, ruin; do away with

dette *s. f.* debt

deuil *s. m.* mourning

deux *adj. & s. m.* two; both

deuxième *adj.* second

devancer *v.a.* precede; anticipate

devant *prep. adv.* before; in front of; opposite to; **~ que** before; **en-~ de** in front of; *s. m.* front; foreground

dévaster *v.a.* devastate, destroy

développement *s. m.* development, growth

développer *v.a.* (also **se ~**) develop

devenir *v.n.* become, get, turn, grow

dévier *v.a. & n.* deviate, turn away

devise *s. f.* device

dévoiler *v.a.* unveil, reveal

devoir* *v.a.* owe, be in debt for; have to, must, be bound to, ought to; *s. m.* duty; task; work, prep

dévorer *v.a.* devour, eat up

dévouement *s. m.* devotion

dévouer *v.a.* devote, dedicate; **se ~** devote oneself

diable *s. m.* devil; trolley, truck

diacre *s. m.* deacon

diadème *s. m.* diadem

diagnostic *s. m.* diagnosis

dialecte *s. m.* dialect

dialogue *s. m.* dialogue

diamant *s. m.* diamond

diapositive *s. f.* transparency, slide

diarrhée *s. f.* diarrhoea
dictée *s. f.* dictation
dicter *v.a.* dictate
dictionnaire *s. m.* dictionary
diesel *s. m.* diesel engine
dieu *s. m.* (*pl.* **-x**) God
différence *s. f.* difference
différent *adj.* different
différer *v.a.* defer, put off; *v.n.* differ, be different, vary
difficile *adj.* difficult, hard
difficulté *s. f.* difficulty, trouble
diffusion *s. f.* diffusion
digne *adj.* worthy; ~ **de ...** worthy of ...
dignité *s. f.* dignity
diligence *s. f.* diligence
diligent *adj.* diligent
dimanche *s. m.* Sunday
dimension *s. f.* dimension
diminuer *v.a. & n.* diminsh, lessen, reduce
dindon *s. m.* turkey
dîner *s. m.* dinner, *v.n.* dine
diplomate *s. m.* diplomat
diplomatie *s. f.* diplomacy
dilplomatique *adj.* diplomatic
diplôme *s. m.* diploma
dire* *v.a.* say, tell; speak; **c'est à** ~ that is to say; **pour ainsi** ~ as it were; **vouloir** ~ mean; **dites donc !** look here!
direct *adj.* direct
directeur *s. m.* director, manager; head master
direction *s. f.* direction; management; guidance; steering-gear
directrice *s. f.* directress; head mistress
diriger *v.a.* direct; lead, guide; manage; turn; steer
disciple *s. m.* disciple, follower
discipline *s. f.* discipline
discorde *s. f.* discord
discours *s. m.* discourse, speech
discrédit *s. m.* discredit
discréditer *v.a.* discredit
discret, -ète *adj.* discreet; discrete
discrètement *adv.* discreetly
discrétion *s. f.* discretion
discussion *s. f.* discussion
discuter *v.a.* discuss, debate
disparaître *v.n.* disappear
dispenser *v.a.* dispense; **se** ~ **de** dispense with
disposer *v.a. & n.* dispose, lay out; **se** ~ prepare (to), be about (to); **bien disposé** willing
disposition *s. f.* disposition, arrangement; **à la** ~ **de quelqu'un** at someone's disposal
dispute *s. f.* dispute
disputer *v.a. & n.* dispute, contest, argue; **se** ~ quarrel, dispute
disqualifier *v.a.* disqualify
disque *s. m.* disc, record; discus; ~ **microsillon** or **longue durée** long playing record
dissimulation *s. f.* dissimulation, dissembling
dissimuler *v.a. & n.* dissemble, conceal; **se** ~ conceal oneself
dissolution *s. f.* dissolution; undoing, breaking up
dissoudre* *v.a.* dissolve, disperse
distance *s. f.* distance; **à quelle** ~ **est-ce ?** how far is it?
distant *adj.* distant, far
distiller *v.a. & n.* distil
distinct *adj.* distinct, clear
distinction *s. f.* distinction

distinguer *v.a.* distinguish, discriminate; make out, tell
distraction *s. f.* abstraction; recreation; entertainment; distraction
distraire *v.a.* subtract; divert, distract; amuse, entertain
distrait *adj.* inattentive, absent-minded
distribuer *v.a.* distribute; deal out
district *s. m.* district
divan *s. m.* sofa, divan
divergence *s. f.* divergence; difference
divers *adj.* diverse, different, miscellaneous
diversion *s. f.* diversion
divertir *v.a.* divert, entertain; **se ~** enjoy oneself
divertissement *s. m.* diversion; entertainment
divin *adj.* divine
diviser *s. f.* divide, separate
division *s. f.* division, department
divorce *s. m.* divorce
divorcer *v.n. & a.* divorce, be divorced
dix *adj. s. m.* ten
dix-huit *adj. & s. m.* eighteen
dixième *adj. & s. f.* tenth
dix-neuf *adj. & s. m.* nineteen
dix-sept *adj. & s. m.* seventeen
dizaine *s. f.* ten
docteur *s. m.* doctor
document *s. m.* document
documentaire *s. m.* documentary (film)
dogme *s. m.* dogma
doigt *s. m.* finger; toe
dollar *s. m.* dollar
domaine *s. m.* domain; landed property
dôme *s. m.* dome
domestique *adj. & s. m. f.* domestic, servant
domicile *s. m.* domicile, dwelling
domination *s. f.* domination, rule
dominer *v.a. & n.* domage; pity
dompter *v.a.* subdue, master, tame
don *s. m.* present, gift
donateur *s. m.* giver
donc *conj.* therefore, then, so; of course
donne *s. f.* deal
donner *v.a.* give, grant, present with, afford, hand over; **~ congé** give notice to; **se ~ pour** claim to be
dont *pron.* whose, of whom; of which
dormir* *v.n.* sleep
dortoir *s. m.* dormitory
dos *s. m.* back
dose *s. f.* dose
dossier *s. m.* back-piece; record, file
dot *s. f.* dowry
doter *v.a.* endow
douane *s. f.* customs; custom-house; duty; **déclaration de ~** customs declaration; **droits de ~** customs duties; **la visite de la ~** customs formalities
douanier *s. m.* custom-house officer
double *s. m.* double; **en ~** duplicate; *adj.* double, dual
doubler *v.a.* double (up); line; dub
doublure *s. f.* lining; understudy
douce see **doux**
douceur *s. f.* sweetness; gentleness
douche *s. f.* shower-bath
douer *v.a.* endow, gift

douleur *s. f.* pain, ache
douloureux, -euse *adj.* painful
doute *s. m.* doubt; **sans ~** no doubt, undoubtedly
douter *v.n.* doubt; **se ~** suspect
douteux, -euse *adj.* doubtful, dubious
doux, douce *adj.* sweet; mild, soft
douzaine *s. f.* dozen
douze *adj. & s. m.* twelve; twelfth
douzième *adj.* twelfth
dramatique *adj.* dramatic; **l'art ~** drama
drame *s. m.* drama
drap *s. m.* cloth, sheet
drapeau *s. m.* flag
dresser *v.a.* set up, erect; prepare; **se ~** stand up, get up
drogue *s. f.* drug
droguerie *s. f.* drugs *pl.*
droit *s. m.* right; law; duty, due; **avoir ~ à** be entitled to; **~ de cité** citizenship; **~ d'auteur** copyright; **exempt de ~s** duty-free; **~(s) de sortie** export duty; *adj.* right, direct, straight
droite *s. f.* right hand
drôle *adj.* droll, funny, strange; *s. m.* rouge
du *art.* of the, some, any
dû *adj. & s. m.* due
duc *s. m.* duke
duchesse *s. f.* duchess
duel *s. m.* duel
duplicate *s. m.* duplicate, copy
dur *adj.* hard, tough
durable *adj.* lasting
durant *prep.* during, for
durcir *v.a. & n.* harden
durée *s. f.* duration, term
durer *v.n. & a.* last, endure, hold out
dureté *s. f.* hardness
dynastie *s. f.* dynasty

E

eau *s. f.* (*pl.* **-x**) water; **~ de mer** salt water; **~ de Seltz** soda water
ébaucher *v.a.* sketch; outline
ébouriffer *v.a.* ruffle
ébullition *s. f.* boiling
écaille *s. f.* scale
écailler *v.a.* scale
écart *s. m.* deviation; **à l'~** aside, apart
écarter *v.a.* set aside; dispel, take away; **s'~** turn aside
ecclésiastique *adj. & s. m.* ecclesiastic
échafaud *s. m.* scaffold-(ing)
échange *s. m.* exchange
échanger *v.a.* exchange
échapper *v.n.* escape, get away
échauder *v.a.* scald
échauffer *v.a.* heat; **s'~** get hot
échéance *s. f.* expiration
échéant *adj.* due
échec *s. m.* check
échecs *s. m. pl.* chess
échelle *s. f.* ladder; scale
échine *s. f.* backbone
écho *s. m.* echo
échoir* *v.n.* expire, fall due; happen
éclabousser *v.a.* splash, spatter with mud
éclair *s. m.* lightning; flash
éclairage *s. m.* lighting; **~ au néon** strip-lighting

éclaircir *v.a.* make clear, clear up; clarify; throw light on; **s'~** become clear, clear up

éclairer *v.a.* light, illuminate; enlighten

éclaireur *s. m.* boy scout

éclat *s. m.* splinter; burst; brightness

éclatant *adj.* bright

éclater *v.n.* split; burst; break out; flash

éclipser *v.a.* eclipse; **s'~** be eclipsed; vanish

école *s. f.* school; **maître d'~** schoolmaster; **~ normale** teachers' training college; **~ secondaire** grammar school

écolier *s. m.* schoolboy

écolière *s. f.* schoolgirl

économe *adj.* economical; *s. m.* bursar

économie *s. f.* economy; thrift; **~ politique** political economy; **~s** savings; **faire des ~s** save up

économique *adj.* economic; economical

économiser *v.a. & n.* economize, save, spare

écorce *s. f.* bark; rind

écossais *adj.* Scottish, Scotch

Écossais *s. m.* Scotsman

écouler *v.a.* sell

écouter *v.a.* listen to; hear

écouteur *s. m.* headphone; receiver

écran *s. m.* screen; **le petit ~** television

écrier, s'~ cry out

écrire* *v.a.* write (down); **machine à ~** typewriter

écrit *adj.* written; *s. m.* writing; **par ~** in writing

écriture *s. f.* writing, handwriting; style

écrivain *s. m.* writer, author

écuelle *s. f.* bowl, basin, dish

écume *s. f.* foam

écureuil *s. m.* squirrel

écurie *s. f.* stable

édifice *s. m.* building

édifier *v.a.* build, erect; edify

édit *s. m.* edict, decree

éditer *v.a.* pulish; edit

éditeur *s. m.* publisher

éducation *s. f.* education; training

effacer *v.a.* efface, rub outp; wipe out

effectif, -ive *adj.* actual, real

effectuer *v.a.* effect, carry out

effet *s. m.* effect, result; impression; bill (of exchange); *(pl.)* clothes, belongings

efficacité *s. f.* efficacy

effondrer, s'~ fall in, collapse

effort *s. m.* effort, exertion, endeavour

effrayant *adj.* frightful

effrayé *adj.* afraid

effrayer *v.a.* frighten; **s'~** be frightened

effroi *s. m.* fright

effroyable *adj.* frightful

effusion *s. f.* effusion, gush

égal *adj.* equal, like, alike; (all the) same; even

également *adv.* equally

égaler *v.a.* equal

égalité *s. f.* equality

égard *s. m.* regard; **à cet ~** on that account; **à l'~ de** with regard to; **en ~ à** considering

égarer *v.a.* mislead, misguide; **s'~** lose one's way

égayer *v.a.* cheer (up); **s'~** cheer up
église (É) *s. f.* church
égoïste *adj.* egoistic, selfish
egyptien, -enne (E) *adj. & s. m. f.* Egyptian
eh *int.* ah!; ~ **bien !** well!
élaborer *v.a.* work out, think out, elaborate
élan *s. m.* dash; run; élan, zest
élancé *adj.* slim
élancer *v.n.* shoot; **s'~** bound, dash, rush; soar
élargir *v.a.* make wider, enlarge; set at liberty
élastique *adj. & s. m.* elastic
électeur, -trice *s. m. f.* voter
élection *s. f.* election
électricien, -enne *s. m. f.* electrician
électricité *s. f.* electricity; **usine d'~** power-plant, -station
électrique *adj.* electric(al)
électron *s. m.* electron
électronique *adj.* electronic
élégance *s. f.* elegance
élégant *adj.* elegant
élément *s. m.* element
élémentaire *adj.* elementary
éléphant *s. m.* elephant
élévation *s. f.* elevation
élève *s. m. f.* pupil
élevé *adj.* educated
élever *v.a.* raise, lift up; increase; bring up, educate; rear; **s'~** rise; exalt oneself
éliminer *v.a.* eliminate
élire *v.a.* choose; elect
elle *pron.* (*pl.* **elles**) she, it, her; they
elle-même *pron.* herself
éloigné *adj.* far, distant
éloigner *v.a.* remove; take away; set aside
émail *s. m.* enamel
émaner *v.n.* emanate
emballer *v.a.* pack up; pack off
embarquement *s. m.* embarking; shipment
embarquer *v.a.* ship, embark; *v.n.* go on board
embarrasser *v.a.* embarrass
embellir *v.a.* embellish
embêter *v.a.* bore; annoy
emblème *s. m.* emblem
embouchure *s. f.* mouthpiece; mouth (of river)
embranchement *s. m.* branchline; junction
embrasser *v.a.* embrace; kiss; **s'~** kiss
embrayage *s. m.* clutch, coupling
embrouillement *s. m.* tangle; muddle
embrouiller *v.a.* embroil, entangle; muddle; **s'~** become confused
émetteur *s. m.* transmitter
émettre *v.a.* emit; transmit, broadcast
émigration *s. f.* emigration
émigré, -e *s. m. f.* emigrant
émigrer *v.n.* emigrate
éminent *adj.* eminent
emmener *v.a.* take away
émotion *s. f.* emotion; feeling
émouvoir *v.a.* move, touch; **s'~** be moved
emparer, s'~ de get hold of, seize
empêchement *s. m.* hindrance
empêcher *v.a.* keep from; prevent; hinder
empire *s. m.* empire
emplette *s. f.* purchase

emplir *v.a.* fill (up)

emploi *s. m.* employment, job; use

employé, -e *s. m. f.* employee; clerk; attendant

employer *v.a.* employ; use

empoigner *v.a.* grasp, grip; lay hands on

empoissoner *v.a.* poison

emporter *v.a.* carry, take away, carry off, remove; **s'~** get angry, lose one's temper

empreinte *s. f.* stamp, print, impression

empresser, s'~ hurry, hasten

emprisonnement *s. m.* imprisonment

emprisonner *v.a.* imprison

emprunter *v.a.* borrow

en *prep.* in; to; into; at; like, as; by, through; *pron.* of him, of her, of it, of them, their; any, some

encan *s. m.* auction

enceinte *adj.* pregnant

enchaîner *v.a.* chain; link up; detain

enchantement *s. m.* spell; delight

enchanter *v.a.* charm, delight

enclore *v.a.* enclose

enclose *s. m.* enclosure; close

enclume *s. f.* anvil

encombrement *s. m.* stoppage; (traffic) jam

encombrer *v.a.* block up, jam

encore *adv.* yet, still; again; **pas ~** not yet; **~ une fois** once again; **~ que** although; **~ du** some more; **~ quelque chose, Madame ?** anything else, madam?

encouragement *s. m.* encouragement

encourager *v.a.* encourage; cheer

encre *s. f.* ink

encyclopédie *s. f.* encyclopaedia

endommager *v.a.* damage; injure

endormir *v.a.* put to sleep; **s'~** go to sleep, fall asleep

endosser *v.a.* endorse

énergie *s. f.* energy; **~ atomique** atomic energy

énergique *adj.* energetic

enfance *s. f.* infancy, childhood

enfant *s. m. f.* infant, child; **chambre d'~s** nursery; **d'~s** juvenile

enfermer *v.a.* shut in, up, lock up

enfin *adv.* at last; finally, in short

enflammer *v.a.* set on fire; **s'~** take fire

enfler *v.a.* swell (up); **s'~** swell

enflure *s. f.* swelling

engagement *s. m.* obligation; commitment; engagement

engager *v.a. & n.* pledge; pawn; engage, sign on

engloutir *v.a.* swallow up, devour

engraisser *v.a.* fatten; *v.n.* grow fat

enlèvement *s.m.* removal

enlever *v.a.* remove, clear away, take away

ennemi *s. m.* enemy

ennui *s. m.* bore(dom); vexation; nuisance

ennuyer *v.a.* bore, weary; **s'~** be bored

ennuyeux, -euse *adj.* boring, tedious

énoncer *v.a.* state

énormer *adj.* enormous

enquérir, s'~ de inquire about

enrager *v.n.* be enraged

enregistrer *v.a.* register, enter, record

enrhumer *v.a.* **être enrhumè** have a cold; **s'~** catch a cold

enrôler *v.a.* enrol, draft

enroué *adj.* hoarse

enrouler *v.a.* roll (up)

enseignement *s. m.* instruction, tuition

enseigner *v.a. & n.* teach, instruct (in)

ensemble *adv.* together; *s. m.* whole, mass; unity; two-piece suit; set of furniture, suite

ensuite *adv.* then; next

ensuivre, s'~ follow, ensue

entasser *v.a.* heap on

entendement *s. m.* understanding

entendre *v.a. & n.* hear; understand; ~ **parler de** hear of; **ne pas ~** miss; **qu'entendez-vous par là ?** what do you mean by that?; **bien entendu** of course; **c'est entendu !** that's settled!; agreed!

entente *s. f.* meaning; understanding; agreement

enterrement *s. m.* burial

enterrer *v.a.* bury

enthousiasme *s. m.* enthusiasm

enthousiaste *adj.* enthusiastic; keen

entier, -ère *adj.* entire

entièrement *adv.* entirely, wholly

entorse *s. f.* sprain; **donner une ~ à** sprain one's (foot, ankle)

entourage *s. m.* circle of friends; surroundings *(pl.)*; attendants *(pl.)*

entourer *v.a.* surround; encircle

entracte *s. m.* interval

entrailles *s. f. pl.* entrails

entraîner *v.a.* draw along; carry away; involve, entail; coach

entraîneur *s. m.* trainer, coach

entre *prep.* between, among; into, in

entrée *s. f.* entry, entrance, beginning; free access; duty

entremets *s. m.* second course

entreprendre *v.a.* attempt, undertake, contract for; worry

entrepreneur *s. m.* contractor

entreprise *s. f.* undertaking, enterprise

entrer *v.n.* enter; come in, go in; get in; get into; **faire ~** show in

enveloppe *s. f.* envelope; wrapper, cover

envelopper *v.a.* wrap up, do up; envelop

envers *prep.* towards, to

enviable *adj.* enviable

envie *s. f.* envy; desire

envier *v.a.* envy; desire

environ *adv. & prep.* about

environner *v.a.* surround

environs *s. m. pl.* surroundings

envoi *s. m.* sending; consignment, shipment

envoler, s'~ fly away, take wing

envoyer* *v.a.* send, dispatch, forward

envoyeur *s. m.* sender

épais, -aisse *adj.* thick

épaisseur *s. f.* thickness

épargne *s. f.* savings *(pl.)*

épargner *v.a.* save (up)

épaule *s. f.* shoulder

épée *s. f.* sword

éperon *s. m.* spur

épice *s. f.* spice

épicerie *s. f.* grocery, grocer's (shop)

épicier, -ère *s. m. f.* grocer

épidémie *s. f.* epidemic

épinard *s. m.* spinach

épine *s. f.* thorn; spine, backbone; obstacle

épingle *s. f.* pin; ~ **de sûreté** safety-pin

épisode *s. m.* episode

éplucher *v.a.* peel; pick; sift, preen, thin out

éponge *s. f.* sponge

éponger *v.a.* sponge; mop (up)

époque *s. f.* period, age, epoch, time

épouse *s. f.* wife

épouser *v.a.* marry

épouvante *s. f.* fright

époux *s. m.* husband

épreuve *s. f.* test, trial; proof; print

éprouver *v.a.* tast, prove; feel; experience

épuisé *adj.* exhausted; out of print

épuiser *v.a.* exhaust; use up; wear out

équation *s. f.* equation

équilibre *s. m.* balance, equilibrium

équipage *s. m.* suite, retinue; carriage; crew

équipe *s. f.* gang, shift; crew, team, side; train

équipement *s. m.* equipment

équiper *v.a.* equip

équivalent *adj.* equivalent

ère *s. f.* era

errant *adj.* wandering

errer *v.n.* stray; err

erreur *s. f.* error, mistake

érudit *adj.* learned

érudition *s. f.* learning

escalateur *s. m.* escalator

escale *s. m.* stairs *(pl.)*, staircase; ~ **de sauvetage** fire escape; ~ **de service** backstairs *(pl.)*

escargot *s. m.* snail

escarpins *s. m. pl.* pumps

esclavage *s. m.* slavery

esclave *s. m. f.* slave; *adj.* slavish

escrime *s. f.* fencing; **faire de l'~** fence

escrimer *v.n.* fence

espace *s. m.* space; room

espagnol, -e (E) *adj.* Spanish; *s. m. f.* Spaniard; Spanish

espèce *s. f.* species, kind

espérance *s. f.* hope, expectation

espérer *v.a.* hope (for)

espion, -onne *s. m. f.* spy

espionnage *s. m.* espionnage, spying

espoir *s. m.* hope

esprit *s. m.* spirit; mind; character; wit; sense

esquille *s. f.* splinter

esquiver *v.a.* evade

essai *s. m.* trial, test; essay; attempt

essayer *v.a.* try, attempt; essay; assay

essence *s. f.* essence; petrol

essentiel, -elle *adj.* essential

essieu *s. m.* axle

essor *s. m.* flight

essoreuse *s. f.* spin-drier

essuie-glace *s. m.* windscreen wiper

essuie-main(s) *s. m. (pl.)* towel; ~ **à rouleau** roller-towel

essuyer *v.a.* dust; wipe; dry; mop up

est *s. m.* east

esthétique *adj.* aesthetic

estime *s. f.* esteem

estimer *v.a.* & *n.* estimate, value; esteem, regard; consider

estomac *s. m.* stomach

estrade *s. f.* platform

estuaire *s. m.* estuary

et *conj.* and; ~ ... ~ both ... and

étable *s. f.* cow-shed; ~ **à porcs** pigsty

établi *s. m.* (joiner's) bench

établir *v.a.* establish, found, settle, set up; build; prove; **s'~** settle (down)

établissement *s. m.* establishment

étage *s. m.* floor, stor(e)y

étagère *s. f.* shelf

étaler *v.a.* display; spread (out); show off; **s'~** stretch oneself out

étang *s. m.* pond

étape *s. f.* stage

état *s. m.* state; condition; profession, station office; statement; **homme d'~** statesman; **coup d'~** revolt

été *s. m.* summer

éteindre* *v.a.* put out, extinguish; turn off; **s' ~** be extinguished

étendre *v.a.* spread out; stretch out; extend; **s'~** lie down; stretch oneself out

étendu *adj.* wide, vast, extensive

étendue *s. f.* expanse, reach, range; extent

éternel, -elle *adj.* eternal

éternuement *s. m.* sneeze

éternuer *v.n.* sneeze

étincelle *s. f.* spark

étiquette *s. f.* ticket, label; etiquette

étoffe *s. f.* cloth, material

étoile *s. f.* star

étonnant *adj.* astonishing, amazing

étonnement *s. m.* astonishment, wonder

étonner *v.a.* astonish, amaze; **s'~** be astonished

étouffer *v.a.* choke

étrange *adj.* strange

étranger, -ère *adj.* foreign, strange: *s. m. f.* foreigner; **à l'~** abroad

être* *v.n.* be, exist; **il est ...** it is ...; **~ bien** be good-looking; be well; **c'est que** the fact is; **~ à** belong to; *s. m.* being

étreindre* *v.a.* clasp; press; embrace

étreinte *s. f.* embrace

étrier *s. m.* stirrup

étroit *adj.* narrow, strait; close

étude *s. f.* study; chambers *(pl.)*

étudiant, -e *s. m. f.* student, undergraduate

étudier *v.a.* study, read; practise

étui *s. m.* case, box

étuver *v.a.* stew, steam

eucharistie *s. f.* eucharist

européen, -enne *adj.* European

eux *pron. m.* they, them

évader, s'~ escape; get away

évaluer *v.a.* value, estimate

évangélique *adj.* evangelical

évangile *s. m.* gospel

évaporer *v.a.* ervaporate; **s'~** evaporate

éveil *s. m.* **en ~** on the lookout

éveiller *v.a.* awaken; **s'~** wake up

événement *s. m.* event

éventail *s. m.* fan

éventuel, -elle *adj.* eventual

évêque *s. m.* bishop

évidemment *adv.* evidently, obviously

évidence *s. f.* evidence

évident *adj.* evident, obvious

éviter *v.a.* avoid, evade

évoluer *v.n.* evolve

évolution *s. f.* evolution

exact *adj.* exact, accurate

exactement *adv.* exactly

exactitude *s. f.* exactitude, precision

exagérer *v.a.* exaggerate

examen *s. m.* exam(ination); test

examiner *v.a.* examine; investigate, look into

excédent *s. m.* surplus; **~s de bagages** excess luggage

excéder *v.a.* exceed, surpass; tire out

excellence *s. f.* excellence; excellency

excellent *adj.* excellent

excepté *adj.* excepted; *prep.* except(ing), but

excepter *v.a.* except

exception *s. f.* exception

exceptionnel, -elle *adj.* exceptional

excès *s. m.* excess

excessif, -ive *adj.* excessive

excitation *s. f.* excitement

exciter *v.a.* excite, stir up; urge on

exclamation *s. f.* exclamation

exclure* *v.a.* exclude

exclusif, -ive *adj.* exclusive

excursion *s. f.* excursion

excursionniste *s. m. f.* holiday-maker, tourist

excuse *s. f.* excuse; apology; **faire des ~s** apologize

excuser *v.a.* excuse; pardon; apologize for; **s'~** apologize; ask to be excused; **excusez-moi** I beg your pardon; excuse me

exécuter *v.a.* execute, carry out, perform

exécutif, -ive *adj.* executive

exécution *s. f.* execution

exemplaire *s. m.* copy

exemple *s. m.* example; **par ~** for example; **sans ~** unprecedented

exempt *adj.* exempt, free (*de* from)

exemption *s. f.* exemption

exercer *v.a.* exercise; practise; carry on; **s'~** practise

exercice *s. m.* exercise

exhibition *s. f.* exhibition; display

exigence *s. f.* demand; exigency

exil *s. m.* exile

existence *s. f.* existence

exister *v.n.* exist

expansif, -ive *adj.* expansive

expansion *s. f.* expansion

expédient *s. m.* expedient, device

expédier *v.a.* forward; send off

expéditeur, -trice *s. m. f.* sender, shipping-agent

expédition *s. f.* consignment; expedition, forwarding, dispatch

expérience *s. f.* experience; experiment; **faire des ~s** to experiment

expérimental *adj.* experimental

expert *adj.* expert

expirer *v.n.* expire; die

explication *s. f.* explanation

expliquer *v.n.* explain, account for, show

exploration *s. f.* exploration

explorer *v.a.* explore

explosion *s. f.* explosion

exportateur *s. m.* exporter

exportation *s. f.* export, exportation

exporter *v.a.* export

exposé *s. m.* statement

exposer *v.a.* expose, show; state; set forth

exposition *s. f.* exhibition, display; statement, exposure; exposition

exprès *adv.* on purpose

express *adj.* express; *s. m.* express (train)

expression *s. f.* expression

exprimer *v.a.* express

expulser *v.a.* expel

expulsion *s. f.* expulsion

extension *s. f.* extension; extent

exténuer *v.a.* tire out, exhaust

extérieur *s. m.* exterior; outside; **à l'~** outwards; *adj.* outward

extinction *s. f.* extinction; quenching

extraire *v.a.* extract; draw, pull out

extraordinaire *adj.* extraordinary, unusual

extravagant *adj.* extravagant

extrême *adj.* extreme

extrêmement *adv.* extremely, very

extrémité *s. f.* extremity; last moment

F

fabricant *s. m.* manufacturer, maker

fabrication *s. f.* manufacture; fabrication

fabrique *s. f.* factory, works

fabriquer *v.a.* manufacture, make

façade *s. f.* front

face *s. f.* face; look; **en ~ de** opposite, in front of

facétieux, -euse *adj.* facetious; humorous

fâché *adj.* offended

fâcher *v.a.* offend; make angry; **se ~** get angry

facile *adj.* easy; fluent

facilitè *s. f.* ease; facility; convenience

faciliter *v.a.* facilitate; make easy

façon *s. f.* making; fashion, shape; way, manner; **de ~ a** so as to; **de ~ que** so that; **en aucune ~** by no means; **d'une ~ quelconque** somehow

facteur *s. m.* factor; postman; porter, carrier; *fig.* circumstance

faction *s. f.* faction; sentry, watch

facture *s. f.* bill, invoice

facultatif, -ive *adj.* optional

faculté *s. f.* faculty

fade *adj.* flat, insipid

faible *adj.* weak; feeble

faiblesse *s. f.* weakness

faiblir *v.n.* become weak

faillir *v.n.* fall, fall short; err; **~** + *inf.* nearly; **j'ai failli manquer le train** I nearly missed the train

faim *s. f.* hunger; **avoir ~** be hungry

faire* *v.a.* make; do; build; cause; **~ allusion** refer to; **~ une chambre** do a room; **~ le commerce** trade; **~ la cuisine** do the cooking; **~ ses études** study; be at school; **~ la guerre** make war; **~ un lit** make a bed; **~ mal à** hurt; **~ part à** let know; **~ des progrès** make progress; **~ une promenade** take a walk; **~ queue** queue; **~ savoir** let know, inform (of); **~ usage (de)** make use (of); **~ voir** show; **que ~ ?** what's to be done?; **qu'est-ce que cela fait ?** what does it matter? **n'avoir rien à ~** have nothing to do; **deux et deux font quatre** two and two make four; **~ 70 km. à l'heure** do 70 *km.* an hour; **il fait du vent** it is windy; **il fait chaud** it is warm; **il fait jour** it is daylight; **se ~** be made, be done; get used (to)

faisan *s. m.* pheasant

fait *s. m.* fact; **en ~** in fact, after all, as a matter of fact

falloir* *v. impers.* be necessary, be required; must, have to, should, ought to; **comme il faut** proper, decent; **s'en ~** be wanting

fameux, -euse *adj.* famous

familier, -ière *adj.* familiar

famille *s. f.* family

faner *v.n.* fade

fantaisie *v.n.* fancy

fantastique *adj.* fantastic

fardeau* *s. m.* burden

farine *s. f.* flour, meal

fatal *adj.* mortal, fatal

fatigant *adj.* fatiguing

fatigue *s. f.* fatigue

fatigué *adj.* tired, weary

fatiguer *v.a.* tire, weary, fatigue

faubourg *s. m.* suburb

faucher *v.a.* mow, cut

faucheur, -euse *s. m. f.* mower, reaper

faucille *s. f.* sickle

faucon *s. m.* falcon

faute *s. f.* mistake, error, fault; lapse; want; **faire ~** fail

fauteuil *s. m.* armchair, easy chair; stall, dress-circle seat

fauve *s. m.* wild beast

faux[1]**, fausse** *adj.* false

faux[2] *s. f.* scythe

faveur *s. f.* favour; **en ~ de** in favour of, on behalf of

favorable *adj.* favourable

favori, -ite *adj.* favorite

fécond *adj.* fertile

féconder *v.a.* fertilize

fédéral *adj.* federal

fédération *s. f.* federation

fédéré, -e *adj. & s. m. f.* federate

feindre* *v.a. & n.* feign

félicitation *s. f.* congratulation

félicité *s. f.* happiness

féliciter *v.a.* congratulate

feminin *adj.* feminine

femme *s. f.* woman; wife

fendre *v.a.* split; rend

fenêtre *s. f.* window

fente *s. f.* crack, split

fer *s. m.* iron; **~ a cheval** horsehoe

férié *adj.* **jour ~** holiday

ferme[1] *adj.* firm; *adv.* fast; firmly

ferme[2] *s. f.* farme

fermé *adj.* closed

fermer *v.a.* close, shut; **se ~** close, be shut

fermeté *s. f.* firmness

fermeture *s. f.* shutting; shutter; **~ éclair** zip fastener, zipper

fermier *s. m.* farmer

féroce *adj.* wild, cruel

férocité *s. f.* ferocity

ferronnerie *s. f.* ironworks

fertile *adj.* fertile

fervent *adj.* fervent

ferveur *s. f.* fervour

fesse *s. f.* buttock

festin *s. m.* feast

fête *s. f.* feast, holiday; birthday

fêter *v.a.* observe; celebrate

fêteur, -euse *s. m. f.* holiday-maker

feu *s. m.* fire, flame; light; **mettre le ~ à** set on fire; **prendre ~** take fire; **~ d'artifice** fireworks *(pl.)*;

~x de circulation traffic lights; **~x d'arrière** tail lights

feuillage *s. m.* foliage

feuille *s. f.* leaf; sheet

février *s. m.* February

fiancé, -e *s. m. f.* fiancé, -e

fiancer *v.a.* engage; **se ~** be engaged

fibre *s. f.* fibre

ficelle *s. f.* string

fiche *s. f.* pin, peg; slip (of paper)

ficher *v.a.* drive in, fix; do, work; deal (a blow)

fidèle *adj.* faithful

fidélité *s. f.* fidelity

fier, se ~ trust, count on

fierté *s. f.* pride

fièvre *s. f.* fever

figue *s. f.* fig

figure *s. f.* form, shape; face; figure

figurer *v.a.* figure, represent; **se ~** imagine

fil *s. m.* thread, yarn; edge; clue; **~ (de fer)** wire

file *s. f.* row, file, line

filer *v.a. & n.* spin

filet *s. m.* net; fillet; rack

fille *s. f.* daughter; girl; maid; **jeune ~** young lady

fillette *s. f.* little girl

filleul, -e *s. m. f.* godson, goddaughter

film *s. m.* film; **le grand ~** feature film; **~ avec ...** film featuring ...; **~ annonce** trailer

fils *s. m.* son

fin[1] *s. f.* end; close; **à la ~** in the end, finally; **mettre ~ à** put an end to; **tirer à sa ~** come to an end; **~ de semaine** weekend

fin[2] *adj.* fine; nice

final *adj.* final

finance *s. f.* finance

financier *adj.* financial

fini *adj.* finished; ended; over

finir *v.a. & n.* end, finish, put an end to; eat up

finlandais, -e (F) *adj.* Finnish; *s. m. f.* Finn; Finnish

fixe *adj.* fixed, firm

fixer *v.a.* fix, fasten; stare at; settle

flacon *s. m.* flagon, bottle

flagrant *adj.* flagrant

flairer *v.a.* smell, scent

flambeau *s. m.* torch

flamboyer *v.n.* flame, flare

flamme *s. f.* flame

flanelle *s. f.* flannel

flanquer *v.a.* fling

flatter *v.a.* caress; flatter

flatterie *s. f.* flattery

flèche *s. f.* arrow

fléchir *v.a.* bend, bow; *fig.* move

fleur *s. f.* flower, blossom

fleurir *v.n.* flower, blossom

fleuve *s. m.* river

flirter *v.n.* flirt

flocon *s. m.* flake (snow, etc.)

flot *s. m.* wave; flood; **être à ~** be floating

flottant *adj.* floating

flotte *s. f.* fleet; navy

flotter *v.n. & a.* float

fluide *s. m. & adj.* fluid

flute *s. f.* flute

foi *s. f.* faith, belief; credit

foie *s. m.* liver

foin *s. m.* hay; grass

foire *s. f.* fair, market

fois *s. f.* time; **une ~** once; **encore une ~** again; **deux ~** twice; **à la**

~ at same time; **chaque** ~ every time

folie *s. f.* folly, madness

folle see *fou*

foncer *v.a.* sink; darken, deepen

fonction *s. f.* function, duty

fonctionnaire *s. m. f.* functionary, official

fonctionner *v.n.* function, operate, work

fond *s. m.* bottom, ground, foundation; **à** ~ thoroughly

fondamental *adj.* fundamental, basic

forcer *v.a.* force; break open; compel, impel

forêt *s. f.* forest

forger *v.a.* forge

formalité *s. f.* formality

forme *s. f.* form, shape

formel, -elle *adj.* formal, express; flat

former *v.a.* form, shape

formidable *adj.* formidable, terrible

formule *s. f.* formula

formuler *v.a.* formulate, draw up

fort *adj.* strong, robust; fat; stout, stiff; skilful; heavy; **être ~ en** be well up in; *adv.* very (much), highly, hard; ~ **bien** very well; *s. m.* strong man; stronghold

forteresse *s. f.* fortress

fortification *s. f.* fortification

fortifier *v.a.* strengthen, fortify

fortune *s. f.* fortune; change; luck; wealth, property

fou, fol, folle *adj.* mad, foolish; crazy

foudre *s. f.* lightning, thunderbolt

fouille *s. f.* excavation

fouiller *v.a. & n.* dig, excavate

fouillis *s. m.* muddle, mess

foule *s. f.* crowd, mass

four *s. m.* oven, furnace

fourchette *s. f.* fork (table)

fourgon *s. m.* (delivery) van; wagon; ~ **(aux bagages)** luggage-van

fourmi *s. f.* ant

fourneau *s. m.* stove, range; ~ **à gaz** gas-ring, -stove; ~ **électrique** electric cooker

fourniment *s. m.* outfit, kit

fournir *v.a.* furnish (with), supply; provide (with)

fourreau *s. m.* sheath, case, scabbard

fourreur *s.m* . furrier

fourrure *s. f.* fur

foyer *s. m.* fireside, home; foyer, lounge

fracas *s. m.* crash; uproar; fuss; noise

fracasser *v.a.* shatter, smash

fraction *s. f.* fraction; portion; instalment

fracture *s. f.* fracture

fragile *adj.* fragile

frais[1], fraîche *adj.* fresh, cool; chilly

frais[2] *s. m. pl.* expenses, charges, fees

fraise *s. f.* strawberry

framboise *s. f.* raspberry

franc, franche *adj.* frank, free, open

français (F) *adj.* French; *s. m.* Frenchman; French (language)

Française *s. f.* Frenchwoman

franchir *v.a.* clear, jump over, cross

franchise *s. f.* exemption; frankness

frapper *v.a.* strike, hit, knock; impress; surprise

frein *s. m.* bit (of bridle); brake; *fig.* check

frêle *adj.* weak, frail

fréquent *adj.* frequent

frère *s. m.* brother

fricassée *s. f.* fricassee

friction *s. f.* friction

frigidaire *s. m.* refrigerator

frige *s. m* . fridge

frileux, -euse *adj.* chilly

frire* *v.n. & a.* fry

friser *v.a. & n.* curl

frissonner *v.n.* shiver, tremble

frivole *adj.* frivolous, flimsy

froid *s. m.* cold; **avoir ~** feel cold; *adj.* cold, cool; **il fait froid** it is cold

froisser *v.a.* rumple, crumple; bruise; *fig.* offend, hurt; **se ~** take offence

frôler *v.a.* graze

fromage *s. m.* cheese

front *s. m.* forehead; face; front (part)

frontière *s. f.* frontier, border

frotter *v.a.* rub

fruit *s. m.* fruit; produce

fruitier *s. m.* fruiterer, greengrocer

fuir* *v.n. & a.* run away, flee

fuite *s. f.* flight; leakage, leak

fumée *s. f.* smoke

fumer *v.a. & n.* smoke

fumeur, -euse *s. m. f.* smoker

fumier *s. m.* dung

funébre *adj.* funeral

funérailles *s. f. pl.* funeral

funiculaire *s.m* . rope railway

fureur *s. f.* fury, rage

furie *s. f.* fury

furieux, -euse *adj.* furious

furoncle *s. m.* boil, furuncle

fusée *s. f.* fuse; rocket

fusil *s. m.* gun

fusilade *s. f.* firing, shooting

futur *adj. & s. m.* future

fuyant *adj.* flying, fleeing; passing

G

gâchis *s. m.* mortar; mire; *fig.* muddle, mess

gaffe *s. f.* blunder

gage *s. m.* pledge; security; **~s** wages

gagner *v.a.* gain; win

gai *adj.* gay, cheerful

gaieté *s. f.* gaiety

gain *s. m.* gain, profit

galant *adj.* courteous

galerie *s. f.* gallery

galop *s. m.* gallop

gamin *s. m.* urchin

gamme *s. f.* scale; range

gant *s. m.* glove

garage *s. m.* garage; siding

garantie *s. f.* guarantee

garantir *v.a.* guarantee

garçon *s. m.* boy; young man; fellow; bachelor; waiter

garde[1] *s. f.* guard; watch; police; nurse

garde[2] *s. m.* warden, guardian; watch

garde-bébé *s. m.* babysitter, sitter-in

garde-boue *s. f.* mudguard

garde-chasse *s. m.* gamekeeper

garder *v.a.* keep, take care of; attend (to)

garde-robe *s. f.* wardrobe

gardien, -enne *s. m. f.* guardian, keeper; warden; watch(man); ~ **de la paix** constable; ~ **(de but)** goalkeeper

gare *s. f.* station; depot; ~ **des marchandises** goods station

garni *s. m.* furnished lodgings *(pl.)*, digs

garnir *v.a.* furnish; fit up, trim

garnison *s. f.* garrison

garniture *s. f.* fittings *(pl.)*; set; garnishing;

gâteau *s. m.* cake

gâter *v.a.* waste, impair; spoil

gauche *adj.* left

gaz *s. m.* gas; **usine à** ~ gas-works

gazon *s. m.* grass; lawn

géant *s. m.* giant

gelée *s. f.* jelly

gémir *v.n.* groan

gênant *adj.* inconvenient, annoying

gendre *s. m.* son-in-law

gêne *s. f.* inconvenience; trouble; **être dans la** ~ be hard-up

gêné *adj.* uneasy; stiff; embarrassed

gêner *v.n.* inconvenience; be in the way of; interfere with

général *adj. & s. m.* general; **en** ~ in general, generally

généraliser *v.a. & n.* generalize

générateur *s. m.* generator

génération *s. f.* generation

généreux, -euse *adj.* generous

générosité *s. f.* generosity

génie *s. m.* genius; corps of engineers

genou *s. m.* *(pl.* **-x)** knee; *(pl.)* lap; **se mettre à ~s** kneel down

genre *s. m.* genus, kind

gens *s. m. f.* people; attendants

gentil, -ille *adj.* gentle

géographie *s. f.* geography

géographique *adj.* geographic(al)

géologie *s. f.* geology

géométrie *s. f.* geometry

géometrique *adj.* geometric(al)

gérant, -e *s. m. f.* manager; manageress

gérer *v.a.* manage

germanique *adj.* Germanic

germe *s. m.* germ

gésir* *v.n.* lie

geste *s. m.* gesture

gesticuler *v.n.* gesticulate

gibier *s. m.* game

gifle *s. f.* slap, box on the ear

gifler *v.a.* give someone a slap (in the face)

gilet *s. m.* waistcoat, vest

girafe *s. f.* giraffe

glace *s. f.* ice; ice cream; mirror; **mer de** ~ glacier

glacer *v.a.* freeze, chill

glacial *adj.* icy, glacial

glacier *s. m.* glacier

glissade *s. f.* slide; slip

glissant *adj.* slippery

glisser *v.n.* slide; slip; glide over; **se** ~ slip, creep (into)

globe *s. m.* globe; earth

gloire *s. f.* glory, fame

glorieux, -euse *adj.* glorious; proud

gober *v.a.* swallow

golfe *s. m.* gulf

gomme *s. f.* gum; india-rubber

gommer *v.a.* gum

gonfler *v.a.* inflate
gorge *s. f.* throat, gullet
gorgée *s. f.* gulp
gosse *s. m.* kid, brat
gothique *adj.* Gothic
goudron *s. m.* tar
gourmand *adj.* greedy
goût *s. m.* taste; savour
goûter *v.a.* taste; relish, enjoy; *s. m.* tea (meal)
goutte *s. f.* drop
gouvernail *s. m.* rudder, helm
gouvernante *s. f.* governess
gouvernement *s. m.* government
gouverner *v.a.* govern, control, rule; manage; steer
gouverneur *s. m.* governor; tutor, preceptor
grâce *s. f.* grace; pardon; thanks *(pl.)*; favour
gracieux, -euse *adj.* graceful; gracious
grade *s. m.* rank, grade
grain *s. m.* grain, berry, corn; a touch (of)
graine *s. f.* seed, berry
graissage *s. m.* lubrication
graisse *s. f.* fat, grease, lard
graisser *v.a.* grease, lubricate
grammaire *s. f.* grammar
grammatical *adj.* grammatical
gramme *s. m.* gramme
gramophone *s. m.* gramophone
grand *adj.* great; large; big; tall; grand
grandeur *s. f.* size; length; breadth; greatness
grandir *v.n.* grow (up); grow big, tall
grand-mère *s. f.* grandmother
grand-père *s. m.* grandfather
granit *s. m.* granite
grappe *s. f.* bunch; ~ **de raisin** bunch of grapes
gras, grasse *adj.* fat; thick
gratitude *s. f.* gratitude
gratter *v.a. & n.* scratch, overtake; brush
gratuit *adj.* free (of charge)
grave *adj.* grave; heavy
graver *v.a.* engrave
gravure *s. f.* engraving
grec, grecque (G) *adj. & s.m. f.* Greek
grêle *adj.* slender, delicate, slim
grelotter *v.n.* shiver
grenier *s. m.* loft; granary
grenouille *s. f.* frog
grève *s. f.* strike; beach
grief *s. m.* grievance
griffe *s. f.* claw; clutch
grill *s. m.* grill, gridiron
grille *s. f.* iron railing, grating
griller *v.a.* grill, toast
grimace *s. f.* grimace
grimacer *v.n.* grimace
grimper *v.n. & a.* climb
grincer *v.n. & a.* grind, grate; creak
grippe *s. f.* influenza
gris *adj.* gray
grogner *v.n.* groan; grunt, grumble
gronder *v.n.* roar; rumble; *v.a.* scold
gros, grosse *adj.* large, big; stout; great; thick; *s. m.* bulk; wholesale; **en** ~ roughly; wholesale
grossier *adj.* course, gross
grossir *v.a.* make bigger; increase; *v.n.* grow bigger
grotesque *adj.* grotesque
groupe *s. m.* group

grouper *v.a.* group

grue *s. f.* crane

gué *s. m.* ford (across river)

guêpe *s. f.* wasp

guérir *v.a.* cure, heal; *v.n. & a.* **se ~** be cured, get well again

guerre *s. f.* war

gueule *s. f.* mouth, jaws *(pl.)*; opening

guichet *s. m.* ticket window; counter; booking office

guide *s. m.* guide; conductor; guidebook

guider *v.a.* guide, lead

guillemets *s. m. pl.* inverted commas

guise *s. f.* way, manner; **à votre ~** as you like

guitare *s. f.* guitar

gymnastique *s. f.* gymnastics

H

habile *adj.* able, clever

habileté *s. f.* skill, cleverness; ability

habiller *v.a.* clothe; dress (up); **s'~** dress, put on one's clothes

habit *s. m.* (dress-)suit; coat; **~s** clothes

habitant, -e *s. m. f.* inhabitant

habitation *s. f.* habitation, dwelling

habiter *v.a. & n.* inhabit, live in, dwell in

habitude *s. f.* habit, use

habituel, -elle *adj.* habitual, usual

habituer *v.a.* accustom; **s'~ à** get accustomed to, get used to

hache *s. f.* axe

hacher *v.a.* chop, cut up, hack, mince

hachis *s. m.* hash

haine *s. f.* hate, hatred

haïr* *v.a.* hate

haleine *s. f.* breath

hall *s. m.* lounge; **~ de montage** erecting shop

halle *s. f.* market-hall

hanche *s. f.* haunch, hip

hangar *s. m.* shed, hangar

happer *v.a.* snap up

harasser *v.a.* harass

hardi *adj.* bold, daring

hareng *s. m.* herring

haricot *s. m.* bean; **~s verts** French beans

harmonie *s. f.* harmony

harmonieux, -euse *adj.* harmonious

harnais *s. m.* harness

harpe *s. f.* harp

hasard *s. m.* hazard, risk; **par ~** by chance

hasarder *v.a.* hazard, risk, stake

hasardeux, -euse *adj.* risky; unsafe

hâte *s. f.* haste, hurry, rush; **à la ~** in a hurry

hâter *v.a.* hasten, urge on; **se ~** hurry (up)

hausse *s. f.* rise

hausser *v.a. & n.* raise, lift; **se ~** rise

haut *adj.* high; elevated; upright; loud; upper; **terre ~e** highland; **à voix ~e** aloud; *adv.* high, highly, up; aloud; **en ~** at the top; upstairs; *s. m.* top, height, summit

hauteur *s. f.* height, altitude

haut-parleur *s. m.* loudspeaker

havresac *s. m.* haversack, knapsack

hebdomadaire *adj. & s. m.* weekly

hébreu (H) *adj. & s. m.* Hebrew

hectare *s. m.* hectare

hélice *s. f.* air-screw, propeller

hélicoptère *s. m.* helicopter

herbe *s. f.* herb, grass; pot-herb

herbeux, -euse *adj.* grassy

hérédité *s. f.* heredity

hérisser *v.a.* bristle; ruffle; **se ~** bristle up, stand on end

hérisson *s. m.* hedgehog

héritage *s. m.* inheritance, heritage

hériter *v.a. & n.* inherit

héritier *s. m.* heir

héritière *s. f.* heiress

heroïne *s. f.* heroine

héros *s. m.* hero

hésitation *s. f.* hesitation

hésiter *v.n.* hesitate

heure *s. f.* hour, time; **quelle ~ est-il ?** what time is it?; **il est dix ~s moins le quart** it's a quarter to ten; **dix ~s** ten o'clock; **dix ~s et quart** a quarter past ten; **dix ~s et demie** half past ten; **de bonne ~** early; **~s de pointe** rush hours; **~s d'ouverture** business hours; **~s supplémentaire** overtime

heureux, -euse *adj.* happy, fortunate, successful

heurter *v.a. & n.* knock against, hit, run into, against; **se ~** run, hit, dash against, collide

hibou *s. m.* (*pl.* **-x**) owl

hideux, -euse *adj.* hideous, terrible

hier *adv.* yesterday; **~ soir** last night

hirondelle *s. f.* swallow

histoire *s. f.* (hi)story

historique *adj.* historic

hiver *s. m.* winter

hollandais, -e (H) *adj. & s. m. f.* Dutch(man), Dutch-woman

homard *s. m.* lobster

homme *s. m.* man; **~ d'affaires** business man; **~ d'état** statesman

hongrois, -e (H) *adj. & s. m. f.* Hungarian

honnête *adj.* honest

honnêteté *s. f.* honesty

honneur s. *m.* honour; credit

honorable *adj.* honourable

honoraires *s. m. pl.* fee(s)

honorer *v.a.* honour

honte *s. f.* shame; **avoir ~ de** be ashamed of

honteux, -euse *adj.* shameful, disgraceful

hôpital *s. m.* (*pl.* **-aux**) hospital

hoquet *s. m.* hiccup

horaire *s. m.* timetable

horizon *s. m.* horizon

horizontal *adj.* horizontal

horloge *s. f.* clock

horloger *s. m.* watchmaker

horreur *s. f.* horror

horrible *adj.* horrible

hors *adv.* out, outside; *prep.* out of, outside

hospitalité *s. f.* hospitality

hostie *s. f.* wafer (Church)

hostile *adj.* hostile

hostilité *s. f.* hostility

hôte *s. m.* host; guest

hôtel *s. m.* hotel; large house; **~ de ville** town hall

hôtesse *s. f.* hostess; **~ de l'air** air-hostess

houe *s. f.* hoe

houillère *s. f.* colliery

hublot *s. m.* window

huile *s. f.* oil

huissier *s. m.* usher
huit *adj. & s. m.* eight
huitième *adj.* eighth
huître *s. f.* oyster
humain *adj.* human
humanité *s. f.* humanity
humble *adj.* humble
humecter *v.a.* wet
humer *v.a.* inhale, suck in
humide *adj.* humid, wet
humidité *s. f.* humidity
humiliation *s. f.* humiliation
humilier *v.a.* humiliate
humilité *s. f.* humility
humoristique *adj.* humorous
humour *s. m.* humour
hurlement *s. m.* howl(ing), roar(ing)
hurler *v.n.* howl, roar
hutte *s. f.* hut, cabin
hydrogène *s. m.* hydrogen
hygiène *s. f.* hygiene
hymne *s. m.* hymn
hypocrite *s. m. f.* hypocrite; *adj.* hypocritical
hypothèse *s. f.* supposition; hypothesis
hystérique *adj.* hysterical

I

ici *adv.* here; **d'~** from here; **par ~** this way
idéal, -e *adj.* ideal
idéalisme *s. m.* idealism
idéaliste *s. m. f.* idealist
idée *s. f.* idea, notion; **il m'est venu ~a l'~** it occurred to me
identique *adj.* identical
identité *s. f.* identity
idiome *s. m.* language, dialect
idiot *adj.* idiotic; *s. m.* idiot
idiotisme *s. m.* idiom
ignition *s. f.* ignition
ignorance *s. f.* ignorance
ignorant *adj.* ignorant
ignorer *v.a.* not know, be ignorant of, be unaware of
il, elle *pron.* (*pl.* **ils, elles**) he, she, it; they; there
île *s. f.* island
illégal *adj.* illegal
illicite *adj.* illicit, unlawful
illumination *s. f.* illumination; **~ par projecteurs** flood-lighting
illuminer *v.a.* illuminate, light up; **~ par projecteurs** flood-light
illusion *s. f.* illusion, delusion
illustration *s. f.* illustration
illustrer *v.a.* illustrate, explain
image *s. f.* image, picture, likeness
imagé *adj.* vivid
imaginaire *adj.* imaginary, fantastic
imaginatif, -ive *adj.* imaginative
imagination *s. f.* imagination, fancy
imaginer *v.a.* **s'~** imagine
imbécile *s. m. f.* fool, idiot; *adj.* foolish
imitation *s. f.* imitation, copy
imiter *v.a.* imitate, copy
immédiat *adj.* immediate
immense *adj.* immense
immeuble *s. m.* real estate, landed property
immigrant, -e *adj. & s. m. f.* immigrant
immigration *s. f.* immigration
immigrer *v.a.* immigrate
immobile *adj.* immobile
immoral *adj.* immoral

immortel, -elle *adj.* immortal
imparfait *adj. & s. m.* imperfect
impartial *adj.* impartial
impatience *s. f.* impatience
impatient *adj.* impatient
impayé *adj.* unpaid
impératif, -ive *adj. & s. m.* imperative
impératrice *s. f.* empress
imperfection *s. f.* imperfection
impérial *adj.* imperial
impérialisme *s. m.* imperialism
imperméable *adj.* impermeable; waterproof
impertinent *adj.* impertinent
impétueux, -euse *adj.* impetuous, headlong
impliquer *v.a.* implicate, involve, imply
implorer *v.a.* implore, beg
impoli *adj.* impolite
impopulaire *adj.* unpopular
importance *s. f.* importance
important *adj.* important
importateur, -trice *s. m. f.* importer
importation *s. f.* importation; **~s** imports
importer *v.n.* matter, be of moment; **n'importe** it does not matter
importun *adj.* troublesome, importunate
importuner *v.a.* annoy, molest, worry
imposer *v.a.* impose, inflict, lay (on); levy
impossible *adj.* impossible
impôt *s. m.* tax, duty
impression *s. f.* impression; print, edition; **faute d'~** misprint
impressionner *v.a.* impress, affect
imprimé *s. m.* printed matter
imprimer *v.a.* (im)print, impress; publish
imprimerie *s. f.* printing; printing office
impropre *adj.* unfit, improper
imprudent *adj.* imprudent
impuissant *adj.* powerless, ineffectual, helpless
impulsion *s. f.* spur, impulse
inaccoutumé *adj.* unaccustomed
inachevé *adj.* unfinished
inanimé *adj.* inanimate
inapplicable *adj.* inapplicable, irrelevant
inattendu *adj.* unexpected
inattentif, -ive *adj.* inattentive, heedless
incapable *adj.* incapable, unable, inefficient
incendie *s. m.* fire
incendier *v.a.* set fire to
incertain *adj.* uncertain
incessant *adj.* incessant
incident *s. m.* incident; *adj.* incidental
inciter *v.a.* incite, urge
inclinaison *s. f.* inclination, gradient
inclination *s. f.* inclination; bent; love
incliner *v.a. & n.* incline, bend; slope; slant; **s'~** bow down, bend
inclusive, -ive *adj.* inclusive
incommode *adj.* inconvenient, uncomfortable
incommoder *v.a.* inconvenience, annoy
incomparable *adj.* incomparable

incompatible *adj.* incompatible
incompétent *adj.* incompetent
incomplete *adj.* incomplete, imperfect
inconscient *adj.* unconscious
inconséquent *adj.* inconsistent
inconvenant *adj.* improper, unsuitable
inconvénient *s. m.* inconvenience
incorrect *adj.* incorrect
incroyable *adj.* incredible
incurable *adj.* incurable
indécis *adj.* uncertain
indécision *s. f.* indecision
indéfini *adj.* indefinite, undefined
indépendance *s. f.* independence
index *s. m.* forefinger, index
indicateur *s. m.* indicator, gauge; timetable
indication *s. f.* indication; direction; sign
indice *s. m.* sign, token, mark; index
indien, -enne (I) *adj. & s. m. f.* Indian
indifférent *adj.* indifferent
indigestion *s. f.* indigestion
indignation *s. f.* indignation
indiquer *v.a.* indicate, point out, show
indirect *adj.* indirect
indiscret, -ète *adj.* indiscreet
indiscrétion *s. f.* indiscretion
indispensable *adj.* indispensable, essential
indisposé *adj.* unwell; upset
individu *s. m.* individual, person
individuel, -elle *adj.* individual
indulgence *s. f.* indulgence
indulgent *adj.* indulgent
industrie *s. f.* industry
industriel, -elle *adj.* industrial; *s. m.* manufacturer
inefficace *adj.* ineffficient
inégal *adj.* unequal
inégalité *s. f.* inequality
inerte *adj.* inert; dull
inévitable *adj.* inevitable
inexpérimente *adj.* inexperienced
inexplicable *adj.* inexplicable
infâme *adj.* infamous
infanterie *s. f.* infantry
infection *s. f.* infection
inférieur *adj.* inferior
infinitif *s. m.* infinitive
infirmerie *s. f.* infirmary
infirmier, -ère *s. m. f.* nurse
influence *s. f.* influence
influencer *v.a.* influence
information *s. f.* information
informer *v.a.* inform, let know; **s'~ de** inquire about
infructueux, -euse *adj.* unsuccessful
ingénieur *s. m.* engineer
ingénieux, -euse *adj.* ingenious
ingéniosité *s. f.* ingenuity
ingrat *adj.* ungrateful
ingrédient *s. m.* ingredient
inhabité *adj.* uninhabited
inintéressant *adj.* uninteresting
initial, -e *adj. & s. f.* initial
initiative *s. f.* initiative; **syndicat d'~** tourist office
injection *s. f.* injection
injure *s. f.* injury
injurier *v.a.* insult
injurieux, -euse *adj.* injurious
injuste *adj.* unjust
injustice *s. f.* injustice

innocence *s. f.* innocence
innocent *adj.* innocent
innombrable *adj.* innumerable, countless
inoccupé *adj.* unoccupied
inoculer *v.a.* inoculate
inondation *s. f.* flood
inonder *v.a.* flood
inquiet, -ète *adj.* anxious, restless, uneasy
inquiéter *v.a.* worry
insecte *s. m.* insect
insensé *adj.* insane, mad
insensible *adj.* insensible
inséparable *adj.* inseparable
insigne *s. m.* badge
insignificant *adj.* insignificant
insipide *adj.* dull, flat
insister *v.a.* insist, lay stress on
insolence *s. f.* insolence
insolent *adj.* insolent
insouciant *adj.* careless
inspecter *v.a.* inspect, survey
inspiration *s. f.* inspiration
inspirer *v.a.* inspire, suggest; inhale
installation *s. f.* installation; fitting up
installer *v.a.* install; fit up; *v.n.* **s'~** to settle down
instant *adj.* instant, pressing; *s. m.* instant, moment; **à l'~** instantly, at once
instantané *s. m.* snap-(shot)
instinct *s. m.* instinct
instituer *v.a.* institute
institut *s. m.* institute
institution *s. f.* institution; boarding-school
instruction *s. f.* instruction, tuition; knowledge, learning; direction; inquiry
instruire* *v.a.* instruct, teach
instrument *s. m.* instrument, implement, tool
instrumental *adj.* instrumental
insuffisance *s. f.* insufficiency
insuffisant *adj.* insufficient, deficient
insulte *s. f.* insult
insulter *v.a. & n.* insult
insupportable *adj.* intolerable, unbearable
intact *adj.* intact, entire
intégral *adj.* integral
intégrité *s. f.* integrity
intellectuel, -elle *adj. & s. m.* intellectual
intelligence *s. f.* intelligence, understanding
intelligent *adj.* intelligent, clever
intendant *s. m.* manager
intense *adj.* intense
intensité *s. f.* intensity
intention *s. f.* intention, purpose; **avoir l'~** intend, mean
interdire *v.a.* forbid
intéressant *adj.* interesting; **peu ~** uninteresting
intéressé *adj.* interested, concerned
intéresser *v.a. & n.* interest; concern; **s'~** take an interest (*à* in); be concerned
intérêt *s. m.* interest; concern; share; **avoir ~ à** have an interest in
intérieur *s. m.* inside, interior; **à l'~** inside, indoors; **Ministre de l'Intérieur** Home Secretary
intermédiaire *adj.* intermediate; *s. m. f.* intermediary

international *adj.* international
interne *adj.* internal, inward
interpellation *s. f.* interpellation
interpeller *v.a.* interpellate, question
interposer *v.a.* interpose
interprétation *s. f.* interpretation
interprète *s. m. f.* intepreter
interpréter *v.a.* interpret; render
interrogation *s. f.* interrogation; inquiry
interrogatoire *s. m.* (cross-)examination
interroger *v.a.* interrogate, cross-examine, question
interrompre *v.a.* interrupt
interrupteur *s. m.* interrupter; switch
interruption *s. f.* interruption
intervalle *s. m.* interval; **dans l'~** in the meantime
intervenir *v.n.* intervene, interfere, go between
intervention *s. f.* intervention
interview *s. f. m.* interview
intime *adj.* intimate
intimité *s. f.* intimacy
intolérable *adj.* intolerable
intrigue *s. f.* intrigue
intriguer *v.n. & a.* intrigue
introduction *s. f.* introduction
introduire *v.a.* introduce; show in
inutile *adj.* useless
invalide *adj.* invalid, disabled
invasion *s. f.* invasion
inventer *s. m.* inventor
invention *s. f.* invention
investigation *s. f.* investigation, inquiry
invisible *adj.* invisible
invitation *s. f.* invitation
invité, -e *s. m. f.* guest
inviter *v.a.* invite
iris *s. m.* iris
irlandais (I) *adj.* Irish; *s. m.* Irishman
ironie *s. f.* irony
ironique *adj.* ironical
irradier *v.a.* (ir)radiate
irréel *adj.* unreal
irrésistible *adj.* irresistible
irritation *s. f.* irritation
irriter *v.a.* irritate
isolement *s. m.* isolation
isoler *v.a.* isolate
isotope *s. m.* isotope
issue *s. f.* issue, outlet, way out
italien, -enne (I) *adj. & s. m. f.* Italian
itinéraire *adj.* itinerary; *s. m.* guidebook
ivre *adj.* drunk

J

j' see **je**
jadis *adv.* once, long ago, formerly
jalousie *s. f.* jealousy; blind
jaloux, -se *adj.* jealous
jamais *adv.* never, ever
jambe *s. f.* leg, shank
jambon *s. m.* ham
janvier *s. m.* January
japonais, -e (J) *adj. & s. m. f.* Japanese
jardin *s. m.* garden
jardinier, -ère *s. m. f.* gardener
jarre *s. f.* jar
jarretière *s. f.* garter
jauge *s. f.* gauge
jauger *v.a.* gauge

jaune *adj.* yellow; *s. m.* yolk

je, j' *pron.* I

jersey *s. m.* jersey

jet *s. m.* throw(ing)

jeter *v.a.* throw, throw away, down; cast, filing; shoot; discharge; **se ~** rush

jeton *s. m.* counter

jeu *s. m.* game, play, set

jeudi *s. m.* Thursday

jeune *adj.* young

jeûne *s. m.* fast(ing)

jeûner *v.n.* fast

jeunesse *s. f.* youth

joie *s. f.* joy, delight

joindre* *v.a. & n.* join, unite; **se ~** join

joint *s. m.* joint, articulation

jointure *s. f.* joint

joli *adj.* pretty, nice

jonction *s. f.* junction

jongleur *s. m.* juggler

joue *s. f.* cheek (face)

jouer *v.a. & n.* play; gambol; gamble

jouet *s. m.* toy

joueur, -euse *s. m. f.* player; gambler

joug *s. m.* yoke

jouir *v.n.* (~ **de**) enjoy

jouissance *s. f.* enjoyment, pleasure, joy

jour *s. m.* day; daylight, light; life; **~ de fête** holiday; **~ de semaine** weekday; un ~ some day; **tous les ~s** every day; **à ~** up to date

journal *s. m.* (news)paper; journal; diary

journalier, -ère *adj.* daily; *s. m.* day-labourer

journaliste *s. m. f.* journalist

journée *s. f.* day; day's wages *(pl.)*; day's work

joyau *s. m.* jewel

joyeux, -euse *adj.* joyful, merry

judiciaire *adj.* judicial, legal

judicieux, -euse *adj.* judicious, sensible, reasonable

juge *s. m.* judge

jugement *s. m.* judg(e)ment; sentence

juger *v.a. & n.* judge

juif, -ive (J) *adj.* Jewish; *s. m. f.* Jew

juillet *s. m.* July

juin *s. m.* June

jumeau, -elle *adj. s. m. f.* twin; *f. pl.* binoculars

jungle *s. f.* jungle

jupe *s. f.* skirt

juré *s. m.* juryman

jurer *v.a. & n.* swear

jurisprudence *s. f.* jurisprudence

juron *s. m.* oath

jury *s. m.* jury

jus *s. m.* juice

jusque, jusqu'à *prep.* until; as far as

juste *adj.* just, right; fair

justice *s. f.* justice

justification *s. f.* jutification

justifier *v.a.* justify

juvénile *adj.* juvenile

K

kangourou *s. m.* kangaroo

kayak *s. m.* kayak

képi *s. m.* cap

kilogramme *s. m.* kilogram(me)

kilomètre *s. m.* kilometre

kiosque *s. m.* kiosk

L

l' = **le** or **la**

la *art*. the; *pron*. her, it

là *adv*. there; here

labeur *s. m.* labour, work

laboratoire *s. m.* laboratory

laborieux, -euse *adj*. laborious, hard-working

labourer *v.a.* plough

lac *s. m.* lake

lacer *v.a.* lace

lacet *s. m.* lace; braid; bowstring; shoelace

lâche *adj*. loose; cowardly; *s. m.* coward

lâcher *v.a.* loosen, slacken; let go

lactation *s. f.* lactation

laid *adj*. ugly; plain

laideur *s. f.* ugliness

lainage *s. m.* woollen goods *(pl.)*; wool

laine *s. f.* wool; **pure ~** all wool

laïque *adj*. lay

laisser *v.a.* leave, quit; give up; let alone; leave behind, off; **~ aller** let go, neglect

lait *s. m.* milk

laiterie *s. f.* dairy

laitier *s. m.* milkman, dairyman

laitière *s. f.* dairymaid

laitue *s. f.* lettuce

lambeau *s. m.* rag, strip

lame *s. f.* blade; plate, sheet; **~ de rasoir** razorblade

lamentation *s. f.* lamentation

lampe *s. f.* lamp

lancement *s. m.* throwing; launching

lancer *v.a.* throw, fling; **se ~** dart, rush

langage *s. m.* language, tongue; speech, way of speaking

lange *s. m.* baby's nappy

langue *s. f.* tongue; language; **~ maternelle** mother-tongue

laper *v.a.* lap (up)

lapin *s. m.* rabbit

laps *s. m.* lapse, space (of time)

lapsus *s. m.* lapse, slip

laque *s. f.* lacquer

lard *s. m.* bacon

large *adj*. broad, wise; generous; liberal; *s. m.* room, breadth

largeur *s. f.* width

larme *s. f.* tear

las, lasse *adj*. weary

lasser *v.a.* tire, wear out; **se ~ de** get tired of

latéral *adj*. lateral, side

latin, -e *adj. & s. m. f.* Latin

latitude *s. f.* latitude; scope, freedom

lavable *adj*. washable

lavabo *s. m.* wash-basin; lavatory

lavage *s. m.* washing; **~ de vaisselle** washing-up

lavande *s. f.* lavender

laver *v.a.* wash; **se ~** wash (oneself); **machine à ~** washing-machine

layette *s. f.* baby-linen

le, la l' *art*. the; *pron*. (*pl.* **les**) him, her, it; them

lécher *v.a.* lick, lap

leçon *s. f.* lesson; lecture

lecteur, -trice *s. m. f.* reader; lector

lecture *s. f.* reading

légal *adj*. legal, lawful

légende *s. f.* legend

léger, -ère *adj*. light, slight; loose

légèreté *s. f.* lightness; ease

légion *s. f.* legion

législation *s. f.* legislation

législature *s. f.* legislature

légitime *adj.* legitimate, lawful

légume *s. m.* vegetable

lendemain *s. m.* next day, day after

lent *adj.* slow; tardy

lenteur *s. f.* slowness

lentille *s. f.* lentil; lens

léopard *s. m.* leopard

lequel, laquelle *rel. pron.* (*pl.* **lesquels, lesquelles**) who, whom; which, that

lettre *s. f.* letter; type character; **~s** literature; arts; **à la ~** literally, word for word; **~ de change** bill of exchange; **~ de crédit** letter of credit; **~ recommandé** registered letter; **boîte aux ~s** letter-box

lettré *adj.* learned; literary

leur *poss. adj.* (*pl.* **-s**) their; *pron.* to them, them; **le** or **la ~, les ~s** theirs, their own

levée *s. f.* raising; removal; levy

lever *v.a.* lift (up), raise; hoist; *v.n.* rise; **se ~** rise, get up

levier *s. m.* lever; **~ des vitesses** gear-lever

lèvre *s. f.* lip

lexique *s. m.* lexicon

liaison *s. f.* joining, junction; union; connection; tie; liaison

libéral *adj.* liberal

libérer *v.a.* liberate

liberté *s. f.* liberty

libraire *s. m. f.* bookseller

librairie *s. f.* bookshop

libre *adj.* free; unoccupied

licence *s. f.* licence, degree

licencié, -e *s. m. f.* licenciate; licensee

licencieux, -euse *adj.* licentious

lie *s. f.* dregs, grounds *(pl.)*

liège *s. m.* cork

lien *s. m.* tie, bond; band, strap, cord; link

lier *v.a.* bind, tie (up); fasten; link up

lieu *s. m.* place; **au ~ de** instead of; **avoir ~** take place

lieutenant *s. m.* lieutenant

lièvre *s. m.* hare

ligne *s. f.* line; **~ aérienne** airline

lilas *s. m.* lilac

limace *s. f.* slug

limaçon *s. m.* snail

lime *s. f.* file

limer *v.a.* file

limite *s. f.* bound(s), border, limit

limiter *v.a.* limit, restrict

limon *s. m.* mud, silt

limonade *s. f.* lemonade

lin *s. m.* flax

linge *s. m.* linen

linger, -ère *s. m. f.* linendraper

lingerie *s. f.* ladies' underclothing, lingerie

lion *s. m.* lion

liqueur *s. f.* liqueur

liquide *adj.* liquid

liquider *v.a.* liquidate

lire* *v.a.* read

liste *s. f.* list, roll; panel

lit *s. m.* bed

litre *s. m.* litre

littéraire *adj.* literary

littérature *s. f.* literature

livraison *s. f.* delivery; part (of book)

livre[1] *s. m.* book; work; **teneur de ~s** bookkeeper

livre[2] *s. f.* pound

livrer *v.a.* deliver; give up

local *s. m.* spot, premises; *adj.* local

localité *s. f.* place, spot

locataire *s. m. f.* tenant, lodger

location *s. f.* letting out; hiring, renting; **prendre en ~** hire; **bureau de ~** box-office; **~ des places** seat reservation

locomotive *s. f.* (railway) engine

loge *s. f.* hut, cabin; box

logement *s. m.* lodging

loger *v.a.* accommodate, lodge; house; *v.n.* reside, live (in)

logeur *s. m.* landlord

logeuse *s. f.* landlady

logique *s. f.* logic; *adj.* logical

loi *s. f.* law, statute; **projet de ~** bill, draft

loin *adv.* far, far off, away; **au ~** far off

lointain *adj.* far, remote

loisif *s. m.* spare time, leisure

long, longue *adj. & s. m. f.* long; **être ~ à** be long in

longitude *s. f.* longitude

longtemps *adv.* long, a long time; **depuis ~** for a long time, long since

longueur *s. f.* length

loquet *s. m.* latch

lors *adv.* then; **dès ~** from that time

lorsque *conj.* when

lot *s. m.* lot, fate; prize

loterie *s. f.* lottery

lotion *s. f.* lotion

louage *s. m.* hiring; hire

louche *s. f.* ladle

louer[1] *v.a.* hire (our); let; **à ~** for hire; to let

louer[2] *v.a.* praise

loup *s. m.* wolf

lourd *adj.* heavy; clumsy

louve *s. f.* she-wolf

loyal *adj.* loyal, true

loyauté *s. f.* honesty

loyer *s. m.* rent; hire

lubrifier *v.a.* lubricate

lucratif, -ive *adj.* lucrative

luge *s. f.* sledge

lugubre *adj.* dismal

lui *pron.* (to) him, (to) her, (to) it

lui-même *pron.* himself

luire* *v.n.* shine, gleam

lumière *s. f.* light, daylight

lumineux, -euse *adj.* luminous, bright

lundi *s. m.* Monday

lune *s. f.* moon; **~ de miel** honeymoon

lunette *s. f.* telescope; *(pl.)* spectacles, specs; **~s de soleil** sunglasses

luthérien, -enne *adj. & s. m. f.* Lutheran

lutte *s. f.* wrestling; fight, struggle

lutter *v.n.* wrestle, fight

lutteur *s. m.* wrestler

luxe *s. m.* luxury

luxeux, -euse *adj.* luxurious

lycée *s. m.* secondary school, grammar-school

M

m' see **me**

ma see **mon**

mâcher *v.a.* chew

machine *s. f.* machine, engine, apparatus; ~ **à coudre** sewing machine

mâchoire *s. f.* jaw

maçon *s. m.* mason

madame *s. f.* (*pl.* **mesdames**) madam

mademoiselle *s. f.* (*pl.* **mesdemoiselles**) miss

magasin *s. m.* shop; store; warehouse; **grand** ~ department store

magique *adj.* magic

magnétique *adj.* magnetic

magnétophone *s. m.* tape recorder

magnifique *adj.* magnificent

mai *s. m.* May

maigre *adj.* lean, thin

maigrir *v.n.* grow lean, get thin

maille *s. f.* stitch; knot

maillot *s. m.* tights *(pl.)*; ~ **(de bain)** bathing-costumer

main *s. f.* hand; lead; **en** ~ in hand; **se donner la** ~ shake hands; **tenir la** ~ **à** see to, see that; **de seconde** ~ second-hand

maintenant *adv.* now, at present

maintenir *v.a.* (up)hold, support, keep (up), maintain

maintien *s. m.* maintenance

maire *s. m.* mayor

mais *conj.* but

maïs *s. m.* maize

maison *s. f.* house, residence; home; firm; **à la** ~ at home, indoors; **tenir** ~ keep house

maître *s. m.* master; proprietor; teacher; ~ **d'école** schoolmaster; ~ **de maison** host

maîtresse *s. f.* mistress; (land)lady; sweetheart, ~ **d'école** schoolmistress

maîtrise *s. f.* mastery, control

maîtriser *v.a.* master

majesté *s. f.* majesty

majeur *adj.* major; main; chief; *s. m.* major

majorité *s. f.* majority

majuscule *s. f.* capital letter

mal *s. m.* ill, evil, wrong, pain, harm; trouble, hardship; **avoir** ~ **à** have a pain in; *adv.* wrong, badly, ill

malade *adj.* sick, ill; **tomber** ~ fall ill, be taken ill; *s. m. f.* invalid, patient

maladie *s. f.* illness; sickness; disease

maladroit *adj.* awkward, clumsy

malaise *s. m.* uneasiness

malchance *s. f.* bad luck

mâle *s. m.* male

malentendu *s. m.* misunderstanding

malgré *prep.* in spite of; ~ **tout** for all that

malheur *s. m.* misfortune, ill luck; mischance; accident

malheureux, -euse *adj.* unfortunate, unluckly

malice *s. f.* malice

malin, maligne *adj.* malicious, malignant; evil

malle *s. f.* trunk; mail; **faire la** ~ pack

mallette *s. f.* suitcase

malpropre *adj.* dirty, filthy; untidy

malsain *adj.* unhealthy

malveillant *adj.* malevolent, evil-minded

maman *s. f.* mamma

manche[1] *s. m.* handle, holder

manche[2] *s. f.* sleeve

Manche *s. f.* English Channel
manchette *s. f.* cuff
mandat *s. m.* mandate; money-order
manger *v.a.* eat; **donner à ~** feed; **salle à ~** dining-room; *s. m.* eating; food
manicure *s. m. f.* manicure
manier *v.a.* handle
manière *s. f.* manner, way, fashion; *(pl.)* manners
manifestation *s. f.* manifestation
manifester *v.a.* manifest, show; **se ~** manifest oneself
manipuler *v.a.* manipulate, operate
manoeuvre *s. f.* action; proceeding; manoeuvre; *s. m.* labourer
manoevrer *v.a. & n.* handle, manoeuvre, work
manoire *s. m.* manor
manque *s. m.* want; deficiency
manquer *v.a.* miss; *v.n.* fail; be missing, be wanting
mansarde *s. f.* garret
manteau *s. m.* coat
manuel, -elle *adj.* manual; *s. m.* manual, handbook
manufacture *s. f.* manufacture; factory
manufacturer *v.a.* manufacture
manuscrit *s. m.* manuscript
maquillage *s. m.* make-up
marbre *s. m.* marble
marchand, -e *s. m. f.* merchant, tradesman; shopkeeper
marchandise *s. f.* merchandise, goods *(pl.)*
marche *s. f.* walk; march; progress; move
marché *s. m.* market; bargain; agreement; **bon ~** cheap
marcher *v.n.* walk; travel; march; work; run; proceed
mardi *s. m.* Tuesday; **~ gras** Shrove Tuesday
mare *s. f.* pool, pond
maréchal *s. m.* marshal
marée *s. f.* tide, flood
margarine *s. f.* margarine
marge *s. f.* margin
mari *s. m.* husband
mariage *s. m.* marriage
marié, -e *adj.* married; *s. m. f.* bridegroom, married man; bride, married woman
marier *v.a.* marry; match; **se ~** marry, get married
marin *adj.* marine; *s. m.* seaman, sailor, mariner
marmelade *s. f.* marmalade
marque *s. f.* mark, imprint, trade-mark
marquer *v.a.* mark; stamp; brand
marron *s. m.* chestnut
mars *s. m.* March
marteau *s. m.* hammer
martyr, -e *s. m. f.* martyr
masque *s. m.* mask
masquer *v.a.* mask
massacre *s. m.* massacre
massage *s. m.* massage
masse *s. f.* mass; heap
massif, -ive *adj.* massive, bulky, clumsy
mât *s. m.* mast
match *s. m.* match
matelas *s. m.* mattress
matelot *s. m.* sailor, seaman
matérialisme *s. m.* materialism
matériaux *s. m. pl.* material(s)

matériel, -elle *adj.* material; *s. m.* matter; material; implements *(pl.)*

maternel, -elle *adj.* maternal; motherly; **école ~le** infant-school

mathématicien, -enne *s. m. f.* mathematician

mathématique *adj.* mathematical; *s. f.* mathematics

matière *s. f.* matter; material; substance; **~ première** raw material

matin *s. m.* morning

matinée *s. f.* morning; matinée

matrice *s. f.* womb

maturité *s. f.* maturity

maudire* *v.a.* curse

mauvais *adj.* bad, ill, evil; *s. m.* bad

me, m' *pron.* (to) me; (to) myself

mécanicien *s. m.* mechanic; engine-driver

mécanique *adj.* mechanic(al); *s. m.* mechanics; machine; mechanism

mécaniser *v.a.* mechanize

mécanisme *s. m.* mechanism; machinery

méchant *adj.* evil, bad

mécontent *adj.* displeased, dissatisfied, unhappy

mécontenter *v.a.* dissatisfy

médaille *s. f.* medal

médecin *s. m.* doctor, physician

médecine *s. f.* medicine

médical *adj.* medical

médicament *s. m.* medicine

médieval *adj.* medieval

méditation *s. m.* meditation

méditer *v.a. & n.* meditate

méfiance *s. f.* mistrust

méfier; se ~ be suspicious (*de* of); mistrust

meilleur, -e *adj.* better; *s. m. f.* the best

mélancolie *s. f.* melancholy, gloom

mélancolique *adj.* melancholy, sad

mélange *s. m.* mixture, blend

mélanger *v.a.* mix, blend

mêler *v.a.* mix (up), mingle; **se ~** mingle, be mixed; interfere with

mélodie *s. f.* melody

melon *s. m.* melon

membre *s. m.* member, limb

même *adj.* same; self; *adv.* even, also, likewise; **de ~** in the same way; **de ~ que** as well as; **quand ~** even if

mémoire *s. f.* memory; *s. m.* memorandum; bill; *(pl.)* memoirs

menace *s. f.* menace

menacer *v.a.* threaten

ménage *s. m.* housekeeping; household

ménager *v.a.* be sparing of; take care of; manage

ménagère *s. f.* housewife, housekeeper

mendiant, -e *s. m. f.* beggar

mendier *v.a. & n.* beg

mener *v.a.* guide, conduct, lead

mensonge *s. m.* lie

mensuel *adj.* monthly

mental *adj.* mental

mention *s. f.* mention

mentionner *v.a.* mention

mentir* *v.n.* lie, tell a lie

menton *s. m.* chin

menu *adj.* slim; small; minute; *s. m.* bill of fare, menu

menusier *s. m.* joiner, carpenter

méprendre; se ~ make a mistake, be mistaken
mépris *s. m.* contempt
mer *s. f.* sea; **par ~** by sea; **bord de la ~** seaside
mercerie *s. f.* haberdashery
merci *s. f.* mercy; *int.* thanks!, (no) thank you!
mercredi *s. m.* Wednesday
mercure *s. m.* mercury
mère *s. f.* mother
mérite *s. m.* merit, worth
mériter *v.a.* merit, deserve
merveille *s. f.* wonder
merveilleux, -euse *adj.* wonderful
message *s. m.* message
messe *s. f.* mass
mesure *s. f.* measure, gauge, measurement; size; metre
mesurer *v.a.* measure
métal *s. m.* metal
métallique *adj.* metallic
météorologie *s. f.* meteorology
méthode *s. f.* method
méthodique *adj.* methodical, systematic
métier *s. m.* trade; business; employment, occupation
mètre *s. m.* metre
métro *s. m.* tube, underground
métropolitain *adj.* metropolitan; underground
mets *s. m.* dish, food
mettre* *v.a.* put, set, place; put in, on; bring; **~ de côté** set aside, save; **~ en ordre** set in order; tidy up; **se ~** sit down; **se ~ à** set about, take to
meuble *s. m.* (piece of) furniture; *adj.* movable; **biens ~s** personal property
meubler *v.a.* furnish, fit up
meunier *s. m.* miller
meurtre *s. m.* murder
meurtrier *s. m.* murderer
meurtrir *v.a.* bruise, injure
mi- half, mid
microbe *s. m.* microbe
microphone *s. m.* microphone
microscope *s. m.* microscope
midi *s. m.* noon, midday; south
miel *s. m.* honey
mien *pron.* mine, my own
miette *s. f.* crumb
mieux *adv.* better
mignon, -onne *adj.* tiny; *s. m. f.* darling
migraine *s. f.* headache
milieu *s. m.* middle, centre; environment
militaire *adj.* military; *s. m.* soldier
mille[1] *adj. & s. m.* thousand
mille[2] *s. m.* mile (= 1609 metres)
millier *s. m.* thousand
million *s. m.* million
millionaire *s. m. f.* millionaire
mince *adj.* thin, slim
mine[1] *s. f.* mine
mine[2] *s. f.* look(s); **de bonne ~** good-looking
miner *v.a.* (under)mine
mineral *s. m.* ore
minéral *adj.* mineral
mineur[1] *s. m.* miner
mineur[2]**, -e** *adj. & s. m. f.* minor
ministère *s. m.* ministry
ministre *s. m.* minister; **premier ~** prime minister, premier
minorité *s. f.* minority
minuit *s. m.* midnight
minuscule *s. f.* small letter

minute *s. f.* minute; instant
miracle *s. m.* miracle
miraculeux, -euse *adj.* miraculous, wonderful
miroir *s. m.* mirror
misérable *adj.* miserable
misère *s. f.* misery
miséricorde *s. f.* mercy
mission *s. f.* mission
missionnaire *adj. & s. m. f.* missionary
mite *s. f.* moth
mobile *adj.* movable, mobile
mobilier *s. m.* furniture, suite
mobilisation *s. f.* mobilization
mobiliser *v.a. & n.* mobilize
mode[1] *s. f.* fashion, vogue; **à la ~** in vogue, in fashion
mode[2] *s. m.* mode, way; mood
modèle *s. m.* model
modération *s. f.* moderation
modérer *v.a.* moderate
moderne *adj.* modern
modeste *adj.* modest
modestie *s. f.* modesty
modification *s. f.* modification, change
modifier *v.a.* modify
modiste *s. f.* milliner
moelleux, -euse *adj.* soft, mellow
moeurs *s. f. pl.* manners, customs, ways
moi *pron.* me, to me
moi-même *pron.* myself
moindre *adj.* less, lesser, smaller; **le ~** the least
moineau *s. m.* sparrow
moins *adv. & s. m.* less (*que, de* than); fewer (*de* than); minus; **le ~** the least; **à ~ que** unless; **au ~** at least
mois *s. m.* month; **par ~** monthly; a month
moisson *s. f.* harvest, crop
moissonner *v.a.* harvest, reap
moitié *s. f.* half
molécule *s. f.* molecule
mollet *s. m.* calf (of leg)
moment *s. m.* moment, instant
mon, ma *pron.* (*pl.* **mes**) my
monarchie *s. f.* monarchy
monastère *s. m.* monastery, convent
mondain *adj.* worldly
monde *s. m.* world; people, company; **mettre au ~** give birth to; **toute le ~** everybody
monnaie *s. f.* money, coin, change; currency; **~ légale** legal tender; **~ étrangère** foreign currency
monopole *s. m.* monopoly
monotone *adj.* monotonous
monseigneur *s. m.* my lord, your lordship
monsieur *s. m.* gentleman; **M.** Mr.
monstrueux, -euse *adj.* monstrous
mont *s. m.* mountain
montage *s. m.* carrying up; mounting, setting; wiring
montagneux, -euse *adj.* mountainous
montant *adj.* ascending, uphill; **en ~** upwards
monte-charge *s. m.* goods lift
montée *s. f.* rise, slope
monter *v.n.* go up, come up, ascend, climb; mount; ride; amount (*à* to); equip, fit up; **~ à cheval** ride; **faire ~ qn.** *(dans sa voiture)* give someone a lift
montre[1] *s. f.* watch
montre[2] *s. f.* display, show; show-window

montrer *v.a.* show, display, point out; **se ~** show oneself
montueux, -euse *adj.* hilly, steep
monument *s. m.* monument
monumental *adj.* monumental
moquerie *s. f.* mockery
moral *adj.* moral
morale *s. f.* ethics; morality
moralité *s. f.* morality, morals *(pl.)*
morceau *s. m.* piece, morsel, bit; snack
mordre *v.a.* vite; gnaw
mors *s. m.* bit; fig. check
mort *s. f.* death; *adj.* dead, lifeless
mortel, -elle *adj.* mortal; boring, tedious
mot *s. m.* word; short note; **~s croisés** crossword (puzzle)
motel *s. m.* motel
moteur *s. m.* motor, engine
motif *s. m.* motive; cause
motion *s. f.* motion, movement
motocyclette *s. f.* motor(bi)cycle, motorbike
mou, mol, molle *adj.* soft; loose
mouche *s. f.* fly
moucher; se ~ blow one's nose
mouchoir *s. m.* handkerchief
moudre* *v.a.* grind
mouette *s. f.* gull
mouiller *v.a. & n.* soak, wet
moule *s. m.* mould, cast
moulin *s. m.* mill; **~ à vent** windmill; **~ à café** coffee-mill
mourant *adj.* dying, expiring
mourir* *v.n.* die, expire
mousse *s. f.* foam, froth, lather; moss
moustache *s. f.* moustache
moustique *s. m.* mosquito
moutarde *s. f.* mustard
mouton *s. m.* sheep; mutton
mouvement *s. m.* movement, motion, move
mouvoir* *v.a.* move; start; **se ~** move, stir
moyen, -enne *adj.* mean, middle, average; **le ~ âge** the Middle Ages; *s. m.* means, way, manner; **au ~ de** by means of; **avoir les ~s de** can afford
moyenne *s. f.* average, mean; **en ~** on the average
muet, ette *adj.* dumb, mute; speechless
multiplication *s. f.* multiplication
multiplier *v.a. & n.* multiply
multitude *s. f.* multitude, crowd
municipal *adj.* municipal, city
munir *v.a.* provide (*de* with)
munition *s. f.* (am)munition
mur *s. m.* wall
mûr *adj.* ripe; mature
mûrir *v.a. & n.* ripen
murmure *s. m.* murmur
murmurer *v.n.* murmur
muscle *s. m.* muscle
muse *s. f.* muse
museau *s. m.* muzzle
musée *s. m.* museum
musical *adj.* musical
musicien, -enne *s. m. f.* musician; *adj.* musical
musique *s. f.* music; instrument **de ~** musical instrument
mutuel, -elle *adj.* mutual
myope *adj.* short-sighted
mystère *s. m.* mystery
mystérieux, -euse *adj.* mysterious
mystification *s. f.* mystification
mystique *adj.* mystic

N

nacre *s. f.* mother-of-pearl

nage *s. f.* swimming; rowing, paddling

nager *v.n.* swim; float; row

nageur, -euse *s. m. f.* swimmer

naïf, -ïve *adj.* naïve

nain, -e *s. m. f.* dwarf

naissance *s. f.* birth; **lieu de ~** birthplace

naître* *v.n.* be born; arise (from)

nappe *s. f.* tablecloth

narine *s. f.* nostril

nasal *adj.* nasal

natal *adj.* natal, native, birth

natif, -ive *adj. & s. m. f.* native

nation *s. f.* nation

national *adj.* national

nationalité *s. f.* nationality

naturaliser *v.a.* naturalize

nature *s. f.* nature

naturel, -elle *adj.* natural, native

naturellement adv. naturally, of course

naufrage *s. m.* shipwreck; **faire ~** be shipwrecked

nausée *s. f.* nausea

nautique *adj.* nautical

naval *adj.* naval

navigateur *s. m.* navigator

navigation *s. f.* navigation; sailing; **compagnie de ~** shipping company; **~ spatiale** space-flight

navigeur *v.a. & n.* navigate

navire *s. m.* ship; **~s** shipping

ne, n' *adv.* not; **~ ... pas** not; **~ ... que** only

né, -e *adj.* born; née

nécessairre *adj.* necessary

nécessité *s. f.* necessity

nécessiter *v.a.* necessitate, make necessary

nef *s. f.* ship, vessel; nave; **~ laterale** aisle

négatif, -ive *adj. & s. m.* negative

négative *s. f.* negative

négligence *s. f.* negligent

négliger *v.a.* neglect

négociant, -e *s. m. f.* merchant, trader

négociation *s. f.* negotiation, transaction

nègre *s. m.* negro

neige *s. f.* snow

neigeux, -euse *adj.* snow

néon *s. m.* neon

nerf *s. m.* nerve; sinew

nerveux, -euse *adj.* nervous

net, nette *adj.* clean, neat, clear, tidy; net; *adv.* flatly, point-blank

nettoyage *s. m.* cleaning, cleansing

nettoyer *v.a.* clean, cleanse, clear

neuf[1] *adj. & s. m.* nine

neuf[2], neuve *adj.* new

neutre *adj.* neutral

neuvième *adj.* ninth

neveu *s. m.* nephew

nez *s. m.* nose

ni *conj.* **~ ... ~** (n)either ... (n)or; **~ l'un ~ l'autre** neither (one)

nid *s. m.* nest; berth

nièce *s. f.* niece

nier *v.a.* deny

niveau *s. m.* level

noble *adj.* noble

noblesse *s. f.* nobility

noce *s. f.* (often *pl.*) wedding; (*sing.*) revelry

Noël *s. m.* Christmas; **veillée de ~** Christmas eve

noeud *s. m.* knot, bow, tie

noir *adj.* black

noix *s. f.* (wal)nut; ~ **de coco** coconut

nom *s. m.* name, surname; fame; noun; ~ **de famille** surname

nombre *s. m.* number

nombreux, -euse *adj.* numerous

nomination *s. f.* nomination, appointment

nommer *v.a.* name, give name to; appoint, nominate

non *adv.* no, not

nonne *s. f.* nun

nord *s. m.* north; **du ~ au ~** northern

nord-est *s. m.* northeast

nord-ouest *s. m.* northwest

normal *adj.* normal

norvégien, -enne (N) *adj. & s. m. f.* Norwegian

nos *poss. adj.* our

notable *adj.* notable, remarkable

notaire *s. m.* notary (-public)

note *s. f.* note, mark; bill, account; note (music); ~ **(au bas de la page)** footnote

noter *v.a.* note, jot down; notice

notice *s. f.* notice

notion *s. f.* notion, idea

notre *poss. adj.* our

nôtre *pron. poss.* ours, our own

nourrir *v.a.* nourish, feed

nourriture *s. f.* nourishment, food

nous *pron.* we; us

nous-mêmes *pron.* ourselves

nouveau, -el, -elle *adj.* new; further; **de ~** again

nouvelle *s. f.* news; short story

novembre *s. m.* November

noyau *s. m.* stone, kernel; nucleus, core

noyer[1] *v.a.* drown; **se ~** be drowning; drown oneself

noyer[2] *s. m.* walnut tree

nu *adj.* naked, bare

nuage *s. m.* cloud

nuageux, -euse *adj.* cloudy, clouded

nuance *s. f.* shade, tint, nuance

nucléaire *adj.* nuclear

nuire* *v.n.* hurt, harm, be harmful

nuit *s. f.* night; **il (se) fait ~** it is night, it is getting dark; **de ~** by night; **la ~** at night; **bonne ~ !** good night!

nul, nulle *adj.* not one, not any; null, nil; *pron.* no one, nobody

numéro *s. m.* number, size; ticket; copy, issue

nu-pied *adv.* barefoot

nylon *s. m.* nylon

O

obéir *v.n.* obey

obéissance *s. f.* obedience

objective, -ive *adj.* objective; *s. m.* object, purpose; lens

objection *s. f.* objection

objet *s. m.* object, thing, article; purpose; ~ **d'art** work of art

obligation *s. f.* obligation

obligatoire *adj.* compulsory, obligatory

obliger *v.a.* oblige, compel

obscur *adj.* dark, dim

obscurité *s. f.* darkness, dimness; **dans l'~** in the dark

observation *s. f.* observation; remark

observer *v.a. & n.* observe, watch; keep

obstacle *s. m.* obstacle; hindrance; bar

obstine *adj.* obstinate

obtenir *v.a.* obtain, get

occasion *s. f.* occasion, chance, event; **à l'~** if need be, eventually; **d'~** second-hand

occidental *adj.* western, occidental

occupant, -e *s. m. f.* occupier, occupant

occupation *s. f.* occupation; pursuit

occupé *adj.* occupied, busy, engaged; **non ~** unoccupied

occuper *v.a.* occupy, employ; **s'~** occupy oneself (*de* with), be engaged; think (*de* of)

occurrence *s. f.* occurrence; **en l'~** in this case

océan *s. m.* ocean

octobre *s. m.* October

odieux, -euse *adj.* odious

oeil *s. m.* (*pl.* **yeux**) eye, sight; **coup d'~** glance; **au premier coup d'~** at first sight, at a glance; **ouvrez l'~ !** look out!

oeillet *s. m.* carnation; eyelet

oeuf *s. m.* egg; **~ à la coque** boiled egg; **~s brouillés** scrambled eggs; **~s durs** hardboiled eggs; **blanc d'~** white of egg; **jaune d'~** egg-yolk

oeuvre *s. f.* work; composition; **~ d'art** work of art

offense *s. f.* offence, insult; trespass

offenser *v.a.* offend, shock, injure; **s'~** take offence, be offended (*de* with), be angry

office *s. m.* office; service; post; agency; **exercer un ~** hold an office

officiel, -elle *adj.* official

officier *s. m.* officer

offre *s. f.* offer, tender

offrir* *v.a.* offer, present, hold out; **s'~ offer**, propose oneself

oh ! *int.* oh!, O!, indeed!

oie *s. f.* goose

oignon *s. m.* onion; bulb

oiseau *s. m.* bird

olympique *adj.* Olympic; **les jeux ~** the Olympic games

ombre *s. m.* shade; ghost; obscurity, darkness

ombreux, -euse *adj.* shady, shaded

omelette *s. f.* omelet

omettre *v.a.* omit

omission *s. f.* omission, oversight

omnibus *s. m.* bus; *adj.* slow; **train ~** slow train

on *pron.* one, we, people *(pl.)*; you; they; somebody; someone; **~ dit** they say, it is said, people say; **~ ferme !** closing time!

oncle *s. m.* uncle

onde *s. f.* wave; undulation

ondulation *s. f.* undulation; waving

onduler *v.a. & n.* undulate, wave; ripple

ongle *s. m.* nail (finger)

onze *adj. & s. m.* eleven; eleventh

opéra *s. m.* opera; opera-house; **~ comique** comic opera

opérateur *s. m.* operator; cameraman

opération *s. f.* operation; **salle d'~** operating-theatre

opérer *v.a. & n.* operate (on); **se faire ~** undergo an operation

opérette *s. f.* operetta

opinion *s. f.* opinion

opportun *adj.* opportune, timely

opposer *v.a.* oppose

opposition *s. f.* opposition

oppression *s. f.* oppression
opprimer *v.a.* oppress
optimiste *adj.* optimistic; *s. m. f.* optimist
optique *adj.* optic(al); *s. f.* optics
or *s. m.* gold; **d'~, en ~** golden
orage *s. m.* storm
orange *s. f.* orange
orateur *s. m.* speaker
orbite *s. f.* orbit
orchestre *s. m.* orchestra
ordinaire *adj.* ordinary, usual, common
ordinairement *adv.* usually, generally
ordonnance *s. f.* order; statute; prescription
ordonner *v.a.* order, command
ordre *s. m.* order, command; **mettre en ~** arrange, clear up
ordure *s. f.* refuse, rubbish
oreille *s. f.* ear; hearing; **prêter l'~ à** listen to, lend an ear to
oreiller *s. m.* pillow
organe *s. m.* organ
organique *adj.* organic
organisation *s. f.* organization, arrangement
organiser *v.a.* organize
organisme *s. m.* organism, system
orgue *s. m.* organ
orgueil *s. m.* pride
orient *s. m.* the East; **de l'~** eastern
original *adj.* original
origine *s. f.* origin, source; **avoir ~** come from
ornement *s. m.* ornament, adornment
orner *v.a.* adorn, ornament, trim, decorate
orphelin, -e *s. m. f.* orphan
orthographie *s. f.* spelling
os *s. m.* bone
osciller *v.n.* oscillate
oser *v.a. & n.* dare, venture
ôter *v.a.* take away, take off, remove, pull off; **s'~** remove oneself
ou *conj.* or, either, else
où *adv.* where, whence; at which, in which; **n'importe ~** anywhere
ouate *s. f.* cotton-wool
oublier *v.a. & n.* forget; overlook
ouest *s. m.* west; **à l'~** in the west, westward; **de l'~** western
oui *adv.* yes
ouragan *s. m.* hurricane
ours *s. m.* bear
ourse *s. f.* she-bear
outile *s. m.* tool
outré *adj.* exaggerated
ouvert *adj.* open; free; open-hearted; **à bras ~s** with open arms
ouverture *s. f.* opening; overtures *(pl.)*, proposal; overture
ouvrage *s. m.* (piece of) work
ouvre-boîte *s. m.* tin-opener
ouvreuse *s. f.* box-opener, attendant
ouvrier, -ère *s. m. f.* workman, worker; workwoman; hand; **premier ~** foreman
ouvrir* *v.a. & n.* open (up); break open; **s'~** be opened, open
oxygène *s. m.* oxygen

P

pacifique *adj.* pacific, peaceful; **l'Océan ~** the Pacific Ocean
pacte *s. m.* pact
page[1] *s. f.* page; **être à la ~** be up to date

page[2] *s. m.* page (boy)
paiment see **payement**
paille *s. f.* straw, chaff
pain *s. m.* bread, loaf; cake, tablet
pair[1] *adj.* equal, even; **au** ~ at par; "au pair"
pair[2] *s. m.* peer
paire *s. f.* pair; couple
paisible *adj.* peaceful
paître* *v.a. & n.* graze, feed
paix *s. f.* peace; calm
palais[1] *s. m.* palace
palais[2] *s. m.* palate
pâle *adj.* pale
paletot *s. m.* overcoat
pâleur *s. f.* pallor
pâlir *v.n. & a.* (grow) pale
palmier *s. m.* palm tree
palpiter *v.n.* palpitate
pamphlet *s. m.* pamphlet
pamplemousse *s. m.* grapefruit
pan *s. m.* flap; coat-tail
panache *s. m.* plume
panier *s. m.* basket
panique *s. f.* panic
panne *s. f.* breakdown; power-cut
panneau *s. m.* panel
panorama *s. m.* panorama
pansement *s. m.* dressing, bangage
pantalon *s. m.* trousers *(pl.)*
pantoufle(s) *s. f. (pl.)* slipper(s)
papa *s. m.* dad, daddy
papauté *s. f.* papacy
pape *s. m.* pope
papeterie *s. f.* paper-mill; stationery
papetier *s. m.* stationer
papier *s. m.* paper; ~ **hygiénique** toilet paper; ~ **peint** wallpaper
papillon *s. m.* butterfly
pâques *s. m. pl.* Easter
paquet *s. m.* packet, parcel
par *prep.* by, by way of, by means of; across; through; per; for
parade *s. f.* parade, show
paragraphe *s. m.* paragraph
paraître* *v.n.* appear, come in sight; come out; **faire** ~ publish
parallèle *adj. & s. f.* parallel
paralysie *s. f.* paralysis
paralytique *s. m. f.* paralytic
parapluie *s. m.* umbrella
paratonnerre *s. m.* lightning-conductor
parbleu *int.* indeed!
parc *s. m.* park; fold
parce que *conj.* because, on account of
parcourir *v.n.* travel through, go over; cover; run over, look over
parcours *s. m.* course, run; distance; mileage
pardessus *s. m.* overcoat
par-dessus *prep.* above
pardon *s. m.* pardon; **je vous demande** ~ **!** I beg your pardon!; pardon me!; excuse me!; ~ **?** (I beg your) pardon?
pardonner *v.a.* pardon
pare-boue *s. m.* mudguard
pare-brise *s. m.* windscreen
pare-choc *s. m.* bumper
pareil, -eille *adj.* like, similar; such; same
parent *s. m. f.* relative, relation; **~s** parents; relatives
parer *v.a.* adorn, trim; parry, ward off
paresseux, -euse *adj.* lazy, idle
parfait *adj. & s. m.* perfect

parfaitement *adv.* perfectly; ~ ! quite so!

parfois *adv.* sometimes

parfum *s. m.* perfume

parfumer *v.a.* perfume

parfumerie *s. f.* perfumery

parier *v.a.* bet, stake

parisien, -enne *adj. & s. m. f.* Parisian

parlement *s. m.* parliament

parlementaire *adj.* parliamentary

parler *v.n. & a.* speak, talk; *s. m.* speech, utterance; parlance

parmi *prep.* among

paroi *s. f.* wall, partition

paroisse *s. f.* parish

parole *s. f.* speech, utterance; language; word

parquet *s. m.* parquet

part *s. f.* part, share; side; **prendre ~ à** take part in, participate; **faire ~ à** inform (of), let know; **à ~** apart; **d'une ~ ... d'autre ~** on the one hand ... on the other (hand)

partager *v.a.* divide, share out; share

partenaire *s. m. f.* partner

parterre *s. m.* flower-bed; pit

parti *s. m.* party; side

participant, -e *s. m. f. & adj.* participant

participation *s. f.* participation, share

participe *s. m.* participle; **~ passé** past participle

participer *v.n.* participate, take part (*à* in)

particulier, -ère *adj.* particular, special, specific; peculiar; private; *s. m. f.* private person; **en ~** in particular

partie *s. f.* part; match, game; party; **en ~** partly, in part

partir* *v.n.* start, leave, go (away), set out

partisan *s. m.* partisan, follower

partition *s. f.* score

partout *adv.* everywhere

parure *s. f.* ornament; set

parvenir *v.n.* attain (*à* to), reach

pas[1] *s. m.* step, pace

pas[2] *adv.* no, not, not any; **~ du tout** not at all; **~ nécessaire** unnecessary

passage *s. m.* passing; passage; corridor; crossing; thoroughfare; **~ clouté** pedestrian crossing; **~ à niveau** level crossing; **~ interdit** no thoroughfare

passager, -ère *adj.* passing, transient, fugitive; *s. m. f.* passenger

passant, -e *adj.* **en ~** by the way, cursorily; *s. m. f.* passer-by

passe *s. f.* pass, passage; channel; permit

passé *adj.* past; *prep.* after, beyond

passeport *s. m.* passport

passer *v.n. & a.* pass; pass along, by; cross; go on, pass on; hand; pass away; omit; forgive; strain; **en ~ par là** submit to it; **~ un examen** take an examination; **~ la nuit** spend the night; **se ~** happen; disappear; do without

passif, -ive *adj.* passive; *s. m.* liabilities *(pl.)*

passion *s. f.* passion

passionné *adj.* passionate

pastel *s. m.* pastel

pastille *s. f.* pastille

pâté *s. m.* pie, pastry; block (of buildings); blot

patente *s. f.* patent, licence

patience *s. f.* patience
patient, -e *adj. & s. m. f.* patient
patin *s. m.* skate
patinage *s. m.* skating
patiner *v.n.* skate
patinoire *s. f.* skating-rink
pâtisserie *s. f.* pastry; pastry shop, cake shop
pâtissier, -ère *s. m. f.* pastry-cook
pâtre *s. m.* shepherd
patrie *s. f.* country
patriote *adj.* patriotic; *s. m. f.* patriot
patron[1], -onne *s. m. f.* patron; employer, boss
patron[2] *s. m.* model, pattern
patronage *s. m.* patronage, support
patronner *v.a.* patronize, protect
patrouille *s. f.* patrol
patte *s. f.* paw, foot
pâture *s. f.* fodder, pasture
paume *s. f.* palm
paupière *s. f.* eyelid
pause *s. f.* pause, stop, break; rest
pauvre *adj.* poor
pauvreté *s. f.* poverty
pavé *s. m.* paving-stone; pavement; street
paver *v.a.* pave
pavillon *s. m.* pavillon, summer-house; flag
payable *adj.* payable, due
paye *s. f.* pay, wages *(pl.)*
payment, paiement *s. m.* payment
payer *v.a.* pay; pay down, for, off; repay
pays *s. m.* country, land; home; nation; district, region
paysage *s. m.* landscape; scenery
paysan, -anne *s. m. f.* peasant, countryman; countrywoman
peau *s. f.* skin; hide; leather
pêche[1] *s. f.* peach
pêche[2] *s. f.* fishing; angling; ~ **à la ligne** angling
péché *s. m.* sin, trespass
pécher *v. n.* sin, trespass
pêcher *v.a. & n.* fish, angle
pécheur, -eresse *s. m. f.* sinner
pécheur *s. m.* angler, fisher
pécuniaire *adj.* pecuniary
pédagogie *s. f.* pedagogy
pédale *s. f.* pedal
pédant *adj.* pedant
pédicure *s. m.* pedicure
peigne *s. m.* comb
peigner *v.a.* comb
peignoir *s. m.* wrapper, dressing-gown
peindre* *v.a.* paint
peine *s. f.* punishment; pain, grief; trouble
peintre *s. m.* painter
peinture *s. f.* painting
pêle-mêle *adv.* pell-mell, in a muddle
pelle *s. f.* shovel, spade
pellicule *s. f.* film
pelote *s. f.* ball
pelouse *s. f.* lawn
pelure *s. f.* rind, peel
pénalité *s. f.* penalty
penchant *s. m.* slope, slant; bent, liking
pencher *v.a. & n.* incline, bend; stoop; lean (towards)
pendant[1] *adj.* hanging, pendent; *s. m.* pendant; match
pendant[2] *prep.* during; ~ **que** while

pendre *v.a. & n.* hang (up), suspend; hang down; be hanging

pendule *s. f.* clock

pénétrer *v.a. & n.* penetrate, go through; search; see through

pénitence *s. f.* penitence

pensée *s. f.* thought, thinking; mind; pansy

penser *v.n. & a.* think

pension *s. f.* pension; board (and lodging); boarding-house; boarding-school; life annuity; ~ **et chambre(s)** board and lodging; ~ **pour étudiants** hostel

pensionnaire *s. m. f.* boarder; paying guest

pensionnat *s. m.* boarding-school

pente *s. f.* slope, descent; **en** ~ downhill

Pentecôte *s. f.* Whitsuntide; **dimanche de la** ~ Whit Sunday

pépier *v.n.* chirp

pépin *s. m.* pip, stone

perçant *adj.* piercing

perception *s. f.* perception

percer *v.a. & n.* pierce, bore; punch; tap

percevoir *v.a.* perceive, understand

perdre *v.a. & n.* lose; waste; be the ruin of; **se** ~ get lost, disappear; be ruined

perdrix *s. f.* partridge

père *s. m.* father

perfection *s. f.* perfection

perforation *s. f.* perforation

perforer *v.a.* perforate

peril *s. m.* peril, danger

période *s. f.* period, term

périodique *adj.* periodic, periodical

périr *v.n.* perish

perle *s. f.* pearl, bead

permanent *adj.* permanent

permanente *s. f.* perm

permettre *v.a.* allow, permit, let; **permettez-moi de** allow me to; **vous permettez ?** may I?

permis *s. m.* permit, licence

permission *s. f.* permission, leave (of absence)

perron *s. m.* stair, steps *(pl.)*

perroquet *s. m.* parrot

persan, -e (P) *adj. & s. m. f.* Persian

persécuter *v.a.* persecute

persécution *s. f.* persecution

persil *s. m.* parsley

persister *v.n.* persist

personnage *s. m.* personage, person

personnalité *s. f.* personality

personne *s. f.* person; **grande** ~ grown-up; *pron.* anyone; anybody; no one

personnel, -elle *adj.* personal; *s. m.* personnel, staff

perspective *s. f.* perspective, prospect, outlook

persuader *v.a.* persuasion, conviction

perte *s. f.* loss; ruin

pertinent *adj.* pertinent

peser *v.a.* weigh; ponder

pessimiste *s. m. f.* pessimist; *adj.* pessimistic

petit *adj.* small, little

petite-fille *s. f.* grand-daughter

petit-fils *s. m.* grandson

pétition *s. f.* petition, request

petits-enfants *pl.* grandchildren

pétrole *s. m.* petroleum

peu *adv. & s. m.* little, bit, few; ~ **à** little by little, bit by bit; **un (petit)** ~ a (little)bit; **quelque** ~ somewhat; ~ **abondant** scanty; ~ **commun** unusual; ~ confortable uncomfortable; ~ **nécessaire** unnecessary

peuple *s. m.* people

peur *s. f.* fear; fright; **avoir** ~ **(de)** be afraid (of); **de** ~ **que** for fear that

peut-être *adv.* perhaps

phare *s. m.* lighthouse; headlight

pharmacie *s. f.* pharmacy, chemist's (shop)

pharmacien, -enne *s. m. f.* chemist

phase *s. f.* phase

phénomène *s. m.* phenomenon

philologie *s. f.* philology

philosophe *s. m.* philosopher

philosophie *s. f.* philosophy

philosophique *adj.* philosophical

phono(graphe) *s. m.* gramophone

photo *s. f.* photo, snap

photographe *s. m.* photographer

photographie *s. f.* photograph; photography

photographier *v.a.* photograph

photographique *adj.* photographic; **appareil** ~ camera

phrase *s. f.* phrase; sentence

phtisie *s. f.* consumption

physicien, -enne *s. m. f.* physicist

physique *adj.* physicial; *s. f.* physics; ~ **nucléaire** nuclear physics; *s. m.* physique, constitution

pianiste *s. m. f.* pianist

piano(forte) *s. m.* piano

pièce *s. f.* piece, part, bit, coin; play; room; joint

pied *s. m.* foot, leg; **à** ~ on foot; **aller à** ~ walk

pierre *s. f.* stone; rock

piéton *s. m.* pedestrian

pieu *s. m.* stake, post

pieux, -euse *adj.* pious

pigeon, -onne *s. m. f.* dove, pigeon

pile *s. f.* pile, heap; battery

pilier *s. m.* pillar, post, column

piller *v.a. & n.* pillage

pilot *s. m.* pile

pilote *s. m.* pilot

piloter *v.a.* pilot, guide

pilule *s. f.* pill

pin *s. m.* pine(-tree)

pince *s. f.* pinch; pincers, pliers, tongs *(pl.)*

pincer *v.a.* pinch

pipe *s. f.* pipe

piquant *adj.* pungent, sharp; piquant

pique *s. f.* pike; *s. m.* (cards) spade

pique-nique *s. m.* picnic

piquer *v.a. & n.* prick, sting; lard; goad, spur

piqûre *s. f.* prick, sting; puncture; injection

pirate *s. m.* pirate

pire *adj.* worse

pis *adv.* worse

piscine *s. f.* swimming pool

piste *s. f.* track; trace; runway

pistolet *s. m.* pistol

pitié *s. f.* pity

placard *s. m.* placard, poster; cupboard

place *s. f.* place; room; seat; square

placement *s. m.* placing; investment; **bureau de** ~ labour-exchange

placer *v.a.* place, put, set; invest; sell

plafond *s. m.* ceiling

plague *s. f.* beach

plaider *v.a. & n.* plead

plaindre *v.a.* pity, feel compassion for; **se ~** complain

plaine *s. f.* plain

plainte *s. f.* complaint

plaire* *v.n.* please; **vous plaît-il de ?** would you like to? **s'il vous plaît** (if you) please; **se ~** take pleasure, enjoy

plaisant *adj.* pleasant, pleasing

plaisanterie *s. f.* joke, jest; **par ~** as a joke

plaisir *s. m.* pleasure

plan *s. m.* plan; design; plane

planche *s. f.* board, plank

plancher *s. m.* floor

planer *v.a.* plane

plante *s. f.* plant; sole

planter *v.a.* plant; set

planteur *s. m.* planter

plaque *s. f.* plate; slab; plaque; **~ de police** number-plate

plaquer *v.a.* plate; lay on

plastique *adj.* plastic; *s. f.* plastic art; figure; *s. m.* plastics *pl.*

plastron *s. m.* (shirt-)front; plastron; stiff shirt

plat *adj.* flat; plain; dull; *s. m.* flat (part); blade

plateau *s. m.* tray; scale (of balance); plateau

plate-bande *s. f.* flowerbed

plate-forme *s. f.* platform

plâtre *s. m.* plaster

plein *adj.* full; filled; **en ~** fully, entirely

pleurer *v.n.* cry, weep

pleuvoir; il pleut it rains

pli *s. m.* fold, crease

pliant *adj.* flexible, pliant; folding

plier *v.a. & n.* fold (up), bend; **se ~** submit (*à* to)

plisser *v.a. & n.* plait, fold, tuck; wrinkle

plomb *s. m.* lead

plombage *s. m.* filling

plombier *s. m.* plumber

plonger *v.a. & n.* plunge, immerse, dip, dive

pluie *s. f.* rain

plume *s. f.* feather, plume, pen

plupart *s. f.* most, the greatest part, majority

pluriel *s. m.* plural

plus *adv.* more, most; further, longer; any more; **de ~ en ~** more and more; **en ~ de** in addition to; **ne ... ~** no more, no longer

plusieurs *adj.* several, many, some, a few; *pron.* several people

plutôt *adv.* rather, preferably

pluvieux, -euse *adj.* rainy, wet

pneu(matique) *s. m.* tire

pneumonie *s. f.* pneumonia

poche *s. f.* pocket; pouch

poêle[1] *s. m.* stove

poêle[2] *s. f.* frying pan

poème *s. m.* poem

poésie *s. f.* poetry; poesy

poète *s. m.* poet

poétique *adj.* poetic(al)

poids *s. m.* weight

poignant *adj.* poignant

poigne *s. f.* grip, grasp

poignée *s. f.* handle; hilt; handful

poignet *s. m.* wrist; cuff

poil *s. m.* hair; bristle; coat

poinçon *s. m.* punch, clip; stamp

poing *s. m.* fist

point *s. m.* point, dot; full stop; **deux ~s** colon; **~ et virgule** semi-colon; **à ~** just in time; **être sur le ~ de** be about to; **~ de vue** point of view

pointe *s. f.* point, head, tip

pointer *v.a. & n.* point

pointu *adj.* sharp, pointed

poire *s. f.* pear

pois *s. m.* pea

poison *s. m.* poison

poisson *s. m.* fish

poissonnier, -ère *s. m. f.* fishmonger

poitrine *s. f.* chest, breast

poivre *s. m.* pepper

pôle *s. m.* pole

poli *adj.* polished; polite

police *s. f.* police; policy; **agent de ~** policeman

policier *s. m.* policeman

policlinique *s. f.* outpatients' department

polir *v.a.* polish, refine

politesse *s. f.* politeness

politicien, -enne *s. m. f.* politician

politique *s. f.* politics

polonais, -e (P) *adj.* Polish; *s. m.* Pole; *s. f.* Polish woman; polonaise

pomme *s. f.* apple; **~ de terre** potato

pommier *s. m.* apple tress

pompe[1] *s. f.* pomp, ceremony

pompe[2] *s. f.* pump; **~ à incendie** fire-engine; **~ à essence** pretrol pump

pompier *s. m.* fireman; **les ~s** fire-brigade

ponctuel, -elle *adj.* punctual

pont *s. m.* bridge; deck; **~ suspendu** suspension-bridge; **~ inférieur** lower deck

populaire *adj.* popular; vulgar, common

popularité *s. f.* popularity

population *s. f.* population

populeux, -euses *adj.* populous

porc *s. m.* pig, hog; pork

porcelaine *s. f.* porcelain, china(ware)

pore *s. m.* pore

poreux, -euse *adj.* porous

port[1] *s. m.* harbour (sea-)port; **arriver à bon ~** arrive safely

port[2] *s. m.* bearing, gait; carriage; postage; **~ payé** postage paid

portable *adj.* portable

porte *s. f.* door(way), entrance; **~ d'entrée** front door

porte-cigarettes *s. m. pl.* cigarette case

portée *s. f.* litter; range, scope; **à ~** within reach

portemanteau *s. m.* coat-stand; suitcase

porter *v.a. & n.* bear; carry; convey; wear, have on; hold; **~ interêt** yield interest; show interest; **~ la santé de B** drink B's health; **se ~** be worn, be carried; **comment vous parlez-vous ?** how are you?

porteur *s. m.* porter, carrier; bearer

portier, -ère *s. m. f.* porter, doorkeeper

portière *s. f.* door (on vehicle); (door-)curtain

portion *s. f.* portion, part, share; helping

portrait *s. m.* portrait

portugais, -e (**P**) *adj. & s. m. f.* Portuguese

posemètre *s. m.* light-metre

poser *v.a. & n.* place, lay down, put; state

positif, -ive *adj. & s. m. f.* positive

position *s. f.* position, situation; attitude

posséder *v.a.* possess

possession *s. f.* possession; property

possibilité *s. f.* possibility

possible *adj.* possible; **faire tout son ~** do one's best

postal *adj.* postal; post; **carte ~e** postcard

poste[1] *s. f.* post(-office), mail; **mettre à la ~** post (a letter); **bureau de ~** post office; **timbre ~** stamp; **~ aérienne** airmail

poste[2] *s. m.* post, station, office; police station; receiver, set; **~ de T.S.F.** wireless set

postulant, -e *s. m. f.* applicant, candidate

pot *s. m.* pot, can, jug, vessel, pitcher

potager *s. m.* kitchen, garden

poteau *s. m.* post

poterie *s. f.* pottery

potin *s. m.* noise; (piece of) gossip

pouvelle *s. f.* dustbin

pouce *s. m.* thumb

pouding *s. m.* pudding

poudre *s. f.* powder, dust

poudrier *s. m.* compact

poule *s. f.* hen; fowl

poulet *s. m.* chicken, fowl

pouls *s. m.* pulse

poumon *s. m.* lung(s)

poupée *s. f.* doll

pour *prep.* for; **~ cent** per cent; **~ que** in order that

pourboire *s. m.* tip

pourquoi *conj. & adv.* why; what for; for what reason

poursuite *s. f.* pursuit, chase; **~s** suit, action

poursuivre *v.a.* pursue, chase, prosecute

pourtant *adv.* however, still

pourvoir *v.n. & a.* provide (*à* for), supply, cater (*à* for)

pousser *v.a. & n.* push; shove; urge; impel; grow; utter

poussière *s. f.* dust

poussièreux, -euse *adj.* dusty

pouvoir* *v.a. & n.* be able, may; **se ~** be possible; **cela se peut** that may be; *s. m.* power

pratique *s. f.* practice, execution; experience; customers *(pl.)*; *adj.* practical, convenient

pratiquer *v.a.* practise, carry out; exercise

préalable *adj.* previous, **au ~** first of all

précédent *adj.* precedent, previous; *s. m.* precedent

précéder *v.a. & n.* precede; come before

prêcher *v.a. & n.* preach

prêcheur *s. m.* preacher

précieux, -euse *adj.* precious, valuable, costly

précipice *s. m.* precipice

précipitation *s. f.* precipitation, haste, hurry

précipité *adj.* hasty

précipiter *v.a.* precipitate; hasten, hurry

précis *adj.* exact, precise; *s. m.* summary

préciser *v.a.* specify

prédécesseur *s. m.* predecessor

prédire *v.a.* foretell

préfabriqué *adj.* prefabricated

préface *s. f.* preface

préférable *adj.* preferable, better

préférer *v.a.* prefer; like better

préfet *s. m.* prefect

préjugé *s. m.* prejudice, presumption

prelate *s. m.* prelate

préliminaire *adj.* preliminary

premier, -ère *adj.* first, former; ~ **plan** foreground; close-up; **de ~ ordre** first-rate; ~ first floor

première *s. f.* first night; first class (in a carriage)

prendre* *v.a.* take, take up, seize; receive, accept; put on, wear; charge; catch; ~ **place** take a seat; **à tout** ~ on the whole; ~ **pour** mistake for; ~ **du corps** put on weight; ~ **l'air** take a walk; **se** ~ be taken, be caught

prénom *s. m.* Christian name

préoccuper *v.a.* preoccupy, engross; worry; **se** ~ trouble oneself

préparatifs *s. m. pl.* preparations

préparation *s. f.* preparation

préparer *v.a.* prepare, make ready; read for; **se** ~ prepare oneself, get ready

préposition *s. f.* preposition

prérogative *s. f.* prerogative, privilege

près *adv. & prep.* near, close by, close to; nearly; **à peu** ~ nearly (so); **de** ~ closely

prescription *s. f.* prescription

prescrire* *v.a.* prescribe

présence *s. f.* presence, attendance; **en ~ de** in the presence of

présent[1] *s. m.* present, gift; **faire ~ de** give as a present

présent[2] *s.m* . present (time); present tense; *adj.* present, current; **à** ~ at present; **jusqu'à** ~ until now, as yet; **pour le** ~ for the time being

présentation *s. f.* presentation, introduction

présenter *v.a.* present, offer; introduce; **se** ~ appear

préserver *v.a.* preserve

président *s. m.* president

préssomption *s. f.* presumption; conceit

presque *adv.* almost

pressant *adj.* pressing

presse *s. f.* press; printing press; haste; crowd

pressé *adj.* pressing; **être** ~ be in a hurry

pressentiment *s. m.* presentiment; misgiving

pressentir *v.a.* have a presentiment of

presser *v.a* press, crush; hurry; **pressez-vous !** hurry up!; **se** ~ hurry (up)

pression *s. f.* pressure

pressurer *v.a.* press, squeeze; oppress

prestige *s. m.* marvel; influence, prestige

présumer *v.a.* suppose, expect; presume

prétendre *v.a. & n.* pretend, claim; intend

prétention *s. f.* pretension, claim

prêter *v.a.* lend, attribute; **se** ~ lend oneself (*à* to)

prétexte *s. m.* pretext
prêtre *s. m.* priest
preuve *s. f.* proof; **faire ~ de** show
prévaloir *v.n.* prevail
prévenir *v.a.* anticipate, inform, let know
préventif, -ive *adj.* preventive
prévention *s. f.* bias, prejudice
prévision *s. f.* prevision, anticipation; forecast
prévoir *v.a.* foresee, anticipate, forecast
prévoyance *s. f.* foresight
prier *v.a.* pray, beg; ask
prière *s. f.* prayer; request
primaire *adj.* primary
prime *adj.* first, early
primer *v.a.* surpass, excel; award a prize to
primeur *s. f.* early vegetables *(pl.)*
primitif, -ive *adj.* primitive, original
prince *s. m.* prince
princesse *s. f.* princess
principal *adj.* principal
principalement *adv.* principally, mainly
principe *s. m.* principle
printemps *s. m.* spring(time); **au ~** in spring
priorité *s. f.* priority
prise *s. f.* taking; capture, catch; **~ de courant** (electric) plug
prisme *s. m.* prism
prison *s. f.* prison
prisonnier, -ère *s. m. f.* prisoner
privation *s. f.* privation
privé *adj.* private
priver *v.a.* deprive
privilège *s. m.* privilege
prix *s. m.* price, cost, charge; prize; **au ~ de** at the cost of; **~ de la course** fare; **~ par mille** mileage; **~ courant** market-price; **~ fixe** fixed price
probabilité *s. f.* probability
probable *adj.* probable
probablement *adv.* probably
problématique *adj.* problematic(al)
problème *s. m.* problem
procédé *s. m.* proceeding
procéder *v.n.* proceed
procédure *s. f.* procedure
procès *s. m.* (law-)suit, trial; **faire un ~ à** bring an action against
procession *s. f.* procession
prochain *adj.* near(est), next; *s. m.* neighbour
prochainement *adv.* shortly, soon
proche *adj.* near, neighbouring, close at hand
proclamer *v.a.* proclaim
procurer *v.a.* procure
procureur *s. m.* attorney
prodigieux, -euse *adj.* wonderful, prodigious
producteur, -trice *s. m. f.* producer; *adj.* producing
production *s. f.* production
produire* *v.a.* produce, bring forth, yield
produit *s. m.* produce; product
professer *v.a. & n.* profess; teach
professeur *s. m.* teacher; professor; lecturer
profession *s. f.* profession
professionnel, -elle *adj. & s. m. f.* professional
profil *s. m.* profile
profit *s. m.* profit, gain

profitable *adj.* profitable
profiter *v.n.* profit (by)
profond *adj.* deep, profound
profondeur *s. f.* depth; **dix pieds de ~** ten feet deep
programme *s. m.* program(me); scheme
progrès *s. m.* progress, improvement; **faire des ~** make progress
prohiber *v.a.* prohibit
projecteur *s. m.* headlight; searchlight; projector
projectile *s. m.* projectile, missile
projection *s. f.* projection
projet *s. m.* project, plan; scheme; **~ de loi** bill
projeter *v.a.* project, throw; scheme, plan
prolonger *v.a.* prolong
promenade *s. f.* walk; promenade
promener; se ~ go for a walk; **se ~ en voiture** go for a drive
promesse *s. f.* promise
promettre *v.a.* promise
promotion *s. f.* promotion
prompt *adj.* prompt
pronom *s. m.* pronon
prononcer *v.a. & n.* pronounce; utter; deliver
prononciation *s. f.* pronunciation; delivery
propagande *s. f.* propaganda
propager *v.a.* propagate
prophète *s. m. f.* prophet
prophétie *s. f.* prophecy
proportion *s. f.* proportion; ratio
propos *s. m.* talk, remark; **à ~** in good time; by the way
proposer *v.a.* propose, offer
proposition *s. f.* proposal, proposition
propre *adj.* own, peculiar; proper, fit
propriètaire *s. m. f.* owner, proprietor; landlord, landlady
propriété *s. f.* ownership; property
propulsion *s. f.* propulsion; **~ à réaction** jet propulsion
prosaïque *adj.* prosaic
proscrire* *v.a.* proscribe
prose *s. f.* prose
prospectus *s. m.* prospectus
prospère *adj.* prosperous
prospérer *v.n.* prosper, get on (well)
prospérité *s. f.* prosperity
protecteur *s. m.* protector, patron
protection *s. f.* protection, support
protéger *v.a.* protect; patronize
protestant, -e *s. m. f. & adj.* Protestant
protestation *s. f.* protest(ation)
protester *v.n. & a.* protest
prouver *v.a.* prove
provenir *v.n.* come (from), issue, arise
province *s. f.* province, country, district
provincial *adj.* provincial, country
provision *s. f.* provision
provisoire *adj.* provisional, temporary
provoquer *v.a.* provoke; stir up
proximité *s. f.* proximity
prudence *s. f.* prudence, caution
prudent *adj.* prudent, cautious
prune *s. f.* plum
pruneau *s. m.* prune
prunelle *s. f.* pupil
psaume *s. m.* psalm
psychologie *s. f.* psychology

psychologique *adj.* psychological
public, publique *adj.* public, common; *s. m.* public, audience
publication *s. f.* publication
publicité *s. f.* publicity
publier *v.a.* publish
puce *s. f.* flea
puer *v.n.* stink
puéril *adj.* childish
puis *adv.* then, after that
puiser *v.a.* draw up, fetch up
puisque *conj.* as, since
puissance *s. f.* power, might, force
puissant *adj.* powerful, strong; **tout** ~ almighty
puits *s. m.* well; pit
punaise *s. f.* drawing-pin; bug
punch *s. m.* punch (drink)
punir *v.a.* punish
punition *s. f.* punishment
pupille *s. m. f.* ward, pupil; *s. f.* pupil (of the eye)
pupitre *s. m.* desk
pur *adj.* pure, clean
purée *s. f.* mash, purée
purement *adv.* purely, merely
pureté *s. f.* purity
purgatif, -ive *adj. & s. m.* purgative
purger *v.a.* purge
purifier *v.a.* purify, cleanse
puritain, -e *adj. & s. m. f.* Puritan
pyramide *s. f.* pyramid

Q

quai *s. m.* quay; wharf; platform; **billet de** ~ platform ticket
qualification *s. f.* qualification
qualifié *adj.* qualified
qualifier *v. a.* qualify
qualité *s. f.* quality
quand *adv. & conj.* when; while; ~ **même** all the same
quant à *prep.* as for, with regard to
quantité *s. f.* quantity; amount; ~ **de** plenty of
quarante *adj. & s. m.* forty
quart *s. m.* quarter, fourth part; quart
quartier *s. m.* quarter; piece, slice; district; ~ **général** headquarters *(pl.)*
quatorze *adj. & s. m.* fourteen
quatre *adj. & s. m.* four; fourth
quatre-vingt-dix *adj. & s. m.* ninety
quatre-vingts *adj. & s. m.* eighty
quatrième *adj. & s. m.* fourth; fourth floor; *s. f.* third form
quatuor *s. m.* quartet(te)
que, qu' *rel. pron.* whom, which, that; of which, at which; *adv.* how much, how many; *conj.* that; than; as; if; as though
quel, quelle *adj.* what, which
quelque *adj.* some, any; a few; ~ **chose** something, anything; ~ **part** somewhere; ~ **peu** somewhat; *adv.* about, some
quelquefois *adv.* sometimes
quelqu'un, -e *pron.* somebody; anybody
querelle *s. f.* quarrel
quereller *v.a. & n.* quarrel with
question *s. f.* question; point, matter, issue
questionner *v.a.* question, interrogate
queue *s. f.* tail; rear; queue; handle
qui *rel. pron.* who, whom; which; that; **à** ~ to whom
quille *s. f.* keel, skittle

quincaillerie *s. f.* hardware (shop)
quintal *s. m.* hundred-weight
quinze *adj. & s. m.* fifteen; fifteenth; ~ **jours** fortnight
quittance *s. f.* receipt
quitte *adj.* quit, free
quitter *v.a.* leave, give up, quit
quoi *rel. pron.* what, which; **à propos de** ~ what is it about?; ~ **qu'il en soit** at any rate
quoique *conj.* (al)though
quotidien, -enne *adj. & s. m.* daily

R

rabais *s. m.* reduction in price, rebate
rabaisser *v.a.* lower
rabattre *v.a.* beat down, pull down; reduce
raccommoder *v.a.* mend, repair
raccourcir *v.a. & n.* shorten, abridge
raccrocher *v.a.* hang up again
race *s. f.* race; stock; breed
racine *s. f.* root; **prendre** ~ take root
raconter *v.a.* tell, relate
radar *s. m.* radar
radiateur *s. m.* radiator
radiation *s. f.* radiation
radical *adj.* radical
radieux, -euse *adj.* radiant, beaming
radio *s. f.* radio
radio-actif, -ive *adj.* radioactive
radiodiffuser *v.a.* broadcast
radiodiffusion *s. f.* broadcasting
radiogramme *s. m.* X-ray photograph; radiogram
radiographie *s. f.* X-ray photograph(y)
radioreportage *s. m.* running commentary
radioscopie *s. f.* radioscopy
radioscopique *adj.* **examen** ~ X-ray examination
radis *s. m.* radish
raffermir *v.a.* strengthen, fortify
raffinage *s. m.* refining
raffiné *adj.* refined
raffinement *s. m.* refinement
raffiner *v.a.* refine
rafraîcher *v.a.* refresh, cook; **se** ~ cool down
rafraîchissement *s. m.* refreshment; ~**s** refreshments
rage *s. f.* rage, fury
ragoût *s. m.* ragout, stew
raide *adj.* stiff, rigid
raidir *v.a.* make stiff
raiford *s. m.* horseradish
rail *s. m.* rail
railler *v.a.* mock, rail at
raillerie *s. f.* raillery, mocking
raisin *s. m.* grape(s); ~ **sec** raisin
raison *s. f.* reason; judgement; **à ~ de** at the rate of; **avoir ~** be right
raisonnable *adj.* reasonable
raisonnement *s. m.* reasoning
raisonner *v.n. & a.* reason, argue
ralentir *v.a. & n.* slow down
ramasser *v.a.* gather up, pick up; take up
rame *s. f.* oar; prop
ramener *v.a.* bring back, take back
ramer *v.n.* row
rampe *s. f.* banister; footlights *(pl.)*
ramper *v.n.* crawl, creep
rance *adj.* rancid
rancune *s. f.* spite, grudge

randonneur, -euse *s. m. f.* excursionist, hiker

rang *s. m.* row, line; rank

rangé *adj.* tidy

rangée *s. f.* row, line, range

ranger *v.a.* put in order; arrange; range; **se ~** settle down; make room

ranimer *v.a.* revive, restore to life, refresh

râpe *s. f.* rasp, grater

râpé *adj.* shabby

rapide *adj.* rapid, fast; steep

rapidité *s. f.* rapidity, speed

rappel *s. m.* recall

rappeler *v.a.* recall, call back; bring back; **se ~** remember

rapport *s. m.* product, yield; report, account; connection, relation; reference; **sous ce ~** in this respect

rapporter *v.a.* bring back; produce, yield; report, state; **se ~** relate to, refer to

rapprochement *s. m.* drawing closer

rapprocher *v.a.* bring closer; **se ~** draw nearer

raquette *s. f.* racket

rare *adj.* rare

raser *v.a.* shave, graze; pull down; bore; *v.n.* **se ~** shave

rasoir *s. m.* razor; **~ électrique** electric razor; **~ de sûreté** safety razor

rassembler *v.a.* gather, assemble, collect

rassis *adj.* settled; stale

rassurer *v.a.* reassure, comfort

rat *s. m.* rat

râteau *s. m.* rake

ratelier *s. m.* rack; set of false teeth

rater *v.n. & a.* miss fire; fail

ratification *s. f.* ratification

ration *s. f.* ration

rattacher *v.a.* tie up again, join

rattraper *v.a.* catch again; catch up; overtake

rauque *adj.* hoarse

ravager *v.a.* ravage, lay waste

ravir *v.a.* delight

ravissant *adj.* ravishing, charming

rayer *v.a.* scratch (out); cross out

rayon *s. m.* ray beam; spoke; radius; shelf

rayonnement *s. m.* radiation; radiance

rayonner *v.n.* radiate, shine

razzia *s. f.* raid

réacteur *s. m.* reactor

réaction *s. f.* reaction

réagir *v.n.* react

réalisation *s. f.* realization; carrying out

réaliser *v.a.* realize

réaliste *adj.* realistic

réalité *s. f.* reality; **en ~** in fact

rebelle *adj.* rebellious; *s. m. f.* rebel

rébellion *s. f.* rebellion

rebord *s. m.* edge, brim

rébus *s. m.* riddle

récemment *adv.* recently, lately

récent *adj.* recent

récepteur *s. m.* receiver

réception *s. f.* reception, receipt; at-home

recette *s. f.* receipt; recipe

receveur *s. m.* receiver; conductor (bus)

recevoir* *v.n.* receive; admit, take in; accept; *v.n.* entertain; **aller ~ qn. à la gare** meet someone at the station

rechange *s. m.* **pièces de ~** spare parts
recharge *s. f.* refill
réchaud *s. m.* dishwarmer
réchauffer *v.a.* warm up again
recherche *s. f.* research; inquiry
rechercher *v.a.* look for, search for; research into
récipé *s. m.* recipe
réciproque *adj.* reciprocal, mutual
récit *s. m.* recital, account
récital *s. m.* recital
récitation *s. f.* recitation
réciter *v.a.* recite
réclamation *s. f.* claim, complaint
réclame *s. f.* advertisement; **faire de la ~ (pour)** advertise
réclamer *v.a.* demand, claim
recommandation *s. f.* recommendation
recommander *v.a.* recommend; introduce; request; register
recommencer *v.a. & n.* begin again
récompense *s. f.* reward
récompenser *v.a.* reward, repay
réconcilier *v.a.* reconcile
reconnaissance *s. f.* recognition, gratitude
reconnaître *v.a.* recognize, know; acknowledge; explore
reconstruction *s. f.* reconstruction
reconstruire* *v.a.* rebuild
record *s. m.* record (sport, etc.)
recourir *v.n.* **~ à** have recourse to
recouvrir *v.a.* cover again, hide
récrèation *s. f.* recreation, amusement, pastime
recrue *s. f.* recruit
recteur *s. m.* rector, chancellor
rectifier *v.a.* rectify, correct
reçu *s. m.* receipt; **au ~ de** on receipt of
recueil *s. m.* collection
recueillir *v.a.* collect; **se ~** collect oneself
reculer *v.a.* put back; *v.n.* draw back, recoil
rédacteur, -trice *s. m. f.* editor; writer
rédaction *s. f.* drawing up; composition; editorial staff
rédemption *s. f.* redemption
rédiger *v.a.* draw up; edit
redingote *s. f.* frock-coat
redire *v.a.* repeat, say again; **trouver à ~ à** find fault with
redoubler *v.a.* redouble
redoutable *adj.* formidable, dreaded
redouter *v.a.* dread, be afraid of
redresser *v.a. & n.* **se ~** straighten (up)
réduction *s. a.* reduction, cut
réduire* *v.a.* reduce, cut down
réduit *adj.* reduced
réel, réelle *adj.* real, actual
réélection *s. f.* re-election
réélire *v.a.* re-elect
refaire *v.a.* do (over) again
réfectoire *s. m.* refectory, dining-hall
référence *s. f.* reference
référer *v.a.* refer; **se ~ à** refer to; **nous référant à** referring to
réfléchir *v.a.* reflect; consider, think over
réflecteur *s. m.* reflector
reflet *s. m.* reflection
refléter *v.a.* reflect
réflexe *adj.* reflex

réflexion *s. f.* reflection, consideration
reflux *s. m.* ebb
réformation *s. f.* reformation
réforme *s. f.* reform, improvement
Réforme *s. f.* Reformation
réformer *v.a.* reform
refrain *s. m.* refrain
refréner *v.a.* bridle, curb
réfrigérateur *s. m.* refrigerator
réfrigérer *v.a.* refrigerate
refroidir *v.a.* chill, cool
refuge *s. m.* refuge; lay-by
refugié, -e *s. m. f.* refugee
réfugier; se ~ take shelter, take refuge
refus *s. m.* refusal, denial
refuser *v.a.* refuse, deny; **~ de connaître** ignore; **être refusé** fail
regagner *v.a.* regain, recover; return to
regard *s. m.* look
regarder *v.a.* look at; concern; regard
régime *s. m.* (form of) government; diet
régiment *s. m.* regiment
région *s. f.* region, area
régional *adj.* local
régir *v.a.* rule, administer
régisseur *s. m.* steward; stage-manager
registre *s. m.* register; record
règle *s. f.* rule; ruler
réglé *adj.* regular; punctual; steady; ruled
règlement *s. m.* rule, regulation
régler *v.a.* rule; regulate; time; settle
règne *s. m.* reign
régner *v.a.* reign
regret *s. m.* regret
regretter *v.a.* regret, be sorry for
régulariser *v.a.* regularize
régularité *s. f.* regularity
régulateur *s. m.* regulator
régulier, -ière *adj.* regular; correct
rein *s. m.* kidney
reine *s. f.* queen
reine-claude *s. f.* greengage
rejeter *v.a.* reject, throw out
rejoindre *v.a.* rejoin; overtake, catch up; **se ~** meet
réjouir *v.a.* give joy to, cheer up, delight; **se ~** rejoice
relâche *s. f.* relaxation; respite
relâcher *v.a.* slacken, loosen; relax; **se ~** relax
relatif, -ive *adj.* relative; **~ à** relating to
relation *s. f.* relation, connection; report; **entrer en ~ avec** get in touch with
relever *v.a.* lift, take up, pick up; set off; *v.n.* recover
relief *s. m.* relief
relier *v.a.* bind (a book); hoop (casks)
religieux, -euse *adj.* religious; *s. m.* monk; *s. f.* nun
religion *s. f.* religion
relique *s. f.* relic
relire *v.a.* read (over) again
remarquable *adj.* remarkable, noticeable
remarque *s. f.* remark, observation, notice
remarquer *v.a.* remark, notice, observe; **faire ~** point out
rembourser *v.a.* repay, reimburse
remède *s. m.* remedy; medicine
remerciement *s. m.* thanks *(pl.)*

remercier *v.a.* thank (*de* for)

remettre *v.a.* put back; put on again; postpone; **se ~** recover (oneself)

remilitariser *v.a.* rearm

remise *s. f.* remittance; delivery; allowance; revival, restoration

remonter *v.n. & a.* go up, remount; bring up again; set up again

remords *s. m.* remorse

remorque *s. f.* tow(ing), trailer

remorqueur *s. m.* **(bateau) ~** tugboat

remous *s. m.* eddy(-water), whirl

remplacer *v.a.* replace, substitute

remplir *v.a.* fill; fill up; fulfil; carry out

remporter *v.a.* take away, carry off; get, obtain

remuer *v.a. & n.* move, fidget about; **se ~** be busy, move

rémunération *s. f.* remuneration

renaissance *s. f.* renaissence; revival; **la Renaissance** the Renaissance

renaître *v.n.* be born again, revive

renard *s. m.* fox

rencontre *s. f.* meeting, encounter; collision

rencontrer *v.a.* meet, meet with; come across; run into; se **~ avec** meet, be met with

rendement *s. m.* output

rendez-vous *s. m.* appointment, rendezvous

rendormir; se ~ go to sleep again

rendre *v.a.* give back, return; yield; render; convey; **~ un arrêt** issue a decree; **~ compte** render an account, realize; **~ visite** pay a visit

renfermer *v.a.* lock up again, contine; contain, include

renfler *v.a. & n.* swell

renforcer *v.a.* strengthen, reinforce

renfort *s. m.* reinforcement; help

renier *v.a.* deny

renom *s. m.* reputation

renommée *s. f.* renown

renoncer *v.n. & a.* renounce, give up

renouveler *v.a.* renew, renovate

renseignement *s. m.* information; indication; **bureau des ~s** inquiry office

renseigner *v.a.* give information to; **se ~** inquire, ask (*sur* about)

rente *s. f.* income; rent

rentrée *s. f.* return; reopening

rentrer *v.n.* reenter, go in; get back, return home

renversé *adj.* reversed, upset

renverser *v.a.* upset; overthrow; turn upside down; **se ~** be upset, tip over

renvoi *s. m.* return; (cross-) reference

renvoyer *v.a.* return; dismiss; refer

réorganiser *v.a.* reorganize

répandre *v.a.* pour; spread, scatter, diffuse

réparation *s. f.* repair, amends

réparer *v.a.* repair, mend; make up for

repartir* *v.a.* answer

repas *s. m.* meal

repasser *v.n.* pass again

répéter *v.a.* repeat; say again; rehearse

répétition *s. f.* repetition; rehearsal

réplique *s. f.* retort, reply, answer

répliquer *v.a. & n.* reply, answer

répondre *v.a.* & *n.* answer, reply; respond to

réponse *s. m.* answer; response; ~ **payée** reply paid

reporter *v.a.* carry back, take back

repos *s. m.* rest; **sans** ~ restless

reposer *v.a.* lay again; *v.n.* rest, lie

repoussant *adj.* repulsive

repousser *v.a.* push back; repulse; drive back

reprendre *v.a.* & *n.* take back, get back; take up, go on; ~ **sa parole** go back on one's word

représentant, -e *s. m. f.* representative

représentation *s. f.* show, production; performance; display; representation

représenter *v.a.* represent; show, display

reprise *s. f.* renewal

reproche *s. m.* reproach, blame

reprocher *v.a.* reproach (with); blame for

reproduction *s. f.* reproduction

reproduire* *v.a.* reproduce

républicain, -e *adj.* & *s. m. f.* republican

république *s. f.* republic

répulsion *s. f.* repulsion

réputation *s. f.* reputation

requête *s. f.* request, demand

réserve *s. f.* reserve; reservation; caution; **de** ~ spare; **mettre en** ~ lay by

réserver *v.a.* reserve, lay by; book (in advance)

réservoir *s. m.* tank (petrol, etc.)

résidence *s. f.* residence, dwelling

résident *s. m.* resident

résignation *s. f.* resignation; submission

résigner *v.a.* resign; **se** ~ **à** resign oneself, make up one's mind

résistance *s. f.* resistance

résister *v.n.* resist

résolu *adj.* resolute

résolution *s. f.* resolution

résonance *s. f.* resonance

résonner *v.n.* resound, ring

résoudre* *v.a.* resolve; solve; settle; **se** ~ resolve, make up one's mind (to)

respect *s. m.* respect

respectable *adj.* respectable, decent

respecter *v.a.* respect

respectif, -ive *adj.* respective

respectueux, -euse *adj.* respectful

respiration *s. f.* respiration, breath(ing)

respirer *v.n.* & *a.* breathe

responsabilité *s. f.* responsibility

responsable *adj.* responsible

ressaisir *v.a.* seize again

ressemblance *s. f.* resemblance, likeness

ressemblant *adj.* like, similar

ressembler *v.* to resemble

ressentiment *s. m.* resentment, grudge

ressentir *v.a.* feel; resent; **se** ~ be hurt; feel still

resserrer *v.a.* tighten; bind

ressort *s. m.* spring; energy

ressortir *v.n.* come out again; stand out

ressource *s. f.* resource

restaurant *s. m.* restaurant; ~ **à libre service** self-service restaurant

restaurateur, -trice *s. m. f.* restorer; restaurant-keeper

restauration *s. f.* restoration

restaurer *v.a.* restore

reste *s. m.* rest, remainder

rester *v.n.* remain, be left, keep; ~ **en arrière** lag behind

restituer *v.a.* restore

restreindre* *v.a.* restrict

restriction *s. f.* restriction

résultat *s. m.* result, issue; **avoir pour** ~ result in

résulter *v.n.* result (*de* from)

résumé *s. m.* summing up

résumer *v.a.* sum up

rétablir *v.a.* restore

retard *s. m.* delay; **être en** ~ be late; be overdue

retarder *v.a.* delay, retard

retenir *v.a.* keep back, hold back; hinder

retirer *v.a.* draw back, pull back; extract, get, derive; **se** ~ retire

retomber *v.n.* fall again, fall back; relapse

retour *s. m.* return; **en** ~ homeward bound; **être de** ~ be back

retourner *v.n.* turn back; return, go back; **se** ~ turn around

retracer *v.a.* retrace; relate, tell

retraite *s. f.* retreat; retirement; **mettre à la** ~ superannuate

retrancer *v.a.* retrench

rétrécir *v.a.* contract; make narrower; shrink

retrousser *v.a.* turn up

retrouver *v.a.* find again, recover

rétroviseur *s. m.* (rear-vision) mirror

réunion *s. f.* reunion

réunir *v.a.* reunite; join again

réussi *adj.* successful

réussir *v.n.* succeed

réussite *s. f.* success

revanche *s. f.* revenge; return match; **en** ~ in return

rêve *s. m.* dream

réveil *s. m.* waking

réveille-matin *s. m.* alarm clock

réveiller *v.a. & n.* **se** ~ wake (up)

révéler *v.a.* reveal; **se** ~ come to light

revenir *v.n.* return, come back; recur; cost

revenu *s. m.* income

rêver *v.n.* dream

révérence *s. f.* reverence; curtsy

révérend *adj.* reverend

rêverie *s. f.* reverie, fancy

revers *s. m.* back, reverse, wrong side

revêtir *v.a.* put on; clothe; cover

révision *s. f.* revision

revivre *v.n.* live again; **faire** ~ revive

revoir *v.a.* see again, look over; **au** ~ goodbye (for the present)

révolte *s. f.* revolte

révolter *v.a.* revolt; **se** ~ revolt, rebel

révolution *s. f.* revolution; turn

révolutionnaire *adj. & s. m. f.* revolutionary

revolver *s. m.* revolver

revue *s. f.* review; magazine

rez-de-chaussé *s. m.* ground floor

rhétorique *s. f.* rhetoric

rhum *s. m.* rum

rhumatisme *s. m.* rheumatism

rhume *s. m.* cold (in the head)

ricaner *v.n.* sneer, grin

riche *adj.* rich, well off

richesse *s. f.* wealth, riches *(pl.)*

ride *s. f.* wrinkle
rideau c. *m.* curtain
rider *v.a.* wrinkle
ridicule *adj.* ridiculous; *s. m.* ridicule
rien *pron.* nothing; not ... anything; trifle
rigoureux, -euse *adj.* rigorous, severe
rigueur *s. f.* rigour
rime *s. f.* rhyme
rincer *v.a.* rinse
rire* *v.n.* laugh; **pour ~** for fun; *s. m.* laugh(ing), laughter
risque *s. m.* risk
risquer *v.a.* risk, run the risk of
rivage *s. m.* beach, shore
rival, -e *adj. & s. m. f.* rival
rivalité *s. f.* rivalry
rive *s. f.* bank, shore, beach
rivière *s. f.* river, stream
riz *s. m.* rice
robe *s. f.* gown, dress, frock; robe; **~ de chambre** dressing-gown
robinet *s. m.* tap, cock
robuste *adj.* robust; strong, sturdy
roc *s. m.* rock
roche *s. f.* rock, boulder
rocher *s. m.* rock, crag
roder *v.a.* run in
rôder *v.n.* rove
rogner *v.a.* clip, pare
rognon *s. m.* kidney
roi *s. m.* king
rôle *s. m.* roll; part, rôle
romain, -e (R) *adj. & s. m. f.* Roman
roman *s. m.* novel; **~s** fiction
romançier, -ère *s. m. f.* novelist
romanesque *adj.* romantic
romantique *s. m.* romantic
romantisme *s. m.* romanticism
rompre *v.a. & n.* break
rond *adj.* round; *s. m.* round, circle
ronde *s. f.* round; patrol; **à la ~** round about, around
rondelle *s. f.* ring, collar, washer
ronfler *v.n.* snore; roar
ronger *v.a.* gnaw, eat
rose *s. f.* rose; *adj.* rosy, pink
roseau *s. m.* reed
rosée *s. f.* dew
rosier *s. m.* rose-tree, rose-bush
rossignol *s. m.* nightingale
rôti *s. m.* roast (meat)
rôtir *v.a.* roast; toast; **faire ~** roast, bake
roucouler *v.n.* coo
roue *s. f.* wheel; **~ de secours** spare wheel; **~ dentée** cog-wheel
rouge *adj.* red; *s. m.* red (colour); **bâton de ~** lipstick
rougeur *s. f.* redness, blush
rougir *v.n. & a.* turn red, make red; blush
rouille *s. f.* rust
rouiller *v.n. & a.* rust, get rusty
roulage *s. m.* rolling; carriage (of goods); haulage
rouleau *s. m.* roll; roller; scroll
roulement *s. m.* (roll)ing, rotation; **~ à billes** ball-bearings
rouler *v.a. & n.* roll; roll up, wind up; turn, revolve
roulotte *s. f.* **~ (de camping)** caravan
roumain, -e (R) *adj. & s. m. f.* Rumanian
route *s. f.* road; highway; course; way; **en ~** on the way; **en ~**

pour bound for; **code de la ~** highway code

routine *s. f.* routine

roux, rousse *adj.* red(dish)

royal *adj.* royal

royaliste, -e *adj. & s. m. f.* royalist

royaume *s. m.* kingdom

ruban *s. m.* ribbon; band

rubis *s. m.* ruby

ruche *s. f.* hive

rude *adj.* rough, rude

rue *s. f.* street; **~ barrée** no thoroughfare; **~ de traverse** crossword

ruèe *s. f.* rush

ruelle *s. f.* lane

ruer; se ~ rush, dash

rugissement *s. m.* roar

ruine *s. f.* ruin; wreck

ruiner *v.a.* ruin, destroy

ruisseau *s. m.* stream, brook; gutter

ruisseler *v.n.* stream, run, flow

rumeur *s. f.* noise; rumour

ruminer *v.a. & n.* ruminate, chew (the cud)

rupture *s. f.* rupture

ruse *s. f.* craft, cunning

rusé *adj.* cunning, sly

russe (R) *adj. & s. m. f.* Russian

russien, -enne (R) *adj. & s. m. f.* Russian

rustique *adj.* rustic, rural

rythme *s. m.* rhythm

rythmique *adj.* rhythmical

S

s' see **se**

sa *adj. poss.* his, her, its

sable *s. m.* sand

sablonneux, -euse *adj.* sandy

sabre *s. m.* sabre

sac *s. m.* bag, sack; **~ main** handbag; **~ de couchage** sleeping-bag

saccager *v.a.* plunder

sacré *adj.* sacred, holy

sacrement *s. m.* sacrament

sacrifice *s. m.* sacrifice

sacrifier *v.a.* sacrifice

sacristain *s. m.* sexton

sage *adj.* wise, well-behaved

sagesse *s. f.* wisdom

saignant *adj.* bleeding; underdone

saigner *v.a. & n.* bleed

saillant *adj.* projecting

saillir *v.n.* stand out, project

sain *adj.* sound; **~ et sauf** safe and sound

saint, -e *adj.* holy, sacred; *s. m. f.* saint

saisir *v.a.* seize

saison *s. f.* season

salade *s. f.* salad

salaire *s. m.* wages *(pl.)*, pay, salary

sale *adj.* dirty, filthy

saler *v.a.* salt

saleté *s. f.* dirt

salière *s. f.* salt-cellar

salir *v.a.* soil, dirty

salle *s. f.* hall; assembly room; house; **~ d'attente** waiting-room; **~ de classe** schoolroom; **~ (de cours)** auditorium; **~ familiale, ~ de séjour** living-room

salon *s. m.* drawing-room; saloon; **petit ~** sitting-room

saluer *v.a. & n.* bow to; greet

salut *s. m.* salvation; bow, greeting

samedi *s. m.* Saturday

sanatorium *s. m.* sanatorium

sanction *s. f.* sanction
sanctuaire *s. m.* sanctuary
sandale *s. f.* sandal
sang *s. m.* blood
sanglier *s. m.* wild boar
sanitaire *adj.* sanitary
sans *prep.* without
santé *s. f.* health
sapin *s. m.* fir(-tree)
sarcasme *s. m.* sarcasm
sarcastique *adj.* sarcastic
sardine *s. f.* sardine
satellite *s. m.* satellite
satire *s. f.* satire
satisfaction *s. f.* satisfaction
satisfaire *v.a. & n.* satisfy, please
satisfaisant *adj.* satisfactory
satisfait *adj.* satisfied
sauce *s. f.* sauce
saucisse *s. f.* sausage
sauf, sauve *adj.* safe; *prep.* except, save
saumon *s. m.* salmon
saut *s. m.* jump, leap
sauter *v.n.* leap, jump; spring; **faire ~** blow up
sauvage *adj.* savage, wild
sauver *v.a.* save, rescue; **se ~** run away
sauveur *s. m.* Saviour
savant, -e *adj.* learned, clever; expert; *s. m. f.* scholar
saveur *s. f.* savour, taste
savoir* *v.n.* know, be aware; be trained in; understand; be able to; *s. m.* knowledge, learning
savon *s. m.* soap
savourer *v.a.* taste, relish
savoureux, -euse *adj.* savoury, tasty
scandale *s. m.* scandal
scaphandre autonome *s. m.* skin diver
scaphandrier *s. m.* diver
scarabée *s. m.* beetle
sceau *s. m.* seal
sceller *v.a.* seal; fix
scénario *s. m.* scenario
scène *s. f.* scene; scenery; fig. stage; **mettre en ~** produce (a play)
sceptre *s. m.* sceptre
scie *s. f.* saw
science *s. f.* science, knowledge; **homme de ~** scientist
scientifique *adj.* scientific
scier *v.a.* saw
scolaire *adj.* school; **année ~** school year
scooter *s. m.* motorscooter
scrupule *s. m.* scruple
sculpter *v.a.* carve, sculpture
sculpteur *s. m.* sculptor
sculpture *s. f.* sculpture
se, s' *pron.* himself, herself, itself; each other
séance *s. f.* sitting, meeting
seau *s. m.* pail
sec, sèche *adj.* dry, dried up
sécher *v.a. & n.* dry (up)
sécheresse *s. f.* dryness
second *adj.* second
secondaire *adj.* secondary
seconde *s. f.* second
seconder *v.a.* back
secouer *v.a.* shake
secourir *v.a.* help
secours *s. m.* help, succour, aid; **au ~** help!
secousse *s. f.* shake, jolt, jerk

secret, -ète *adj. & s. m.* secret

secrétaire *s. m. f.* secretary; *s. m.* writing-desk

secrétariat *s. m.* secretariate

secteur *s. m.* sector, section; ~ **(de courant)** mains

section *s. f.* section

sécurité *s. f.* security

sédatif, -ive *adj. & s. m.* sedative

sédiment *s. m.* sediment

séduire *v.a.* seduce

seigle *s. m.* rye

seigneur *s. m.* lord, squire

seize *adj. & s. m.* sixteen; sixteenth

séjour *s. m.* stay, visit; (place of) residence

séjourner *v.n.* stay, sojourn

sel *s. m.* salt

selle *s. f.* saddle

selon *prep.* according to; after

semaine *s. f.* week

semblable *adj.* (a)like

semblant *s. m.* semblance; appearance

sembler *v.n.* appear, look, seem

semelle *s. f.* sole (foot-wear)

semer *v.a.* sow

semestre *s. m.* half year; semester

séminaire *s. m.* seminary

sénat *s. m.* senate

sénateur *s. m.* senator

sense *s. m.* sense; judgement, opinion; direction

sensation *s. f.* feeling; sensation

sensé *adj.* sensible, reasonable

sensibilité *s. f.* sensibility, feeling

sensible *adj.* sensible, perceptible; sensitive

sentence *s. f.* sentence

senteur *s. f.* scent, smell

sentier *s. m.* path

sentiment *s. m .* feeling, sense, sentiment

sentimental *adj.* sentimental

sentinelle *s. f.* sentry, sentinel

sentir* *v.a.* feel, perceive; experience; smell; **se** ~ feel

séparation *s. f.* separation

séparer *v.a.* separate, divide; **se** ~ part

sept *adj. & s. m.* seven; seventh

septembre *s. m.* September

septième *adj.* seventh

sérénade *s. f.* serenade

sérénité *s. f.* serenity

sergent *s. m.* sergeant

série *s. f.* series

sérieux, -euse *adj.* grave, serious

serin, -e *s. m. f.* canary

seringue *s. f.* syringe

serment *s. m.* oath

sermon *s. m.* sermon

serpent *s. m.* snake, serpent

serpenter *v.n.* wind, meander

serre *s. f.* claw; hothouse

serré *adj.* tight, close, serried

serrer *v.a.* press, crush, jam, tighten

serre-tête *s. m.* crash-helmet, headband

serrure *s. f.* lock

serrurier *s. m.* locksmith

servante *s. f.* servant

service *s. m.* service, duty; favour; set; **être de** ~ be on duty; **à votre** ~ at your disposal

serviette *s. f.* napkin; towel; briefcase

servir* *v.a. &* n. serve; be in the service of; ~ **à** be used for; **ne se** ~ **à** rien be of no use; Mme est servie dinner is ready; **se ~** use, make use of, help oneself

serviteur *s. m.* servant

servitude *s. f.* servitude

ses *adj. poss.* his, her, its; one's

session *s. f.* session

seuil *s. m.* threshold

seul *adj.* alone, single, sole, only

sévère *adj.* severe, hard

sévir *v.n.* punish; rage

sexe *s. m.* sex

sexuel, -elle *adj.* sexual

shampooing *s. m.* shampoo

si *conj.* if, whether; *adv.* so, so much, such

siècle *s. m.* century

siège *s. m.* seat

sien, -enne *poss. adj.* his, hers; its; one's

siffler *v.n.* whistle, hiss

sifflet *s. m.* whistle

signal *s. m.* signal; **~ d'alarme** communication-cord

signaler *v.a.* signal

signalisation *s. f.* signals *(pl.)*; **feux de ~** traffic-lights

signature *s. f.* signature

signe *s. m.* sign

signer *v.a. &* n. sign

significatif, -ive *adj.* significant

signification *s. f.* signification; meaning

signifier *v.a.* signify

silence *s. m.* silence

silencieux, -euse *adj.* silent

silhouette *s. f.* outline, silhouette

sillon *s. m.* furrow

simple *adj.* simple

simplicité *s. f.* simplicity

simplifier *v.a.* simplify

simultané *adj.* simultaneous

sincère *adj.* sincere

sincérité *s. f.* sincerity

singe *s. m.* monkey

singulier, -ère *adj.* singular, strange

sinon *conj.* (or) else, otherwise

sire *s. m.* sir, lord

sirène *s. f.* siren; hooter, fog-horn

site *s. m.* site, place

sitôt *adv.* as soon; **~ que** as soon as; **~ ... ~** no sooner ... than

situation *s. f.* situation; state; office, position

situer *v.a.* place, locate

six *adj. & s. m.* six; sixth

sixième *adj.* sixth

ski *s. m.* ski; faire **du ~** ski

skieur *s. m.* skier, ski-runner

smoking *s. m.* dinner-jacket

sobre *adj.* sober

social *adj.* social

socialisme *s. m.* socialism

socialiste *adj. & s. m. f.* socialist

société *s. f.* society; company; **~ anonyme** limited liability company

soeur *s. f.* sister

soi *pron.* oneself; himself, herself; itself

soi-disant *adj.* so-called

soie *s. f.* silk

soif *s. f.* thirst; **avoir ~** be thirsty

soigner *v.a.* take care of, look after

soigneux, -euse *adj.* careful

soin *s. m.* care; **prendre ~ de** take care of; **aux bons ~s de** c/o

soir *s. m.* evening

soirée *s. f.* evening (party)

soit *conj.* say; suppose; either ... or; ~ **que** whether
soixante *adj. & s. m.* sixty
soixante-dix *adj. & s. m.* seventy
sol *s. m.* soil; ground
soldat *s. m.* soldier
soleil *s. m.* sun; **il fait du ~** the sun is shining
solennel, -elle *adj.* solemn
solennité *s. f.* solemnity
solidarité *s. f.* solidarity
solide *adj.* solid
solidité *s. f.* solidity
solitaire *adj.* solitary
solitude *s. f.* solitude
solliciter *v.a.* solicit, entreat
sollicitude *s. f.* care
soluble *adj.* soluble
solution *s. f.* solution
sombre *adj.* dark; dim
sombrer *v.n.* founder, sink
sommaire *adj. & s. m.* summary
somme *s. f.* summ, amount
sommeil *s. m.* sleep; **avoir ~** be sleepy
sommeiller *v.n.* slumber
sommer *v.a.* summon
sommet *s. m.* top, summit
sommier *s. m.* spring mattress
somnifère *s. m.* sleeping-pill
somnolent *adj.* sleepy
son[1], sa *adj. poss.* (*pl.* **ses**) his, her, its; one's
son[2] *s. m.* sound
songe *s. m.* dream
songer *v.n.* dream
sonner *v.a. & n.* ring, sound; **on sonne (à la porte)** there is a ring at the door
sonnette *s. f.* bell
sonore *adj.* sonorous
sorcier *s. m.* sorcerer, wizard
sorcière *s. f.* witch, sorceress
sornette *s. f.* nonsense
sort *s. m.* fate, lot
sorte *s. f.* sort, kind
sortie *s. f.* going out; way out, exit; **~ secours** emergency exit
sortir* *v.n.* go out, walk out, leave; **ne pas ~** keep indoors; *v.a.* take out, bring out
sot, sotte *adj.* foolish, silly
sottise *s. f.* foolishness, nonsense
sou *s. m.* sou, copper, penny
souci *s. m.* care, concern
soucier; se ~ de care for
soucieux, -euse *adj.* full of care, anxious
soucoupe *s. f.* saucer
soudain *adj.* sudden; *adv.* suddenly
soude *s. f.* soda (chemical)
souffle *s. m.* breath
souffler *v.a. & n.* breathe; blow (out)
soufflet *s. m.* box (on the ear); bellows *(pl.)*
souffrance *s. f.* pain, suffering
souffrir* *v.a. & n.* suffer, bear
souhaiter *v.a.* desire
soulever *v.a.* lift, raise; **se ~** rise (in rebellion)
soulier *s. m.* shoe
souligner *v.a.* underline
soumettre *v.a.* submit, subdue; **se ~** submit
soumission *s. f.* submission
soupçon *s. m.* suspicion
soupçonner *v.a.* suspect
soupe *s. f.* soup
souper *s. m.* supper; *v.n.* have supper

soupir *s. m.* sigh
soupirer *v.n.* sigh; ~ **après** long for
souple *adj.* supple, flexible
source *s. f.* source, spring
sourcil *s. m.* eyebrow
sourd *adj.* deaf
sourd-muet, sourde-muette *adj. & s. m. f.* deaf and dumb (person)
sourire *v.n.* smile
souris *s. f.* mouse
sous *prep.* under; beneath; before
souscripteur *s. m.* subscriber
souscription *s. f.* subscription
souscrire *v.a. & n.* sign, subscribe (to)
sousdévcloppé *adj.* under-developed
sous-marin *s. m.* submarine
soussigné, -e *adj. & s. m. f.* undersigned
sous-sol *s. m.* basement
sous-titre *s. m.* subtitle, caption
soustraction *s. f.* subtraction
soustraire *v.a.* take away; subtract
soutenir *v.a.* support, sustain, maintain
souterrain *adj.* underground; *s. m.* subway
soutien *s. m.* support
soutien-gorge *s. m.* bra
souvenir* *s. m.* remembrance; souvenir; memory; v. reflex. **se** ~ remember
souvent *adv.* often
souverain, -e *s. m. f.* sovereign
spatial *adj.* **vaisseau ~, véhicule ~** space-craft, space-vehicle
speaker *s. m.* announcer
spécial *adj.* special
spécialement *adv.* specially, particularly
spécialiser *v.a.* specialize
spécialiste *s. m. f.* specialist
spécialité *s. f.* special(i)ty
spécifier *v.a.* specify
spécifique *adj.* specific
spectacle *s. m.* spectacle, sight
spectateur, -trice *s. m. f.* spectator, spectatress, onlooker; bystander
spéculation *s. f.* speculation
spéculer *v.n.* speculate
sphère *s. f.* sphere
spirale *adj.* spiral
spirituel, -elle *adj.* spiritual; witty
splendeur *s. f.* splendour
splendide *adj.* splendid
spontané *adj.* spontaneous
sport *s. m.* sport
sportlf, -ive *adj.* sporting; sportsmanlike
squelette *s. m.* skeleton
stade *s. m.* stadium; *fig.* stage
stalle *s. f.* stall; box
station *s. f.* standing; stay; station, stop; ~ **interdit** no parking
stationner *v.n.* stop; park
station-service *s. f.* service-station
statistique *s. f.* statistics; *adj.* statistical
statue *s. f.* statue
statut *s. m.* statute
sténographie *s. f.* shorthand
stérile *adj.* sterile
stimuler *v.a.* stimulate
stipuler *v.a.* stipulate
store *s. m.* (Venetian) blind
strabisme *s. m.* squint(ing)
stratégie *s. f.* strategy
structure *s. f.* structure

studieux, -euse *adj.* studious
stupéfier *v.a.* stupefy
stupide *adj.* stupid, dull
stupidité *s. f.* stupidity
style *s. m.* style
stylo *s. m.* ~ **à bille** ball(-point) pen
stylo(graphe) *s. m.* fountain-pen
suave *adj.* soft, gentle
subjonctif *s. m.* subjunctive
subjuguer *v.a.* subjugate, overcome
submerger *v.a.* submerge, flood
subordonné *adj.* subordinate
subordonner *v.a.* subordinate
subséquent *adj.* subsequent
subsistance *s. f.* subsistence
subsister *v.n.* subsist
substance *s. f.* substance
substantiel, -elle *adj.* substantial
substantif *s. m.* substantive
substituer *v.a.* substitute
substitution *s. f.* substitution
subtil *adj.* subtle
subvention *s. f.* subvention, subsidy
succéder *v.n.* succeed (*à* to), follow; **se** ~ follow one another
succès *s. m.* success; result
successif, -ive *adj.* successive
succession *s. f.* succession
sucer *v.a.* suck (in)
sucre *s. m.* sugar
sucré *adj.* sweet(ened)
sud *adj.* & *s. m.* south; **du** ~ southern; **au** ~ southward
sud-est *adj.* & *s. m.* south-west
suédois, -e (S) *adj.* Swedish; *s. m. f.* Swede; Swedish (language)
suer *v.n.* & *a.* sweat
sueur *s. f.* sweat
suffire* *v.n.* be sufficient, be enough
suffisamment *adv.* sufficiently, enough
suffisant *adj.* sufficient, enough; conceited
suffoquer *v.a.* & *n.* suffocate, choke
suggérer *v.a.* suggest, propose
suggestion *s. f.* suggestion, hint
suicide *s. m.* suicide
suisse (S) *adj.* & *s. m.* (*f.* **Suissesse**) Swiss
suite *s. f.* retinue; suite, sequence, result; **à la** ~ after; **tout de** ~ at once, directly; **par** ~ consequently; **par** ~ **de** due to
suivant *adj.* following, next; *prep.* according to
suivre* *v.a.* & *n.* follow; **comme suit** as follows; **ce qui suit** the following
sujet, -ette *s. m. f.* subject; *s. m.* subject
superficie *s. f.* superficial
superflu *adj.* superfluous
supérieur *adj.* superior, upper
supériorité *s. f.* superiority
supermarché *s. m.* supermarket
supersonique *adj.* supersonic
superstitieux, -euse *adj.* superstitious
supersitition *s. f.* superstition
suppléer *v.a.* supply; substitute, do duty for; *v.n.* make up for
supplément *s. m.* supplement; extra charge; excess
supplémentaire *adj.* supplementary, extra
suppliant, -e *adj.* suppliant; *s. m. f.* supplicant
supplier *v.a.* beseech

support *s. m.* prop; support
supporter *v.a.* bear, support
supposer *v.a.* suppose
supposition *s. f.* supposition, conjecture
suppression *s. f.* suppression
supprimer *v.a.* suppress, abolish, do away with
suprême *adj.* supreme
sur *prep.* on; over; concerning
sûr *adj.* certain, sure; secure, safe; **pour ~ !** to be sure!
surcharger *v.a. & n.* overload; weigh down
sûrement *adv.* surely, certainly
sûreté *s. f.* safety; security
surface *s. f.* surface
surgir *v.n.* arise, spring up, emerge
surmonter *v.a.* surmount, overcome
surnaturel, -elle *adj.* supernatural
surpasser *v.a.* surpass, outdo
surpeuplé *adj.* overcrowded
surplus *s. m.* surplus, excess
surprendre *v.a.* surprise
surprise *s. f.* surprise
surseoir* *v.n. & a.* postpone, delay, put off
surtaxe *s. f.* surtax
surtout *s. m.* overcoat
surveillance *s. f.* supervision
surveiller *v.a.* supervise
survenir *v.a.* arrive unexpectedly; happen, occur
survivant, -e *s. m. f.* survivor
survivre *v.n.* survive, outlive
susceptible *adj.* susceptible
suspect *adj.* suspicious, suspect
suspendre *v.a.* hang up; suspend
suspension *s. f.* suspension
svelte *adj.* slender, slim
syllabe *s. f.* syllable
symbole *s. m.* symbole
symétrie *s. f.* symmetry
symétrique *adj.* symmetrical
sympathie *s. f.* sympathy
symphonie *s. f.* symphony
symptome *s. m.* symptom
synagogue *s. f.* synagogue
syndical *adj.* trade
syndicat *s. m.* syndicate; trade-union; **~ d'initiative** tourist information office
synthétique *adj.* synthetic(al)
systématique *adj.* systematic
système *s. m.* system

T

tabac *s. m.* tobacco; **bureau de ~** tobacconist's (shop)
table *s. f.* table; board; food; **~ des matières** table of contents
tableau *s. m.* picture; scene; board, panel
tablette *s. f.* tablet
tablier *s.*m . apron; dashboard
tabouret *s. m.* stool
tache *s. f.* spot, stain; **sans ~** spotless
tâche *s. f.* task, job
tacher *v.a.* spot, stain
tâcher *v.n.* try
tact *s. m.* touch
tactique *s. f.* tactics
taille *s. f.* cut; height, stature, size; waist
tailler *v.a.* hew, trim; cut
tailleur *s.*m . tailor
taire* *v.a.* be silent about, conceal; **se ~** be quiet
talent *s. m.* talent, attainment(s)

talon *s. m.* heel; counterfoil
talus *s. m.* slope, bank
tambour *s. m.* drum
tamis *s. m.* sieve
tamiser *v.a.* sift, sieve
tampon *s. m.* plug; tampon
tamponner *v.a.* plug
tandis que *conj.* whereas, while
tangible *adj.* tangible
tant *adv.* so much, so many, such, so
tante *s. f.* aunt
tantôt *adv.* shortly, by and by; ~ ... ~ now ... now
tapage *s. m.* noise, fuss
taper *v.a. & n.* tap, strike, knock; type
tapis *s. m.* carpet, rug
tapisser *v.a.* upholster
tapisserie *s. f.* tapestry
tapissier *s. m.* upholsterer
tard *adv.* late
tarder *v.n.* delay, put off; be long
tardif, -ive *adj.* late
tarif *s. m.* tariff, rate; price list; fare
tarte *s. f.* tart
tas *s. m.* heap, pile; mass; crowd
tasse *s. f.* cup
tâter *v.a. & n.* feel, taste, handle
tâtonner *v.n.* grope
taureau *s. m.* bull
taux *s. m.* price, rate (of exchange); tax
taverne *s. f.* tavern
tax *s. f.* tax
taxer *v.a.* tax, rate
taxi *s. m.* taxi; **station de ~** taxi-rank
tchèque (T) *adj. & s. m. f.* Czech
te *pron.* you; to you
technicien, -enne *s. m. f.* technician
technique *adj.* technical; *s. f.* technique, technics
technologie *s. f.* technology
teindre* *v.a.* dye, stain
teint *s. m.* complexion; dye
teinte *s. f.* tint, shade
teinter *v.a.* tint
teinture *s.*f . dye; tincture
teinturerie *s. f.* dyeworks, dyer
tel, telle *adj.* such, like, similar
télécommunication *s. f.* telecommunication
téléférique *s. m.* ropeway
télégramme *s. m.* telegram, wire
télégraphe *s. m.* telegraph
télégraphie *s. f.* telegraphy
télégraphier *v.a.* & n. wire
télégraphique *adj.* telegraphic
télémètre *s. m.* range-finder
téléphone *s. m.* telephone
téléscope *s. m.* telescope
téléspectateur, -trice *s. m. f.* (tele)viewer
téléviser *v.a.* televise, telecast
téléviseur *s. m.* television set
télévison *s. f.* television
télex *s. m.* telex
tellement *adv.* so (much)
témoigner *v.a. & n.* testify; give evidence
témoin *s. m.* witness; testimony
tempe *s. f.* temple (forehead)
tempérament *s. m.* temper(ament), constitution
température *s. f.* temperature
tempête *s. f.* storm
temple *s. m.* temple, church; chapel; lodge

temporel, -elle *adj.* temporal, transient

temps[1] *s. m.* time; opportunity; **à ~** in time; **pendant ce ~ là** in the meantime; **en ~ voulu** in due time; **combien de ~ ?** how long? **la plupard du ~** mostly; **de ~ en ~** at times

temps[2] *s. m.* weather; **prévisions du ~** weather forecast

tenaille *s. f.* pincers, pliers, tongs *(pl.)*

tendance *s. f.* tendency, trend

tendon *s. m.* tendon, sinew

tendre[1] *adj.* tender, soft

tendre[2] *v.a.* stretch; strain; bend; hang

tendress *s. f.* tenderness

tendu *adj.* tense, taut

ténébreux, -euse *adj.* dark, gloomy, dismal

tenir* *v.a. & n.* hold; get hold of; hold on; take; contain; keep; **se ~** stay, remain

tennis *s. m.* tennis

tension *s. f.* tension

tentation *s. f.* temptation

tentative *s. f.* attempt

tente *s. f.* tent

tenter *v.a.* attempt; try; tempt

ténu *adj.* thin, slender

tenue *s. f.* holding; session; behaviour

terme *s. m.* term; expression; goal, aim

terminer *v.a.* terminate, end, close; **se ~** (come to an) end

terminus *s. m.* terminus

terne *adj.* dull, dim

terrain *s. m.* soil, earth; site; ground; **~ de jeux** sports-ground

terrasse *s. f.* terrace

terre *s. f.* earth, land

terreur *s. f.* fear

terrible *adj.* terrible*

terrifier *v.a.* terrify, frighten

territoire *s. m.* territory

testament *s. m.* will, testament

tête *s. f.* head

têtu *adj.* stubborn

texte *s. m.* text; type

textile *s. m.* textile

textuel, -elle *adj.* textual

texture *s. f.* texture

thé *s. m.* tea

théâtral *adj.* theatrical

théâtre *s. m.* theatre, stage; drama; **pièce de ~** play

théière *s. f.* teapot

thème *s. m.* theme, topic; prose

théologie *s. f.* theology

théologique *adj.* theological

théorie *s. f.* theory

théorique *adj.* theoretic, theoretical

thermal *adj.* thermal

thermomètre *s. m.* thermometer

thermos *s. f.* thermos

thèse *s. f.* thesis

thon *s. m.* tunny

tien, -enne *poss. adj.* yours

tiers, tierce *adj.* third; *s. m.* third party

tige *s. f.* stem, stalk

tigre *s. m.* tiger

tigresse *s. f.* tigress

timbre *s. m.* bell; sound; (postage) stamp

timbre-poste *s. m.* postage-stamp

timide *adj.* timid, shy

timidité *s. f.* timidity

tir *s. m.* shooting

tirage *s. f.* draught, pull(ing); impression; issue

tire-bouchon *s. m.* corkscrew

tirer *v.a. & n.* draw, pull, drag; extract; derive; fire, shoot; print

tiroir *s. m.* drawer

tison *s. m.* brand

tisonnier *s. m.* poker

tisser *v.a.* weave

tisserand *s. m.* weaver

tissu *s. m.* texture, fabric; tissue

titre *s. m.* title; heading; right

titrer *v.a.* give a title to

toast *s. m.* toast

toi *pron.* you

toile *s. f.* linen; cloth

toilette *s. f.* dress, clothes *(pl.)*; dressing-table; **faire sa ~** dress; **cabinet de ~** dressing-room

toison *s. f.* fleece

toit *s. m.* roof

tolérance *s. f.* tolerance, toleration

tolérer *v.a.* tolerate, bear

tomate *s. f.* tomato

tombe *s. f.* tomb, grave

tombeau *s. m.* tomb

tombée *s. f.* fall

tomber *v.n.* fall, fall down; tumble; decay; **~ sur** meet, run into; **faire ~** push down; **laisser ~** drop

tome *s. m.* volume

ton[1], ta poss. *adj.* (*pl.* **tes**) your

ton[2] *s. m.* tone; colour; manner

tondeuse *s. f.* lawnmower

tondre *v.a.* shear, clip, mow

tonnage *s. m.* tonnage

tonne *s. f.* barrel, tun; ton

tonneau *s. m.* barrel

tonner *v.n.* thunder

tonnerre *s. m.* thunder(bolt)

toqué *adj.* crazy •

torche *s. f.* torch

torcher *v.a.* wipe, rub

torchon *s. m.* duster; dishcloth

tordre *v.a.* twist, wring (out)

torpille *s. f.* torpedo

torrent *s. m.* torrent

tort *s. m.* wrong, harm, injury; **avoir ~** be wrong

tortue *s. f.* tortoise

torture *s. f.* torture

torturer *v.a.* torture

tôt *adv.* soon, quickly; early

total *adj.* total, whole

totalement *adv.* totally, entirely

touchant *prep.* about

touche *s. f.* touch; key; hit

toucher *v.n. & a.* touch; feel; strike, hit; concern; *s. m.* touch; feeling

touffe *s. f.* tuft

toujours *adv.* always, ever; still

toupet *s. m.* tuft, lock

tour[1] *s. f.* tower

tour[2] *s. m.* turn; tour, trip; feat, trick; (turning-)lathe; revolution; **son ~** in turn; **faire le ~ de** go round

tourelle *s. f.* turret

tourisme *s. m.* tourism; touring; **faire du ~ à pied** hike

touriste *s. m. f.* tourist, hiker

tourment *s. m.* torment, torture

tourmenter *v.a.* torment; **se ~** worry

tournant *adj.* turning; *s. m.* turn(ing)

tourné *adj.* turned; sour

tournée *s. f.* tour, walk; circuit

tourner *v.a.* turn, twist, wind; turn round; *v.n.* turn, revolve; turn out; turn sour

tournevis *s. m.* screwdriver

tournoi *s. m.* tournament

tournure *s. f.* shape, figure; turn; cast; appearance

tous see **tout**

tousser *v.n.* cough

tout, -e *adj.* (*pl.* **tous, toutes**) all, every, any, whole, full; ~ **le monde** everybody; ~ **son possible** one's utmost; **à ~e force** at any cost; *adv.* wholly, entirely; ~ **coup** suddenly; ~ **fait** thoroughly; ~ **de suite** directly; ~ **à l'heure** just now; ~ **au moins** at least; *pron.* & *s. m.* everything, all; **pas du** ~ not at all

toutefois *adv.* yet, nevertheless, however

tout-puissant *adj.* almighty

toux *s. f.* cough

tracas *s. m.* bustle, stir; worry

tracasser *v.n.* & *a.* worry, bother; fuss; **se** ~ worry

trace *s. f.* trace, track; footprint

tracer *v.a.* trace, draw; lay out

tracteur *s. m.* tractor

traction *s. f.* traction, pull

tradition *s. f.* tradition

traditionnel, -elle *adj.* traditional

traducteur, -trice *s. m. f.* translator

traduction *s. f.* translation

traduire* *v.a.* translate

trafic *s. m.* traffic; trade, commerce

trafiquer *v.n.* traffic; trade, deal

tragédie *s. f.* tragedy

tragédien, -enne *s. m. f.* tragedien

tragique *adj.* tragic

trahir *v.a.* betray; deceive, mislead

trahison *s. f.* treason, treachery

train *s. m.* pace, rate; train; ~ **couloir** corridor-train; ~ **de marchandises** goods train

traîne *s. f.* train (of a dress)

traineau *s. m.* sledge

traîner *v.a.* drag, draw; lead (to); delay; *v.n.* drag; lie about; lag behind

train-poste *s. m.* mail-train

traire* *v.a.* milk

trait *s. m.* arrow; dart; flash; line; trait, feature

traite *s. f.* journey; stretch; export; draft, bill

traité *s. m.* treaty

traitement *s. m.* treatment; usage; reception; salary

traiter *v.a.* treat, use, deal with, call; entertain

traître *s. m.* traitor; *adj.* treacherous

trajet *s. m.* passage, journey, course, crossing

tram *s. m.* tram(-car)

trammer *v.a.* weave; plot; devise

tramway *s.*m . tram

tranchant *adj.* sharp, keen

tranche *s. f.* slice, chop, steak

trancher *v.a.* & *n.* cut; cut off; carve; break off

tranquille *adj.* quiet, calm; **soyez ~ !** don't worry!

tranquilliser *v.a.* soothe, calm; **se** ~ keep calm

transaction *s. f.* compromise, transaction

transalpin *adj.* transalpine

transatlantique *adj.* transatlantic; *s. f.* deck-chair

transfert *s. m.* transfer

transformation *s. f.* transformation, change

transformer *v.a.* transform, convert

transfusion *s. f.* transfusion

transistor *s. m.* transistor

transit *s. m.* transit

transition *s. f.* transition

transmettre *v.a.* transmit; forward; pass on

transmission *s. f.* transmission

transparent *adj.* transparent

transpiration *s. f.* perspiration

transpirer *v.n.* perspire

transport *s. m.* transport, conveyance; **enterprise de ~** forwarding agency

transporter *v.a.* transport, convey; transfer; enrapture

trappe *s. f.* trap; trap-door

travail *s. m.* (*pl.* **-aux**) work, job, employment; task; piece of work; workmanship; **petits travaux** odd jobs; **sans ~** unemployed

travailler *v.n. & a.* work, labour; take pains

traveilleur, -euse *s. m. f.* worker, workman, workwoman

travers *s. m.* breadth; **à ~** across, through, **au ~ de** through; **en ~** across

traverse *s. f.* traverse; obstacle; crossing

traversée *s. f.* crossing, passage

traverser *v.a.* traverse, cross, go through; run through

trayeuse *s. f.* milking-machine

trébucher *v.n.* stumble; turn the scale

tréfle *s. m.* clover; club (cards)

treille *s. f.* vine arbour

treize *adj. & s. m.* thirteen, thirteenth

tremblant *adj.* trembling, shaky

tremblement *s. m.* trembling, shaking; **~ de terre** earthquake

trembler *v.n.* tremble, shake

tremper *v.a.* soak, wet; dip; **il est tout trempé** he is wet through

tremplin *s. m.* springboard

trentaine *s. m.* thirty

trente *adj. & s. m.* thirty; thirtieth

très *adv.* very, most, very much; **~ bien** very well; all right

trésor *s. m.* treasure

trésorie *s. f.* treasury

trésorier *s. m.* treasurer

tresse *s. f.* plait, tress, braid

trêve *s. f.* truce, rest; **faire ~** stop, cease

triangle *s. m.* triangle

tribu *s. f.* tribe

tribunal *s. m.* tribunal, law-court

tribune *s. f.* tribune, platform; grandstand

tributaire *adj.* tributary

tricher *v.n. & a.* cheat; trick (someone out of)

trico *s.m.* (knitted) jersey

tricoter *v.a. & n.* knit

triomphant *adj.* triumphant

triomphe *s. m.* triumph

triompher *v.n.* triumph

triple *adj.* triple

tripot *s. m.* gambling-den

triste *adj.* sad

tristesse *s. f.* sadness

trivial *adj.* trivial

trois *adj. & s. m.* three; third

troisième *adj. & s. m.* third

trolley *s. m.* trolley(-pole)

trolleybus *s. m.* trolley-bus

trompe *s. f.* trumpet, horn

tromper *v.a.* deceive, cheat, take in; **se ~** mistake, be mistaken; be wrong; **se ~ de train** take the wrong train

trompette *s. f.* trumpet; trumpeter

tronc *s. m.* trunk; stock; collecting box

trône *s. m.* throne

trop *adv.* too; too much

trophée *s. m.* trophy

tropical *adj.* tropical

tropique *s. m.* tropic

trot *s. m.* trot

trotter *v.n.* trot

trottoir *s. m.* pavement; footway

trou *s. m.* hole; gap; opening

trouble *s. m.* disorder; confusion; misunderstanding; dispute; *adj.* troubled; muddy

troubler *v.a.* stir up, disturb; make muddy; muddle; confuse, perplex; upset; trouble

troué *s. f.* opening, gap

trouer *v.a.* make a hole in; pierce; bore

troupe *s. f.* troop, band

troupeau *s. m.* herd, drove; flock

trouvaille *s. f.* find(ing)

trouver *v.a.* find, discover; find out; think; contrive; **se ~** be, be found to be, prove; turn out, happen; **je me trouvaise là** I happened to be there

truite *s. f.* trout

trust *s. m.* trust

T.S.F. *s. f.* (= **télégraphie sans fil**) wireless (set)

tu, toi *pron.* you

tube *s. m.* tube; pipe; **~ de télévision** TV tube

tuberculose *s. f.* tuberculosis

tuer *v.a.* kill; slay

tuile *s. f.* tile

tumeur *s. f.* tumour

tunnel *s. m.* tunnel

turbine *s. f.* turbine

turbopropulseur *s. m.* turbo-prop aircraft

turboréacteur *s. m.* turbo-jet engine

turc, turque (**T**) *adj.* Turkish (language), Turk

tuteur, -trice *s. m. f.* guardian, trustee

tutoyer *v.a.* to 'thee-and-thou' someone

tuyau *s. m.* pipe, tube; flue; **~ d'echappement** exhaust pipe

tympan *s. m.* eardrum

type *s. m.* type

typique *adj.* typical

typographie *s. f.* typography; printing

tyran *s. m.* tyrant

tyrannie *s. f.* tyranny

tyranniser *v.a.* tyrannize (over); oppress

U

ulcère *s. m.* ulcer

ultérieur *adj.* ulterior; further

ultime *adj.* ultimate, last, final

ultra-violet, -ette *adj.* ultraviolet

un, une *art. & pron.* a, an; any, some; one; **l'~ ou l'autre** either one or the other; **ni l'~ ni l'autre** neither one; **l'~ et autre** both; **~e fois** once; **~ à ~** one by one

unanime *adj.* unanimous

uni *adj.* smooth, even, level; united

unification *s. f.* unification

unifier *v.a.* unify; unite

uniforme *adj.* uniform

union *s.f.* union; agreement; match, marriage

unique *adj.* unique, sole, only

uniquement *adv.* solely, only

unir *v.a.* unite; level, smooth; **s'~** join

unité *s. f.* unity; unit

univers *s. m.* universe

universel, -elle *adj.* universal; world-wide

universitaire *adj.* academic, university

urbain *adj.* urban

urgence *s. f.* urgency; **d'~** urgent; **en case d'~** in case of emergency

urgent *adj.* urgent, pressing

uriner *v.n. & a.* urinate

urne *s. f.* urn

usage *s. m.* use, custom; habit, way; wear; **d'~** usual, habitual; **en ~** in use

usé *adj.* worn-out, shabby

user *v.n. & a.* use, make use of; wear out; use up; *s. m.* wear, service, use; **être d'un bon ~** wear well

usine *s. f.* factory, works

ustensile *s. m.* utensil; implement, tool

usuel, -elle *adj.* usual, customary

usure[1] *s. f.* usury

usure[2] *s. f.* wear (and tear)

usurper *v.a.* usurp

utile *adj.* useful, of use, profitable; **être ~ (à)** be of use

utilisation *s. f.* utilization

utiliser *v.a.* utilize

utilité *s. f.* utility, use

V

va *int.* agreed!, indeed

vacance *s. f.* cavancy; *(pl.)* holiday(s), vacation; **être en ~s** be on holiday

vacant *adj.* vacant

vacarme *s. m.* noise, uproar

vaccin *s. m.* vaccine

vacciner *v.a.* vaccinate

vache *s. f.* cow

vaciller *v.n.* vacillate; reel; waver

vacuum *s. m.* vacuum

vagabond *s. m.* trampe

vague[1] *adj.* vague

vague[2] *s. f.* wave

vaillant *adj.* valiant

vain *adj.* vain; empty; **en ~** in vain

vaincre* *v.a. & n.* conquer, defeat

vainqueur *s. m.* conqueror, victor; *adj.* conquering, victorious

vaisseau *s. m.* vessel; ship

vaisselle *s. f.* plates and dishes, table-service; **laver la ~** wash up the dishes; **lavage de ~** washing-up

valet *s. m.* valet; knave, jack

valeur *s. f.* value, worth; price; courage; **~s** securities

valide *adj.* valid; able-bodied

validité *s. f.* validity

valise *s. f.* valise, (travelling-)bag; suitcase; **~ diplomatique** dispatch-box, diplomatic bag

vallée *s. f.* valley

valoir* *v.n. & a.* be worth, be as good as; deserve; procure; yield

valse *s. f.* waltz

vanille *s. f.* vanilla

vanité *s. f.* vanity

vaniteux, -euse *adj.* vain, conceited

vanter *v.a.* extol, cry up; **se** ~ boast
vapeur[1] *s. f.* steam; vapour
vapeur[2] *s. m.* steamer
vaporeux, -euse *adj.* vaporous
vaquer *v.n.* be vacant
variable *adj.* variable, changeable
variante *s. f.* variant
variation *s. f.* variation
varier *v.n. & a.* vary; ~ **de ... à** range from ... to
variété *s. f.* variety
vase *s.m.* vase; vessel
vaseline *s. f.* vaseline
vassal *s. m.* vassal
vaste *adj.* vast; spacious
vautour *s. m.* vulture
veau *s. m.* veal; calf
vedette *s. f.* mounted sentinel; motorboat; (film) star
végétal *s. m.* vegetable; plant
végétation *s. f.* vegetation
végéter *v.n.* vegetate
véhémence *s. f.* vehemence
véhément *adj.* vehement
véhicule *s. m.* vehicle
véhiculer *v.a.* transport
veille *s. f.* waking; vigil; eve
veiller *v.n.* sit up, keep watch; *v.a.* watch
veine *s. f.* vein; luck
vélo *s. m.* bike
vélocité *s. f.* velocity
velours *s. m.* velvet
velouté *adj.* velvety, soft
velu *adj.* hairy
venaison *s. f.* venison
vendange *s. f.* vintage, grape-harvest
vendeur, -euse *s. m. f.* salesman, shop assistant; saleswoman
vendre *v.a.* sell; **à** ~ for sale
vendredi *s. m.* Friday; **le** ~ **saint** Good Friday
vénéneux, -euse *adj.* poisonous
vénérable *adj.* venerable
vengeance *s. f.* vengeance, revenge
venger *v.a.* avenge, revenge; **se** ~ avenge oneself
venin *s. m.* poison
venir* *v.n.* come, arrive; grow; occur; arise; ~ **de** come from; ~ **à bout de** manage
vent *s.m.* wind; **grand** ~ gale; ~ **alizé** tradewind
vente *s. f.* sale; auction; **en** ~ for sale
venteux, -euse *adj.* windy
ventilateur *s. m.* ventilator
ventilation *s. f.* ventilation
ventre *s. m.* belly
venue *s. f.* coming, arrival
ver *s. m.* worm
verbal *adj.* verbal, oral
verbe *s. m.* verb
verdeur *s. f.* greenness; harshness
verdict *s. m.* verdict
verdure *s. f.* verdure; greenness
verger *s. m.* orchard
vergue *s. f.* yard
vérification *s. f.* verification; check(ing)
vérifier *v.a.* verify; check; confirm
vérité *s. f.* truth
vermicelle *s. m.* vermicelli
vernir *v.a.* varnish; polish
vernis *s. m.* varnish; polish
verre *s. m.* glass
verrou *s. m.* bolt
verrouiller *v.a.* bolt
vers[1] *s. m.* line; verse

vers[2] *prep.* towards, to; about
verser *v.a.* pour (out); spill, upset; *v.n.* overturn
version *s. f.* translation; version
vert *adj.* green; hearty; sharp
vertical *adj.* vertical, upright
vertige *s. m.* dizziness
vertus *s. f.* virtue
vessie *s. f.* bladder
veste *s. f.* coat, jacket
vestiaire *s. m.* cloakroom
vestibule *s. m.* lobby; hall; **grand ~** lounge
veston *s. m.* coat; **complet ~** lounge-suit
vêtement *s. m.* clothes *(pl.)*; **~s de dessous** underwear, underclothes
vétéran *s. m.* veteran
vétérinaire *s. m.* veterinary surgeon, vet
vêtir* *v.a.* clothe, dress
véto *s. m.* veto
veuf *s. m.* widower
veuve *s. f.* widow
vexer *v.a.* vex, annoy
via *prep.* via
viaduc *s. m.* viaduct
viande *s. m.* meat; **~ réfrigérée** chilled meat
vibration *s. f.* vibration
vibrer *v.n.* vibrate
vicaire *s. m.* curate
vice *s.m.* vice, evil
vice- *prefix* vice-
vicieux, -euse *adj.* vicious; faulty
vicomte *s. m.* viscount
victime *s. f.* victim
victoire *s. f.* victory
victorieux, -euse *adj.* victorious
victuailles *s. f. pl.* victuals
vide *adj.* empty; void; vacant; *s. m.* space
vider *v.a.* empty; drain
vie *s. f.* life
vieillard *s. m.* old man
vieillesse *s. f.* old age
vieillir *v.n.* grow old
vierge *s. f.* virgin, maid
vieux, vieil, vieille *adj.* old
vif, vive *adj.* live; quick; lively; full of life; bright, vivid; fiery, ardent
vigilant *adj.* watchful
vigne *s. f.* vine; vineyard
vignoble *s. m.* vineyard
vigoureux, -euse *adj.* vigorous
vigueur *s. f.* vigour; force
vilain *s. m.* villain, cad
village *s. m.* village
ville *s. f.* town, city; **hôtel de ~** town hall
vin *s. m.* wine
vinaigre *s. m.* vinegar
vingt *adj. & s. m.* twenty; twentieth
vingtième *adj.* twentieth
violation *s. f.* violation
violence *s. f.* violence
violent *adj.* violent; excessive
violer *v.a.* violate, ravish
violette *s. f.* violet
violon *s. m.* violin
violoncelle *s. m.* (violon-)cello
violoniste *s. m. f.* violonist
vipère *s. f.* viper
virgule *s. f.* comma; **point et ~** semicolon
virtuose *s. m. f.* virtuoso
vis *s. f.* screw
visa *s. m.* visa, visé

visage *s. m* .face
vis-à-vis *prep.* opposite; facing
viser *v.a.* aim (at); aspire to
viseur *s. m.* view-finder
visibilité *s. f.* visibility
visible *adj.* visible
vision *s. f.* sight
visite *s. f.* visit; **faire ~ à** pay a visit to, call on
visiter *v.a.* visit; **~ les curiosités** go sightseeing
visiteur, -euse *s. m. f.* visitor
visser *v.a.* screw (down, in)
visuel, -elle *adj.* visual
vital *adj.* vital
vitalité *s. f.* vitality
vitamine *s. f.* vitamin
vite *adj.* fast; swift; *adv.* fast, rapidly
vitesse *s. f.* speed; rate (of speed); gear; **à toute ~** at top speed; **boîte de ~** gear-box; **~ de croisière** cruising speed
vitrail *s. m.* church window
vitre *s. f.* pane
vitrier *s. m.* glazier
vivant *adj.* alive, living; full of life; **de mon ~** in my lifetime
vivement *adv.* quickly, fast
vivre* *v.n.* live, be alive
vocabulaire *s. m.* vocabulary
vocation *s. f.* vocation, calling
voeu *s. m.* (*pl.* **-x**) wish, desire; vow
vogue *s. f.* vogue, fashion; **avoir la ~** be in vogue
voici *prep.* here (is); **le ~ !** here he is!
voie *s. f.* way, road; route; line, track; means, channel
voilà *prep.* there (is)
voile[1] *s. m.* veil
voile[2] *s. f.* sail
voiler *v.a.* veil, cover, hide
voilier *s. m.* sailing-ship
voir* *v.a.* see; look at; view; **faire ~** show; **ne pas ~** miss
voire *adv.* even
voisin *adj.* neighbouring, adjoining, next (door)
voisinage *s. m.* neighbourhood
voiture *s. f.* vehicle, conveyance; carriage; car; coach; van; wagon; **aller en ~** drive
voiture-ambulance *s. f.* ambulance(-car)
voix *s. f.* coice; sound; **à haute ~** aloud
vol[1] *s. m.* flying, flight
vol[2] *s. m.* theft, robbery
volaille *s. f.* poultry, fowl
volant *s. m.* steering-wheel
volcan *s. m.* volcano
volée *s. f.* flight
voler[1] *v.n.* fly; run at top speed
voler[2] *v.a. & n.* steal, rob
volet *s. m.* shutter
voleur *s. m.* thief, robber
volontaire *adj.* voluntary; *s. m. f.* volunteer
volonté *s. f.* will; **à ~** at will
volontiers *adv.* willingly
volt *s. m.* volt
voltiger *v.n.* flutter about, fly about
volume *s. m.* volume; bulk
voluptueux, -euse *adj.* voluptuous
vomir *v.a. & n.* vomit, be sick
vos *adj. poss.* your
vote *s. m.* vote; voting
voter *v.n. &* a. vote
votre *adj.* yours
voueur *v.a.* vow; dedicate

vouloir* *v.a.* want, require, demand; ~ **bien** be willing; **je voudrais +** ***inf.*** I should like to; **comme vous voulez** as you please

vous *pron.* you; to you

vous-même *pron.* yourself

voûte *s. f.* vault, arch

voyage *s. m.* journey; voyage; **bon ~ !** a pleasant journey (to you)!; **en ~** set off on a journey; **faire un ~** make a journey

voyager *v.n.* travel, make a trip

voyageur, -euse *s. m. f.* traveller, passenger

voyelle *s. f.* vowel

voyou *s. m.* hooligan

vrai *adj.* real, true, right; **être ~** hold (good); *s. m.* truth; **être dans le ~** be right

vraiment *adv.* truly, really; indeed

vraisemblable *adj.* likely, credible, probable

vu *prep.* considering

vue *s. f.* sight; vision; view; **à ~** at sight; **en ~ de** with a view to; **point de ~** point of view; **avoir la ~ courte** be short-sighted; **être en ~** be in the limelight

vulgaire *adj.* vulgar; common; coarse

W

wagon *s. m.* coach, carriage, car

wagon-lit *s. m.* sleeping-car

wagonnet *s. m.* tub; truck

wagon-poste *s. m.* mail-van

wagon-restaurant *s. m.* dining-car

water-closet *s. m.* W.C.

water-polo *s. m.* water-polo

wattman *s. m.* tram-driver

week-end *s. m.* weekend

whisky *s. m.* whisky

X

xérès *s. m.* sherry

xylographie *s. f.* xylography

xylophages *s. m. pl.* xylophages

Y

y *adv.* here, there; **il ~ a** there is, there exists; **s'~ connaître** well informed

yacht *s. m.* yacht

yeux see **oeil**

yogourt, yoghourt *s. m.* yoghourt

yougoslave *adj.* Yugoslav

youyou *s. m.* dinghy

Z

zèbre *s. m.* zebra

zébrer *v.a.* stripe

zèle *s. m.* zeal

zélé *adj.* zealous

zénith *s. m.* zenith

zéro *s. m.* zero

zézayer *v.n.* lisp

zigzag *s. m.* zigzag

zinc *s. m.* zinc

zone *s. f.* zone, belt

zoo *s.m.* zoo

zoologie *s. f.* zoology

zoologique *adj.* zoological

zut *int.* **~ !** damn it!1

Table of Contents

English–French

Abbreviations

adj.	adjective
adv.	adverb
art.	article
con.	conjunction
dem.	démonstrative
f.	feminine
fig.	figurative
impers.	impersonal
inf.	infinitive
int.	interjection
m.	masculine
pers.	person
pl.	plural
poss.	possessive
pp.	past participle
prep.	preposition
pron.	pronoun
qch.	quelque chose
qn.	quelqu'un
re.	relative
s.	substantive
sing.	singular
s.o.	someone
sth.	something
v.a.	active verb
v.a. & n.	active and neuter verb
v.aux.	auxiliary verb
v.n.	neuter verb
*	irregular verb

Pronunciation

Listed below is a guide to the main sounds in the French language. Each sound is described using a typical French word and an English word which has an equivalent sound.

	French word example	Pronounced like
A	*a* in the French word *mal*	*a* de *fat*
	â in the French word *mâle*	*a* in *far*
E	*e* in the French word *je*	*u* de *tub*
	é in the French word *fée*	*a* de *fate*
	ê in the French word *fête*	*e* in *there (prolonged)*
	è in the French word *fève*	*ei* in *their*
I	*i* in the French word *il*	*i* de *pin*
	î in the French word *île*	*e* in *me*
O	*o*in the French word *mol*	*o* in *not*
	ô in the French word *hôtelier*	*o* in *no*
	o in the French word *mort*	*o* in *nor*
U	*u* in the French word *sur*	*no equivalent*
OU	*ou* in the French word *jour*	*oo* in *moor*
EU	*eu* in the French word *jeu*	*u* in *tub*
	eu in the French word *peur*	*u* in *burn*
AN	*an* in the French word *gant*	*en* in *encore*
IN	*in* in the French word *pin*	*an* in *sang*
ON	*on* in the French word *bon*	*on* in *song*
UN	*un* in the French word *brun*	*un* in *sung*

	French word example	Pronounced like
Ç	*ç* in the French word *garçon*	*s* in *sit*
GN	*gn* in the French word *mignon*	*gn* in *gnat*
QU	*qu* in the French word *qui*	*k* in *kit*
TT	*tt* in the French word *quitte*	*t* in *kit*

French Grammar

Sentence Components

The Article

A word usually placed before a common noun to indicate either gender, number of association (e.g., possession). There are two types of articles: the definite and the indefinite article. The definite articles are: *le* (m.); *la* (f.); *les* (pl.). *Le* and *la* are shortened to *l'* before a vowel or mute *h*.

The indefinite articles are: *un* (m.); *une* (f.); *des* (pl.).

The Noun

A naming word that describes a person, place or thing. In French, nouns can either be feminine or masculine, singular or plural. The plural is generally formed with an *s*. Nouns in *x*, *s*, or *z* do not change in the plural. Nouns in *au* or *eu* form their plurals with *x*. Nouns in *al* form their plurals with *aux*.

There are two genders in French. Nearly all nouns ending in *e* are feminine, except those in *isme, age* and *iste*. Nearly all nouns ending in a constant or in a vowel (not *e*) are masculine, except nouns in *tion* and *té*. Nouns in *er* form their f. in *ère*. Nouns in *en* or *on* form their f. in *enne/onne*. Nouns in *eur* form their f. in *euse*, except those in *ateur* which become *atrice* in f.

The Adjective

Adjectives are descriptive words that can modify nouns and pronouns and/or can be modified by an adverb. An adjective can occur either before or after the noun and takes on the same gender and number as the noun it qualifies. The plural is generally formed in *s*. Adjectives in *s* or *x* do not change. Those in *al* usually form their plurals with *aux*.

The feminine is generally formed by adding *e* to the masculine form. Adjectives in *f* change to *ve*. Those in *x* change the *x* to *se*. Adjectives in *er* form their f. in *ère*. Those in *el, eil, en, et, on* double the final consonant before adding *e*.

The comparative *more than* is translated to *plus que* and *less than* to *moins que*. The superlative *the most* is translated to *le plus, la plus, les plus*.

The Pronoun

A pronoun is a word that can substitute for a noun or noun phrase. It takes on the gender and the number of the noun it is replacing. Several types of pronouns exist. Personal pronouns: *je, tu, il, elle, nous, vous, ils, elles*. Accusative: *me, te, le, la, nous, vous, les*. Dative: *me, te, lui, nous, vous, leur*. Reflexive pronouns: *me, te, se, nous, vous, se*.

After preposition: *moi, toi, lui, elle, nous, vous, eux, elles.*

Possessive pronouns: *le mien (la mienne, les miens), le tien, le sien, le nôtre (la nôtre, les nôtres), le vôtre, le leur (la leur, les leurs).*

Relative pronouns: *who, whom, whose, which, to whom* translate to *qui, que, dont, qui/que, à qui*. Interrogative pronouns: *who, whom, what* translated to *qui, qui, que*.

The Adverb

Adverbs are variants of adjectives but instead of modifying adjectives, adverbs modify verbs, adjectives or other adverbs.

Most French adverbs are formed by adding *ment* to the feminine form of the corresponding adjective. Those adjectives in *ant* and *ent* form their adverbs in *amment* and *emment*, respectively.

The Verb

A verb is usually a "doing" word but can also describe a state of being. Verbs can change their form in response to: 1) subjects *je, tu, il/elle, nous, vous, ils/elles*; 2) time (past, present, future); 3) state of the subject whether the subject is active or passive; 4) voice; 5) mood.

The following is the conjugation of the two auxilliaries (*avoir, être*), of the regular verbs ending in *er, -ir, -re*, and of some commonly used irregular verbs.

Auxiliary and Regular Verbs

avoir *pres. ind.* j'ai, tu as, il a, nous avons, vous avez, ils ont; *impf.* j'avais, tu avais, il avait, nous avions, vous aviez, ils avaient; *fut.* j'aurais, tu auras, il aura, nous aurons, vous aurez, ils auront; *cond.* j'aurais, tu aurais, il aurait, nous aurions, vous auriez, ils auraient; *pres. subj.* que j'aie, que tu aies, qu'il ait, que nous ayons, que vous ayez; *imp.* aie, ayons, ayez; *pres. part.* ayant; *past part.* eu.

être *pres. ind.* je suis, tu es, il est, nous sommes, vous êtes, ils sont; *impf.* j'étais, tu étais, il étais, nous étions, vous étiez, ils étaient; *fut.* je serai, tu seras, il sera, nous serons, vous serez, ils seront; *cond.* je serais, tu serais, il serait, nous serions, vous seriez, ils seraient; *pres. subj.* que je sois, que tu sois, qu'il soit, que nous soyons, que vous soyez, qu'ils soients; *imp.* sois, soyons, soyez; *pres. part.* étant; *past part.* été.

donner *pres. ind.* je donne, tu donnes, il donne, nous donnons, vous donnez, ils donnent; *impf.* je donnais, tu donnais, il donnait, nous donnions, vous donniez, ils donnaient; *fut.* je donnerai, tu donneras, il donnera, nous donnerons, vous donnerez, ils donneront; *cond.* je donnerais, tu donnerais, il donnerait, nous donnerions, vous donneriez, ils donneraient; *pres. subj.* que je donne, que tu donnes, qu'il donne, que nous donnions, que vous donniez, qu'ils donnent; *imp.* donne, donnons, donnez; *pres. part.* donnant; *past part.* donné.

finir *pres. ind.* je finis, tu finis, il finit, nous finissons, vous finissez, ils finissent; *impf.* je finissais, tu finissais, il finissait, nous finission, vous finissiez, ils finissaient; *fut.* je finirai, tu finiras, il finira, nous finirons, vous finirez, ils finiront; *cond.* je finirais, tu finirais, il finirait, nous finirions, vous finiriez, ils finiraient; *pres. subj.* que je finisse, que tu finisses, qu'il finisse, que nous finissions, que vous finissiez, qu'ils finissent; *imp.* finis, finissons, finissez; *pres. part.* finissant; *past part.* fini.

rendre *pres. ind.* je rends, tu rends, il rend, nous rendons, vous rendez, ils rendent; *impf.* je rendais, tu rendais, il rendait, nous rendions, vous rendiez, ils rendaient; *fut.* je rendrai, tu rendras, il rendra, nous rendrions, vous rendriez, ils rendraient; *pres. subj.* que je rende, que tu rendes, qu'il rende, que nous rendions, que vous rendiez, qu'ils rendent; *imp.* rends, rendons, rendez; *pres. part.* rendant; *past part.* rendu.

Irregular Verbs

In the following list of the most frequently used French irregular verbs, the numbers indicate the principal tenses and forms in a fixed order: 1–present indicative; 2–imperfect; 3–future; 4–present subjunctive; 5imperative; 6-present participle; 7past participle.

aller 1. je vais, tu vas, il va, nous allons, vous allez, ils vont; 2. j'allais; 3. j'irai; 4. que j'aille, que nous allions, que vous alliez; 5. va, allons, allez; 6. allant; 7. allé.

boire 1. je bois, tu bois, il boit, nous buvons, vous buvez, ils boient; 2. je buvais; 3. je boirai; 4. que je boive; 5. bois, buvons, buvez; 6. buvant; 7. bu.

courir 1. je cours, tu cours, il court, nous courons, vous courez, ils courent; 2. je courais; 3. je courrai; 4. que je coure; 5. cours, courons, courez; 5. courant; 7. couru.

dire 1. je dis, tu dis, il dit, nous disons, vous disez, ils disent; 2. je disais; 3. je dirai; 4. que je dise; 5. dis, disons, disez; 6. disant; 7. dit.

dormir 1. je dors, tu dors, il dort, nous dormons, vous dormez, ils dorment; 2. je dormais; 3. je dormirai; 4. que je dorme; 5. dors, dormons, dormez; 6. dormant; 7. dormi.

écrire 1. j'écris, tu écris, il écrit, nous écrivons, vos écrivez, ils écrivent; 2. j'écrivais; 3. j'écrirai; 4. que j'écrive; 5. écris, écrivons, écrivez; 6. écrivant; 7. écrit.

faire 1. je fais, tu fais, il fait, nous faisons, vous faites, ils font; 2. je faisais; 3. je ferai; 4. que je fasse; 5. fais, faisons, faites; 6. faisant; 7. fait.

lire 1. je lis, tu lis, il lit, nous lisons, vous lisez, ils lisent; 2. je lisais; 3. je lirai; 4. que je lise; 5. lis, lisons, lisez; 6. lisant; 7. lu.

mourir 1. je meurs, tu meurs, il meurt, nous mourons, vous mourez, il meurent; 2. je mourais; 3. je mourrai; 4. que je meure; 5. meurs, mourons, mourez; 6. mourant; 7. mort.

ouvrir 1. j'ouvre, tu ouvres, il ouvre, nous ouvrons, vous ouvrez, ils ouvrent; 2. j'ouvrais; 3. j'ouvrirai; 4. que j'ouvre; 5. ouvre, ouvrons, ouvrez; 6. ouvrant; 7. ouvert.

partir 1. je pars, tu pars, il part, nous partons, vous partez, ils partent; 2. je partais; 3. je partirai; 4. que je parle; 5. pars, partons, partez; 6. partant; 7. parti.

pouvoir 1. je peux, tu peux, il peut, nous pouvons, vous pouvez, ils peuvent; 2. je pouvais; 3. je pourrai; 4. que je puisse; 6. pouvant; 7. pu.

prendre 1. je prends, tu prends, il prend, nous prenons, vous prenez, ils prenent; 2. je prenais; 3. je prendrai; 4. que je prenne; 5. prends, prenons, prenez; 6. prenant; 7. pris.

rire 1. je ris, tu ris, il rit, nous rions, vous riez, ils rient; 2. je riais; 3. je riai; 4. que je rie; 5. ris, rions, riez; 6. riant; 7. ri.

savoir 1. je sais, tu sais, il sait, nous savons, vous savez, ils savent; 2. je savais; 3. je saurai; 4. que je sache; 5. sais, sachons, sachez; 6. sachant; 7. sus.

sortir 1. je sors, tu sors, il sort, nous sortons, vous sortez, ils sortent; 2. je sortais; 3. je sortirai; 4. que je sorte; 5. sors, sortons, sortez; 6. sortant; 7. sorti.

Countries

Africa	l'Afrique (f.)
Argentina	l'Argentine (f.)
Australia	l'Australie (f.)
Austria	l'Autriche (f.)
Belgium	la Belgique
Bosnia	la Bosnie
Brazil	le Brésil
Canada	le Canada
Chile	le Chili
China	la Chine
Denmark	le Danemark
Egypt	l'Égypte (f.)
England	l'Angleterre (f.)
Ethiopia	l'Éthiope (f.)
France	la France
Germany	l'Allemagne (f.)
Great Britain	la Grande-Bretagne
Greece	la Grèce
Holland	la Hollande
Hungary	la Hongrie
India	l'Inde (f.)
Ireland	l'Irlande (f.)
Iran	l'Iran (m.)
Iraq	l'Iraq (m.)
Israel	l'Israël (m.)
Italy	l'Italie (f.)
Jamaica	la Jamaïque
Japan	le Japon
Lebanon	le Liban
Libya	la Libye
Mexico	le Mexique
Morocco	le Maroc
New Zealand	la Nouvelle-Zélande
Norway	la Norvège

Poland	la Pologne
Russia	la Russie
Scotland	L'Écosse (f.)
Spain	l'Espagne (f.)
Sweden	la Suède
Switzerland	la Suisse
Turkey	la Turquie
United States	les États-Unis (m.)
Yugoslavia	la Yougoslavie

Canada: Provinces

British Columbia	la Colombie Britannique
Alberta	l'Alberta
Saskatchewan	le Saskatchewan
Manitoba	le Manitoba
Ontario	l'Ontario
Quebec	le Québec
New Brunswick	le Nouveau Brunswick
Newfoundland	la Terre Neuve
Nova Scotia	la Nouvelle Écosse
Prince Edward Island	l'Île du Prince Édouard
Yukon	le Yukon
Northwest Territories	les Territoires du Nord-Ouest

Phrases

English	Français
Good morning.	Bonjour.
Goodbye.	Au revoir.
I beg your pardon.	Je vous demande pardon.
How are you?	Comment-allez vous?
Very well, and you?	Très bien, et vous?
It is fine/bad weather.	If fait beau/mauvais temps.
You're pulling my leg.	Vous moquez de moi.
So much the better.	Tant mieux.
I cannot speak French.	Je ne parle pas français.
I cannot speak English.	Je ne parle pas anglais.
What time is it?	Quelle heure est-il?
This evening, tonight, last night.	Ce soir, hier soir.
The bill, please.	L'addition, s'il vous plaît.
Do you sell ...?	Est-ce que vous vendez ...?
I have a train to catch.	J'ai un train à prendre.
I do not feel well.	Je ne me sens pas bien.
Where can I buy ...?	Où puis-je acheter ...?
Have you a map?	Avez-vous une carte?
We are lost.	Nous sommes perdus.
Here is my address.	Voici mon adresse.
Here is my phone number.	Voici mon numéro de téléphone.
That's all right.	Je vous en prie.
Don't mention it.	Il n'ya pas de quoi.
Can I help you?	Puis-je vous aider?
I am sorry.	Je suis désolé.
Thank you.	Merci.
It is too much.	C'est trop cher.
You are right.	Vous avez raison.

You are wrong.	Vous avez tort.
You are joking.	Vous plaisantez.
Please speak slowly.	Parlez lentement, s'il vous plaît.
Listen.	Écoutez.
Agreed. O.K.	Entendu. D'accord.
Do not touch.	Ne pas toucher.
The day before yesterday.	Avant-hier.
The day after tomorrow.	Après-demain.
Call me a taxi.	Appelez-mois un taxi.
Where is the office?	Où est le bureau?
Weather permitting.	Si le temps le permet.
How much do I owe?	Combien est-ce que je vous dois?
Please don't mention it.	Je vous en prie.
A little more ...	Encore un peu de ...
Can you lend me ...?	Pouvez-vous me prêter ...?
I am coming with you.	Je vous suis.

English–French

A

a, an *art.* un, -e
abandon *v.a.* abandonner
abate *v.a. & n.* diminuer; se calmer, s'apaiser
abbey *s.* abbaye *f.*
abbot *s.* abbé *m.*
abbreviate *v.a.* abréger
abbreviation *s.* abréviation *f.*
abdicate *v.a. & n.* abdiquer
abdomen *s.* abdomen *m.*
abhor *v.a.* détester, abhorrer
ability *s.* capacité *f.*, habilité *f.*
able *adj.* capable
aboard *adv.* à bord
abode *s.* demeure *f.*
abolish *v.a.* abolir; supprimer
abominable *adj.* abominable
abound *v.n.* abonder (de)
about *adv. & prep.* autour (de); environ, presque; au sujet de
above *adv. & prep.* ad-dessus (de); (in book) ci-dessus
abroad *adv.* à l'étranger
absence *s.* absence *f.*, éloignement *m.*
absent *adj.* absent
absolute *adj.* absolu
absolve *v.a.* absoudre; relever de; remettre, pardonner
absorb *v.a.* absorber
abstain *v.n.* s'abstenir de
abstract *adj.* abstrait
abstraction *s.* abstraction *f.*
absurd *adj.* absurde; ridicule
abundance *s.* abondance *f.*
abundant *adj.* abondant
abusive *adj.* abusif; injurieux; offensant
academic *adj.* académique
academy *s.* académie *f.*
accelerate *v.a.* accélérer; *v.n.* s'accélérer
accent *s.* accent *m.*
accept *v.a.* accepter
access *s.* accès *m.*
accessible *adj.* accessible
accessory *s. & adj.* accessoire (*m.*)
accident *s.* accident *m.*
accidental *s.* accidentel
accommodate *v.a.* accommoder; loger; ~ **oneself to** s'accommoder à

accommodation *s.* ajustement *m.*, adaptation *f.*; commodité *f.*; logement *m.*

accompany *v.a.* accompagner

accomplish *v.a.* accomplir, achever

accomplishment *s.* accomplissement *m.*; talent *m.*

accord *s.* accord *m.*, consentement *m.*

according; ~ to selon, d'après

accordingly *adv.* donc; en conséquence

account *s.* compte *m.*; (narration) récit *m.*; **on ~ of** à cause de; **on no ~** dans aucun cas; **take into ~** tenir compte de; *v.n.* **~ for** expliquer; rendre compte de

accuracy *s.* exactitude *f.*

accusation *s.* accusation *f.*

accuse *v.a.* accuser; incriminer

accustom *v.a.* accoutumer (à)

ache *s.* douleur *f.*

achieve *v.a.* accomplir, achever; atteindre

acknowledge *v.a.* reconnaître; accuser réception de

acquaint *v.a.* informer (de); faire part à

acquaintance *s.* connaissance *f.*

acquire *v.a.* acquérir

acre *s.* arpent *m.*

across *prep.* à travers; en croix

act *s.* action; *f.*; (law) loi *f.*; (theatre) acte *m.*; *v.n.* agir; *v.a.* jouer

action *s.* action *f.*; acte *m.*; (war) combat *m.*

active *adj.* actif

activity *s.* activité *f.*

actor *s.* acteur *m.*

actress *s.* actrice *f.*

actual *adj.* réel

actually *adv.* en fait

adapt *v.a.* adapter

add *v.a.* ajouter; additionner

addition *s.* addition *f.*; **in ~ to** en plus de

additional *adj.* additionnel; supplémentaire

address *s.* adress *f.*; *v.a.* adresser

adequate *adj.* suffisant

adjust *v.a.* ajuster, régler

administer *v.a. & n.* administrer

administration *s.* administration *f.*

admirable *adj.* admirable

admiral *s.* amiral *m.*

admiration *s.* admiration *f.*

admire *v.a.* admirer

admission *s.* admission *f.*; entrée *f.*

admit *v.a.* admettre; laisser entrer

adopt *v.a.* adopter

adoption *s.* adoption *f.*

adore *v.a.* adorer

adult *adj. & s.* adulte (*m. f.*)

advance *v.n.* avancer; *s.* avance *f.*; progrès *m.*

advantage *s.* avantage *m.*

adventure *s.* aventure *f.*

adversary *s.* adversaire *m.*

adverse *adj.* adverse

adversity *s.* adversité *f.*

advertise *v.a.* annoncer; faire de la réclame (pour)

advertisement *s.* annonce *f.*; réclame *f.*

advice conseil *m.*; avis *m.*

advise *v.a.* conseiller

aerial *s.* antenne *f.*

aerodrome *s.* aérodrome *m.*

aeroplane *s.* avion *m.*

affair *s.* affaire *f.*

affect *v.a.* affecter

affection *s.* affection *f.*
affectionate *adj.* affectueux
affirmative *adj.* affirmatif; *s.* affirmative *f.*
afford *v.a.* donner, fournir, accorder; **can** ~ avoir les moyens de
afraid *adj.* effrayé; **be ~ of** avoir peur de
African *adj.* africain; *s.* Africain, -e
after *prep. & adj.* après
afternoon *s.* après-midi *m.* or *f.*
afterwards *adv.* après, ensuite
again *adv.* encore une fois, de nouveau
against *prep.* contre
age *s.* âge *m.*
agency *s.* agence *f.*
agent *s.* agent *m.*
aggression *s.* agression *f.*
ago *adv.* il y a
agony *s.* agonie *f.*
agree *v.n.* s'accorder, être d'accord; **~ (up-)** on convenir sur; **~ to** consentir à; **~ with** entrer dans les idées de
agreeable *adj.* agréable
agreement *s.* accord *m.*
agrigultural *adj.* agricole
agriculture *s.* agriculture *f.*
ahead *adv.* en avant
aid *s.* aide *f.*; *v.a.* aider, assister
aim *s.* but *m.*; objectif *m.*; visée *f.*; *v.a. &* n. viser
air *s.* air *m.*
air-conditioning *s.* conditionnement d'air *m.*; climatisation *f.*
aircraft *s.* avion *m.*
airline *s.* ligne *f.* aérienne
airmail *s.* poste aérienne; **by ~** par avion
airport *s.* aéroport *m.*
alarm *v.a.* alarmer; *s.* alarme *f.*
alcoholic *adj.* alcoolique
ale *s.* bière (*f.*) anglaise
alike *adj.* semblable; *adv.* également
alive *adj.* vivant
all *pron. s. adv. & adj.* tout; **not at** ~ pas du tout
allege *v.a.* alléguer
alley *s.* ruelle *f.*
allow *v.a.* permettre; laisser; admettre
allude *v.n.* faire allusion
ally *v.a.* allier; *v.n.* s'allier; *s.* allié, -e
almost *adv.* presque; à peu près
alone *adj. & adv.* seul
along *prep.* le long de
aloud *adv.* à haute vois
already *adv.* déjà
also *adv.* aussi
altar *s.* autel *m.*
alter *v.a. & n.* changer
alternate *adj.* alternatif; *v.n.* alterner
although *conj.* quoique; bien que
altitude *s.* altitude *f.*, élévation *f.*
altogether *adv.* tout à fait; entièrement
always *adv.* toujours
amaze *v.a.* frapper d'étonnement, frapper de stupeur
amazing *adj.* étonnant
ambassador *s.* ambassadeur *m.*
ambassadress *s.* ambassadrice *f.*
ambition *s.* ambition *f.*
ambitious *adj.* ambitieux
ambulance *s.* ambulance (automobile) *f.*

amend *v.a.* amender

amends; make ~ for dédommager de

American *adj.* américain; *s.* Américain, -e

among *prep.* parmi; chez

amount *s.* somme *f.*; (total) montant *m.*; *v.n.* **~ to** monter à

ample *adj.* ample

amplifier *s.* amplificateur *m.*

amuse *v.a.* amuser; divertir

amusement *s.* amusement *m.*; divertissement *m.*

an see **a**

analogy *s.* analogie *f.*

analyse *v.a.* analyser

analysis *s.* analyse *f.*

anarchy *s.* anarchie *f.*

anatomy *s.* anatomie *f.*

ancestor *s.* ancêtre *m. f.*

anchor *s.* ancre *f.*

ancient *adj.* ancien; antique

and *conj.* et

anecdote *s.* anecdote *f.*

angel *s.* ange *m.*

anger *s.* colère *f.*

angle *s.* angle *m.*

angler *s.* pêcheur *m.*

Anglican *adj.* anglican

angry *adj.* fâché, irrité

animal *s.* animal *m.* (*pl.* -aux)

ankle *s.* cheville *f.*

anniversary *s.* anniversaire *m.*

announce *v.a.* annoncer

announcement *s.* annonce

announcer *s.* speaker *m.*

annoy *v.a.* ennuyer; contrairer; gêner

annoying *adj.* contrariant; ennuyeux

annual *adj.* annuel

annul *v.a.* annuler

another *pron. & adj.* un autre, une autre

answer *s.* réponse *f.*; *v.a. & n.* répondre

ant *s.* fourmi *f.*

antelope *s.* antilope *f.*

antibiotic *s.* antibiotique *m.*

anticipate *v.a.* anticiper

antipathy *s.* antipathie *f.*

antiquated *adj.* vieilli

antiquity *s.* antiquité *f.*

anvil *s.* enclume *f.*

anxiety *s.* anxiété *f.*

anxious *adj.* inquiet; désireux; **be ~ to** désirer faire qch.

any *adj. & pron.* quelque; (at all) n'importe quoi/qui/quel; (some, in question) du, de la; **have you ~?** en avez vous; **not ~** ne ... pas de; **~ more** encore du

anybody *pron.* quelqu'un; (at all) n'importe qui

anyhow *adv.* n'importe comment

anyone see **anybody**

anything *pron.* quelque chose; (at all) n'importe quoi

anyway see **anyhow**

anywhere *adv.* n'importe où

apart *adv.* à part; de côté; **~ from** en dehors de

apartment *s.* logement *m.*; appartement *m.*

apologize *v.n.* faire des excuses, s'excuser

apology *s.* excuse *f.*

apostle *s.* apôtre *m.*

appalling *adj.* épouvantable

apparatus *s.* appareil *m.*

apparent *adj.* manifeste

appeal *s.* appel *m.*; *v.n.* en appeler (à)
appear *v.n.* (ap)paraître; (seem) sembler
appearance *s.* apparition *f.*; (look) air *m.*
appendicitis *s.* appendicite *f.*
appendix *s.* appendice *m.*
appetite *s.* appétit *m.*
applaud *v.n.* applaudir
applause *s.* applaudissement *m.*
apple *s.* pomme *f.*
appliance *s.* appareil *m.*
applicant *s.* postulant, -e
application *s.* demande *f.*; (use) application *f.*
apply *v.a.* appliquer; *v.n.* avoir rapport à; ~ **for** solliciter
appoint *v.n.* nommer; désigner
appointment *s.* nomination *f.*; emploi *m.*; rendez-vous *m.*
appreciate *v.a.* apprécier
appreciation *s.* appréciation *f.*
apprehend *v.a.* appréhender; (understand) comprendre
apprentice *s.* apprenti *m.*
approach *s.* approche *f.*; *v.a. & n.* (s')approcher (de)
appropriate *adj.* approprié, convenable
approval *s.* approbation *f.*
approve *v.a. & n.* aprouver
approximate *adj.* approximatif
apricot *s.* abricot *m.*
April *s.* avril *m.*
apron *s.* tablier *m.*
aptitude *s.* aptitude *f.*
Arab *s.* Arabe *m.*
Arabian *adj.* arabe
arbitrary *adj.* arbitraire
arcade *s.* arcade *f.*
arch *s.* arche *f.*; arc *m.*
archaeology *s.* archéologie *f.*
archbishop *s.* archevêque *m.*
architect *s.* architecte *m.*
architecture *s.* architecture *f.*
area *s.* surface *f.*; aire *f.*
Argentine *adj.* argentine
argue *v.n.* argumenter; *v.a.* discuter
argument *s.* argument *m.*; discussion *f.*
arise *v.n.* se lever; (emerge) surgir; (come from) résulter de
aristocratic *adj.* aristocratique
arm[1] *s.* bras *m.*
arm[2] *s.(pl.)* arme(s) *f.*
armament *s.* armement *m.*
armchair *s.* fauteuil *m.*
armour *s.* armure *f.*
army *s.* armée *f.*
around *adv. & prep.* autour (de)
arouse *v.a.* réveiller
arrange *v.a.* arranger
arrangement *s.* arrangement *m.*; ~**s** mesures *f. pl.*
array *s.* ordre *m.*
arrears *s. pl.* arriéré *m.*
arrest *v.a.* arrêter; *s.* arrestation *f.*
arrival *s.* arrivée *f.*
arrive *v.n.* arriver
arrow *s.* flèche *f.*
art *s.* art *m.*
artery *s.* artère *f.*
article *s.* article *m.*
artificial *adj.* artificiel
artillery *s.* artillerie *f.*
artist *s.* artiste *m.*
artistic *adj.* artistique
as *adv. &* conj. comme; (like a) en; (when) comme; ~ ... ~ aussi ... que

ascend *v.n.* monter

ash(es) *s.* (*pl.*) cendre *f.*

ashamed *adj.* honteux; **be ~ of** avoir honte de

ashore *adv.* à terre

ashtray *s.* cendrier *m.*

Asiatic *adj.* asiatique

aside *adv.* de côté

ask *v.a.* demander (à + qn., de + *inf.*); ~ about se renseigner sur; ~ **for** demander

asleep *adj.* endormi; **fall ~** s'endormir

aspect *s.* aspect *m.*; (look) air *m.*

aspire *v.n.* aspirer à

ass *s.* âne *m.*

assail *v.a.* assaillir

assault *s.* assaut *m.*

assemble *v.a.* assembler; *v.n.* s'assembler

assembly *s.* assemblée *f.*; ~ **hall** halle *f.* de montage; ~ **line** chaîne *f.* de montage

assert *v.a.* affirmer

assess *v.a.* cotiser

assets *s. pl.* actif *m.*

assign *v.a.* assigner; céder

assignment *s.* cession *f.*

assist *v.a.* aider

assistance *s.* aide *f.*

associate *v.a.* associer; *s.* associé, -e *m. f.*

association *s.* association *f.*

assume *v.a.* prendre; assumer; supposer

assumption *s.* supposition *f.*

assurance *s.* assurance *f.*

assure *v.a.* assurer

astonish *v.a.* étonner

astonishment *s.* étonnement *m.*

astronomy *s.* astronomie *f.*

at *prep.* (place, time) à; (house, shop) chez

athletic *adj.* athlétique

athletics *s.* athlétisme *m.*

at-home *s.* réception *f.*

atlas *s.* atlas *m.*

atmosphere *s.* atmosphère *f.*

atom *s.* atome *m.*

atomic *adj.* atomique; ~ **bomb** bombe *f.* atomique; ~ **energy** énergie *f.* atomique

attach *v.a.* attacher

attaché *s.* attaché *m.*; ~ **case** petite valise *f.*

attachment *s.* attachement *m.*

attack *v.a.* attaquer; *s.* attaque *f.*

attain *v.a.* atteindre

attainment *s.* réalisation *f.*; connaissances *f. pl.*

attempt *s.* tentative *f.*; *v.a.* tenter; entreprendre

attend *v.a.* suivre; (look after) soigner; v.i. faire attention à; assister

attendance *s.* présence *f.*; (persons present) assistance *f.*

attendant *s.* serviteur *m.*; employé *m.*; ouvreuse *f.*

attention *s.* attention *f.*

attitude *s.* attitude *f.*

attorney *s.* avoué *m.*

attract *v.a.* attirer

attraction *s.* attraction *f.*

attractive *adj.* attrayant

attribute *v.a.* attribuer

auction *s.* vente *f.*

audience *s.* auditoire *m.*

audio-visual *adj.* audio-visuel

auditorium *s.* salle *f.* (de cours)

August *s.* août *m.*

aunt *s.* tante *f*

Australian *adj.* australien *s.* Australien, -ne *m. f.*

Austrian *adj.* autrichien; *s.* Autrichien, -enne *m. f.*

authentic *adj.* authentique

author *s.* auteur *m.*

authority *s.* autorité *f.*

authorize *v.a.* autoriser

automatic *adj.* automatique

autonomy *s.* autonomie *f.*

autumn *s.* automne *m.*

avail *s.* **be of no ~** ne servir à rien; *v.a.* **~ oneself of** profiter de

available *adj.* disponible; sous la main

avalanche *s.* avalanche *f.*

avenge *v.a.* venger

avenue *s.* avenue *f.*

average *s.* moyenne *f.*; *adj.* moyen

aversion *s.* aversion *f.*

avoid *v.a.* éviter

await *v.a.* attendre

awake *v.a.* éveiller; *v.n.* s'éveiller; *adj.* éveillé

awaken *v.a.* éveiller

award *v.a.* accorder

aware *adj.* **be ~ of** avoir conscience de, savoir bien

away *adv.* (au) loin; **carry ~** enlever; **go ~** partir

awful *adj.* terrible

awhile *adv.* pendant quelque temps, un moment

awkward *adj.* (pers.) gauche; maladroit; (things) gênant, embarrassant

axe *s.* hache *f.*

axis *s.* axe *m.*

axle *s.* essieu *m.*

B

babble *s.* babil *m.*; *v.n.* babiller

baby *s.* bébé *m.*

baby-sitter *s.* garde-bébé *m.*

bachelor *s.* célibataire; (arts) licencié *m.*

back *s.* dos *m.*; (hand) revers *m.*; (football) arrière *m.*; *adj.* de derrière; arriéré; *adv.* en arrière; **be ~** être de retour; *v.a.* soutenir, seconder; (bet) parier pour; *v.n.* reculer

background *s.* fond *m.*; arrière-plan *m.*

backstairs *s. pl.* escalier *m.* de service

backward *adj.* arriéré

backwards *adv.* en arrière; à reculons

bacon *s.* lard *m.*

bad *adj* mauvais

badge *s.* insigne *m.*

badger *s.* blaireau *m.*

badly *adv.* mal

bag *s.* sac *m.*; (large) valise *f.*

baggage *s.* bagage *m.*

bait *s.* amorce *f.*

bake *v.a.* cuire; faire cuire

baker *s.* boulanger *m.*

bakery *s.* boulangerie *f.*

balance *s.* (weighing, account) balance *f.*; (bank) solde *m.*; (equilibrium) équilibre *m.*; *v.a.* balancer; *v.n.* se balancer

balcony *s.* balcon *m.*

bald *adv.* chauve; plat

ball *s.* (games) balle *f.* ballon *m.*; (bowl) boule *f.*; (dance) bal *m.*

ball-bearings *s. pl.* routement *m.* à billes

ballet *s.* ballet *m.*

balloon *s.* ballon *m.*

ball(-point) pen *s.* stylo *m.* à bille

bamboo *s.* bambou *m.*

banana *s.* banane *f.*

band *s.* (people) troupe *f.*; bande *f.*; orchestre *m.*; (ribbon, tie) ruban *m.*; lien *m.*

bandage *s.* bandage *m.*

bandit *s.* bandit *m.*

bang *s.* coup *m.*; claquement *m.*

banish *v.a.* bannir

banister rampe *f.*

bank[1] *s.* (river) rive *f.*; (earth) talus *m.*

bank[2] *s.* banque *f.*

bank-holiday *s.* (jour *m.* de) fête *f.* lègale

banknote *s.* billet *m.* (de banque)

bankruptcy *s.* banque-route *f.*; faillite *f.*

banner *s.* bannière *f.*

banquet *s.* banquet *m.*

baptism *s.* baptême *m.*

baptize *v.a.* baptiser

bar *s.* (iron, tribunal, music) barre *f.*; (railway) barrière *f.*; (obstacle) obstacle *m.*; (lawyers) barreau *m.*; (counter, place for drink) comptoir *m.*, débit *m.* (de boissons), bar *m.*

barber *s.* coiffeur *m.*

bare *adj.* nu; (mere) seul

barefoot *adj.* nu-pieds

barely *adv.* à peine

bargain *s.* marché *m.*; *v.n.* aboyer

barley *s.* orge *f.*

barmaid *s.* demoiselle *f.* de comptoir, barmaid *f.*

barman *s.* garçon *m.* de comptoir, barman *m.*

barn *s.* grange *f.*

barometer *s.* baromètre *m.*

baron *s.* baron *m.*

baroness *s.* baronne *f.*

barracks *s. pl.* caserne *f.*

barrel *s.* tonneau *m.*

barren *adj.* stérile

barrier *s.* barrière *f.*

barrister *s.* avocat *m.*

bartender see barman

barter *s.* échange *m.*; *v.a.* échanger

base *s.* fondement *m.*; base *f.*

basement *s.* sous-sol *m.*

bashful *adj.* timide

basic *adj.* fondamental; basique

basin *s.* bassin *m.*; cuvette *f.*

basis *s.* base *f.*

basket *s.* panier *m.*

basketball *s.* basket-ball *m.*

bass *s.* basse *f.*

bat[1] *s.* chauve-souris *f.*

bat[2] *s.* batte *f.*

bath *s.* bain *m.*; (tub) baignoire *f.*

bathe *v.n.* se baigner; *v.a.* baigner

bathing-costume *s.* costume *m.* de bain(s)

bathroom *s.* salle *f.* de bain

battery *s.* (military) batterie *f.*; (electr.) pile *f.*

battle *s.* bataille *f.*

bay *s.* baie *f.*

be *v.n.* être; (be situated) se trouver; **there is** il y a

beach *s.* plage *f.*

bead *s.* (string of) collier *m.*

beak *s.* bec *m.*

beam *s.* (timber) poutre *f.*; (light) rayon *m.*

bean *s.* fève *f.*

bear[1] *s.* ours *m.*

bear^2 *v.a.* porter; soutenir; supporter

beard *s.* barbe *f.*

bearing *s.* rapport *m.*

beast *s.* bête *f.*

beat *v.a.* battre; frapper; *s.* battement *m.*

beautiful *adj.* beau, bel, belle

beauty *s.* beauté *f.*

beaver *s.* castor *m.*

because conj. parce que; ~ **of** à cause de

beckon *v.n.* faire signe (à)

become *v.n.* devenir

bed *s.* lit *m.*

bed-clothes *s. pl.* couvertures *f. pl.*

bedroom *s.* chambre *f.* à coucher

bee *s.* abeille *f.*

beech *s.* hêtre *m.*

beef *s.* boeuf *m.*

beef-steak *s.* bifteck *m.*

beer *s.* bière *f.*

beetle *s.* scarabée *m.*

beetroot *s.* betterave *f.*

before *prep.* (time) avant; (space) devant; *adv.* avant; (in front) en avant

beforehand *adv.* d'avance; en avance

beg *v.a.* remander, prier; *v.n.* mendier; **I ~ your pardon!** excusez-moi !; pardon !

beget *v.a.* engendrer

beggar *s.* mendiant, -e

begin *v.a. & n.* commencer

beginner *s.* commençant, -e *m. f.*

beginning *s.* commencement *m.*

behalf *s.* **on ~ of** de la part de; **in ~ of** en faveur de

behave *v.n.* se conduire

behaviour *s.* conduite *f.*

behind *prep.* derrière

Belgian *adj.* belge; *s.* Belge *m. f.*

belief *s.* croyance *f.*

believe *v.a. & n.* croire

bell *s.* cloche *f.*

belly *s.* ventre *m.*

belong *v.n.* ~ to appartenir à

belongings *s. pl.* effets *m.*; biens *m.*

below *adv.* au-dessous; en bas; *prep.* au-dessous de

belt *s.* ceinture *f.*

bench *s.* banc *m.*; (working) établi *m.*

bend *v.a.* courber; tendre fléchir; *v.n.* se courber; *s.* courbure *f.*; (road) tournant *m.*

beneath see below

benefit *s.* bienfait *m.*, (gain) bénéfice *m.*

bent *s.* penchant *m.*

berry *s.* baie *f.*; (coffee) grain *m.*

berth *s.* couchette *f.*; (for ship) mouillage *m.*

beseech *v.a.* supplier

beside *prep.* auprès de, à côté de

besides *adv.* en outre

best *adj.* le meilleur; **do one's ~** faire tout son possible (pour)

bestow *v.a.* conférer (à)

bet *v.a.* parier

betray *v.a.* trahir

better *adj.* meilleur; *adv.* mieux

between *prep.* entre

beyond *prep.* au delà de

bias *s.* biais *m.*; (fig.) préjugé *m.*

Bible *s.* bible *f.*

bibliography *s.* bibliographie *f.*

bicycle *s.* bicyclette *f.*

big *adj.* grand; gros

bill *s.* (hotel) note *f.*; (restaurant) addition *f.*; (invoice) facture *f.*; (of exchange) lettre *f.*; de change; (of fare) carte *f.*, menu *m.*; (poster) affiche *f.*; (parliament) projet *m.* de loi

bin *s.* huche *f.* coffre *m.*

bind *v.a.* lier; (book) relier

biological *adj.* biologique

biology *f.* biologie *f.*

birch *s.* bouleau *m.*

bird *s.* oiseau *m.*

birth *s.* naissance *f.*

birthday *s.* anniversaire *m.*

birthplace *s.* lieu *m.* de naissance

biscuit *s.* biscuit *m.*

bishop *s.* évêque *m.*

bit[1] *s.* morceau *m.*; (drill) mèche *f.*; **a** ~ un peu (de)

bit[2] *s.* (horse) mors *m.*

bite *v.a.* & *n.* mordre

bitter *adj.* amer; mordant; (cold) âpre

bitterness *s.* amertume *f.*

black *adj.* noir

blackbird *s.* merle *m.*

blackmail *s.* chantage *m.*

blacksmith *s.* forgeron *m.*

bladder *s.* vessie *f.*

blade *s.* lame *f.*

blame *s.* blâme *m.*; *v.a.* blâmer, accuser qn.

blameless *adj.* innocent

blank *adj.* blanc; nu; *s.* blanc *m.*

blanket *s.* couverture *f.*

blast *s.* rafale *f.*; coup *m.* de vent; souffle *m.*; *v.a.* faire sauter; détruire

blaze *s.* flamme *f.*; *v.n.* flamber

bleak *adj.* lugubre

bleed *v.a.* & *n.* saigner

blend *s.* mélange *m.*; *v.a.* fondre; mêler

bless *v.a.* bénir

blessing *s.* bénédiction *f.*

blind[1] *adj.* aveugle

blind[2] *s.* store *m.*

blindness *s.* cécité *f.*

blink *v.n.* clignoter

bliss *s.* félicité *f.*

blister *s.* ampoule *f.*

block *s.* bloc *m.*; (wood) billot *m.*; (buildings) pâté *m.*; (traffic) encombrement *m.*

blond *adj.* blond

blood *s.* sang *m.*

bloody *adj.* sangiant

bloom *s.* fleur *f.*; *v.n.* fleurir

blossom *s.* fleur *f.*

blot *s.* tache *f.*; pâté *m.*

blouse *s.* blouse *f.*

blow[1] *v.a.* (trumpet) sonner; (glass) souffler; ~ **out** éteindre; ~ **up** faire sauter; *v.n.* (wind) souffler

blow[2] *s.* coup *m.*

blue *adj.* bleu

blunder *s.* bévue *f.*; *v.n.* faire une bévue

blunt *adj.* èmousse; (person) brusque

blush *v.n.* rougir

board *s.* planche *f.*; (meals) pension *f.*; (council) conseil *m.*; (paper) carton *m.*; (theatre) ~**s** planches; ~ **and lodging** pension *f.* et chambre(s); **on** ~ (ship) à bord d'un navire; *v.n.* prendre pension chez; *v.a.* monter à bord de

boarder *s.* pensionnaire *m. f.*

boarding-house *s.* pension *f.*

boarding-school *s.* pensionnat *m.*

boast *s.* vanterie *f.*; *v.n.* se vanter (de)

boat *s.* bateau *m.*

body *s.* corps *m.*

bog *s.* marécage *m.*

boil[1] *v.a.* faire bouillir; (cook) faire cuire; *v.n.* bouillir

boil[2] *s.* furoncle *m.*

boiler *s.* chaudière *f.*

bold *adj.* hardi; effronté

boldness *s.* hardiesse *f.*; effronterie *f.*

bolt *s.* verrou *m.*; *v.a.* verrouiller; *v.n.* filer

bomb *s.* bombe *f.*

bond *s.* lien *m.*

bone *s.* os *m.*; (fish) arête *f.*

bonnet *s.* chapeau *m.*; bonnet *m.*; (motor) capot *m.*

bony *adj.* osseux; maigre

book *s.* livre *m.*; *v.a.* prendre (un billet); retenir

bookcase *s.* bibliothèque *f.*

booking-office *s.* guichet *m.*

bookkeeper *s.* teneur *m.* de livres

bookkeeping *s.* compatibilité *f.*

booklet *s.* livret *m.*

bookseller *s.* libraire *m.*

bookshelf *s.* rayon *m.*

bookshop *s.* librairie *f.*

bookstall *s.* bibliothèque (de gare) *f.*

boot *s.* bottine *f.*; brodequin *m.*

booth *s.* baraque *f.*

booty *s.* butin *m.*

border *s.* bord *m.*; frontière *f.*

bore *v.a.* ennuyer, raser; *s.* raseur *m.*

boring *adj.* ennuyeux, assommant

born pp. né; **be ~** naître

borrow *v.a.* emprunter

bosom *s.* sein *m.*

boss *s.* patron *m.*

botanical *adj.* botanique

botany *s.* botanique *m.*

both *pron. & adj.* l'un(e) et l'autre; tous (les) deux; **~ ... and** et ... et ...

bother *v.a.* tracasser

bottle *s.* bouteille *f.*

bottom *s.* bas *m.*; fond *m.*; derrière *m.*

bough *s.* rameau *m.*

bound pp. ~ **for** à destination de, en route pour

boundary *s.* borne *f.*

bounty *s.* générosité *f.*

bouquet *s.* bouquet *m.*

bow[1] *s.* arc *m.*; (violin) archet *m.*; (knot) noeud *m.*

bow[2] *v.a.* incliner; courber; *v.n.* s'incliner; se courber; *s.* salut *m.*; (ship) avant *m.*

bowels *s. pl.* entrailles *f.*

bowl *s.* bol *m.*, jatte *f.*

box *s.* boîte *f.*, caisse *f.*; (horse) stalle *f.*; (theatre) loge *f.*; (on the ears) soufflet *m.*; *v.n.* boxer

box-office *s.* bureau *m.* de location

boy *s.* garçon *m.*; **~ scout** boy-scout *m.*, éclaireur *m.*

bra *s.* soutien-gorge *m.*

brace *s.* couple *f.*; lien *m.*; **~s** bretelles *f. pl.*

bracelet *s.* bracelet *m.*

brain *s.* cerveau *m.*; **~s** cervelle *f.*

brainy *adv.* intelligent

brake *s.* frein *m.*

branch *s.* branche *f.*

brand *s.* tison *m.*; marque *f.*; *v.a.* marquer

brandy *s.* cognac *m.*

brass *s.* cuivre jaune *m.*

brave *adj.* brave

brawl *s.* querelle *f.*

bread *s.* pain *m.*

breadth *s.* largeur *f.*

break *v.a.* briser, casser; (law) violer; (promise) manquer; (news) apprendre à; *v.n.* se casser; se briser; ~ **down** abattre; s'affondrer; (moto) avoir une panne; ~ **in** dresser; ~ **up** lever; *s.* interruption *f.*; pause *f.*

breakdown *s.* (motor) panne *f.*; (health) débâcle; ~ **lorry** dépanneuse *f.*

breakfast *s.* déjeuner *m.*

breast *s.* poitrine *f.*, sein *m.*

breath *s.* haleine *f.*; souffle *m.*

breathe *v.a. & n.* respirer

breathless *adj.* essoufflé; sans souffle

breeches *s. pl.* culotte *f.*

breed *s.* race *f.*; *v.a.* élever

breeze *s.* brise *f.*

breezy *adj.* venteux

brew *v.a.* brasser

bribe *s.* pot-de-vin *m.*; *v.a.* corrompre

brick *s.* brique *f.*

bricklayer *s.* maçon *m.*

bride *s.* mariée *f.*

bridegroom *s.* marié *m.*

bridge *s.* pont *m.*

bridle *s.* bride *f.*

brief *adj.* bref

briefcase *s.* serviette *f.*

briefly *adv.* brièvement

briefs *s. pl.* slip *m.*

bright *adj.* brillant; vif; clair; éclatant

brighten *v.a.* faire briller; égayer

brightness *s.* éclat *m.*

brilliant *s.* brillant *m.*

brim *s.* bord *m.*

bring *v.a.* amener; apporter; ~ **about** amener; ~ **back** rapporter; ~ **forth** produire; ~ **up** élever

brink *s.* bord *m.*

brisk *adj.* vif; actif

bristle *s.* (brush) poil *m.*

British *adj.* britannique

brittle *adj.* cassant

broad *adj.* large; vaste

broadcast *v.a.* radiodiffuser

broadcasting *s.* radiodiffusion *f.*

broken *adj.* brisé

bronze *s.* bronze *m.*

brooch *s.* broche *f.*

brood *s.* couvée *f.*; *v.n.* couver

brook *s.* ruisseau *m.*

broom *s.* balai *m.*

brother *s.* frère *m.*

brother-in-law *s.* beau-frère *m.*

brow *s.* sourcil *m.*

brown *adj.* brun

bruise *s.* contusion *f.*; *v.a.* meurtrir

brush *s.* brosse *f.*; pinceau *m.*; balai *m.*; *v.a.* brosser; ~ **up** donner un coup de brosse à

brutal *adj.* brutal, cruel

brutality *s.* brutalité *f.*

bubble *s.* bulle *f.*; *v.n.* bouillonner

buck *s.* daim *m.*

bucket *s.* seau *m.*

buckle *s.* boucle *f.*

bud *s.* bourgeon *m.*

budget *s.* budget *m.*

buffet *s.* soufflet *m.*

bug *s.* punaise *f.*

build *v.a.* bâtir; construire; sur; ~ **up** établir

builder *s.* entrepreneur *m.* de bâtiments; constructeur *m.*

building *s.* bâtiment *m.*

bulb *s.* bulbe *m.*; (lamp) ampoule *f.*

bulge *v.n.* bomber

bulk *s.* masse *f.*; volume *m.*

bull *s.* taureau *m.*

bullet *s.* balle *f.*

bulletin *s.* bulletin *m.*

bump *s.* bosse *f.*; collision *f.*; coup *m.*

bumper *s.* pare-choc *m.*

bun *s.* brioche *f.*

bunch *s.* bouquet *m.*; botte *f.*; grappe *f.*

bundle *s.* botte *f.*; paquet *m.*; fagot *m.*

bunk *s.* couchette *f.*

buoy *s.* bouée *f.*

burden *s.* charge *f.*; fardeau *m.*

burglar *s.* cambrioleur *m.*

burial *s.* enterrement *m.*

burn *v.a. & n.* brûler

bursary *s.* bourse *f.*

burst *v.n.* éclater; crever; exploser; *v.a.* faire éclater; rompre; crever; *s.* éclat *m.*; explosion *f.*

bury *v.a.* enterrer

bus *s.* autobus *m.*

bush *s.* buisson *m.*

business *s.* affaires *f. pl.*; profession *f.*; **on** ~ pour affaires; ~ **hours** heures (*f. pl.*) d'ouverture

businessman *s.* homme *m.* d'affaires

bus-stop *s.* arrêt *m.* d'autobus

busy *adj.* occupé, affairé

but *conj.* mais

butcher *s.* boucher *m.*; ~'s (shop) boucherie *f.*

butter *s.* beurre *m.*

butterfly *s.* papillon *m.*

buttock *s.* fesse *f.*, derrière *m.*

button *s.* bouton *m.*

buy *v.a.* acheter

buyer *s.* acheteur *m.*

by *prep.* par; de ~ **Monday** d'ici à lundi

bystander *s.* spectateur, -trice *m. f.*

C

cab *s.* taxi *m.*; fiacre *m.*

cabbage *s.* chou *m.*

cabin *s.* cabane *f.*; (ship) cabine *f.*

cabinet *s.* (politics) cabinet *m.*

cable *s.* câble *m.*

cablegram *s.* câblogramme *m.*

café *s.* café(-restaurant) *m.*

cage *s.* cage *f.*

cake *s.* gâteur *m.*

calculate *v.a. & n.* calculer

calculation *s.* calcul *m.*

calendar *s.* calendrier *m.*

calf *s.* veau *m.*; (leg) mollet *m.*

call *v.a. & n.* appeler; ~ **for** réclamer; ~ **on** faire visite à; *s.* appel *m.*; cri *m.*; (visit) visite *f.*

call-box *s.* cabine *f.* téléphonique

calm *adj.* calme

calorie *s.* calorie *f.*

camel *s.* chameau, -elle *m. f.*

camera *s.* appareil *m.* (photographique)

camp *s.* camp *m.*

campaign *s.* campagne *f.*

camping *s.* camping *m.*

can[1] *s.* broc *m.*; pot *m.*

can[2] v.aux. pouvoir; savoir

canal *s.* canal *m.*

canary *s.* canari *m.*

cancel *v.a.* annuler

cancer *s.* cancer *m.*

candle *s.* chandelle *f.*; bougie *f.*

cannon *s.* canon *m.*

canoe *s.* canoë *m.*

canteen *s.* cantine *f.*

canvas *s.* toile *f.*

cap *s.* bonnet *m.*; casquette *f.*

capable *adj.* capable (de)

capacity *s.* capacité *f.*

cape *s.* (land) cap *m.*; (cloak) pèlerine *f.*; cape *f.*

capital *s.* (city) capitale *f.*; (letter) majuscule *f.*; (commerce) capital *m.*

capsule *s.* capsule *f.*

captain *s.* capitaine *m.*

caption *s.* sous-titre *m.*

captivate *v.a.* captiver

capture *v.a.* capturer; *s.* capture *f.*

car *s.* voiture *f.*, auto *f.*

caravan *s.* roulotte *f.* (de camping), caravane *f.*

carbon-paper *s.* papier *m.* carbone

carburetter *s.* carburateur *m.*

card *s.* carte *f.*

cardboard *s.* carton *m.*

cardinal *adj. m.* cardinal *m.*

care *s.* attention *f.*; soin *m.*; souci *m.*; ~ **of** aux bons soins de; **take** ~ **of** prendre soin de; *v.n.* ~ **for** se soucier de; ~ **to** aimer

career *s.* carrière *f.*

careful *adj.* soigneux

careless *adj.* insouciant, négligent

caress *v.a.* caresser

cargo *s.* cargaison *f.*

caricature *s.* caricature *f.*

carnation *s.* oeillet *m.*

carpenter *s.* charpentier *m.*

carpet *s.* tapis *m.*

carriage *s.* voiture *f.*; (transport) transport *m.*

carriage-way *s.* chausée *f.*

carrier *s.* voiturier *m.*

carrot *s.* carotte *f.*

carry *v.a.* porter; transporter; ~ **on** exercer; ~ **out** mettre à exécution

cart *s.* charrette *f.*

cartridge *s.* cartouche *f.*

carve *v.a.* & *n.* sculpture; (meat) découper

case *s.* (box) étui *m.*; caisse *f.*; (instance) cas *m.*; cause *f.*

casement *s.* croisée *f.*

cash *s.* espèces *f. pl.*

cash-book *s.* livre *m.* de caisse

cashier *s.* caissier, -ère *m. f.* cash register *s.* caisse *f.* enregistreuse

cask *s.* tonneau *m.*

cast *v.a.* jeter; (metal) fondre; *s.* coup *m.*; (theatre) distribution *f.*

castle *s.* château *m.*

casual *adj.* casuel

casualty *s.* accident *m.*

cat *s.* chat, -te *m. f.*

catalogue *s.* catalogue *m.*

catastrophe *s.* catastrophe *f.*

catch *v.a.* saisir; attraper; (eye) frapper; ~ **up** rattraper; *s.* prise *f.*; attrape *f.*

category *s.* catégorie *f.*

cater *v.n.* pourvoir à

caterpillar *s.* chenille *f.*

cathedral *s.* cathédrale *f.*

catholic *adj.* catholique

catholicism *s.* catholicisme *m.*

cattle *s.* bétail *m.* (*pl.* bestiaux)

cauliflower *s.* chou-fleur *m.*

cause *s.* cause *f.*; motif *m.*; *v.a.* causer

caution *s.* prudence *f.*

cautious *adj.* prudent

cave *s.* caverne *f.*

cavity *s.* cavité *f.*

cease *v.a. & n.* cesser

ceiling *s.* plafond *m.*

celebrate *v.a.* célèbrer

celebration *s.* célébration *f.*; commémoration *f.*

celery *s.* céleri *m.*

cell *s.* cellule *f.*

cellar *s.* cave *f.*

cello *s.* violoncelle *m.*

cellophane *s.* cellophane *f.*

cement *s.* ciment *m.*; *v.a.* cimenter

cemetery *s.* cimetière *m.*

centenary *s.* centenaire *m*

central *adj.* central

centre *s.* centre *m.*

century *s.* siècle *m.*

cereal *s.* céréale *f.*

ceremony *s.* cérémonie *f.*

certain *adj.* certain

certainly *adj.* certainement; sans doute

certainty *s.* certitude *f.*

certificate *s.* certificat *m.*

certify *v.a.* certifier

chain *s.* chaîne *f.*

chair *s.* chaise *f.*; (professorship) chaire *f.*; **take the ~** présider

chairman *s.* président *m.*

chalk *s.* craie *f.*

challenge *s.* défi *m.*; *v.a.* défier; provoquer

chamber *s.* chambre *f.*; **~s** étude *f.*; appartement *m.*

champagne *s.* champagne *m.*

champion *s.* champion *m.*

championship *s.* championnat *m.*

chance *s.* chance *f.*; **by ~** par hasard

chancellor *s.* chancelier *m.*

chancery *s.* chancellerie *f.*

change *s.* changement *m.*; (money) monnaie *f.*; *v.a. & n.* changer

channel *s.* canal *m.*; the English Channel le Manche

chap *s.* type *m.*

chapel *s.* chapelle *f.*

chaplain *s.* chapelain *m.*

chapter *s.* chapitre *m.*

character *s.* caractère *m.*; (theatre) personnage *m.*

characteristic *adj.* caractéristique; *s.* trait *m.* caractéristique

charcoal *s.* charbon *m.* de bois

charge *s.* charge *f.*; (price) prix *m.*; (accusation) accuation *f.*; *v.a.* charger (de); (price) demander; faire payer; (accuse) accuser (de)

charity *s.* charité *f.*

charm *s.* charme *m.*

charming *adj.* charmant

chart *s.* carte *f.* marine

charter *s.* charte *f.*

charwoman *s.* femme *f.* de ménage

chase *v.a.* chasser; poursuivre; *s.* chasse *f.*

chassis *s.* châssis *m.*

chat *s.* causette *f.*; *v.n.* causer

chatter *v.n.* babiller; (teeth) claquer

cheap *adj.* bon marché

cheat *v.a.* tromper; tricher; *s.* tromperie *f.*; tricherie; (pers.) fourbe *m.*

check *v.a.* contrôler, vérifier; (stop) arréter; *s.* vérification *f.*, contrôle *m.*

checkmate *s.* échec et mat *m.*

check-up *s.* examen *m.* médical

cheek *s.* joue *f.*

cheeky *adj.* impertinent

cheer *v.a.* réjouir, encourager; acclamer; *v.n.* ~ **up** reprendre sa gaieté; courage !; a. joie *f.*; **~s** acclamations *f.*

cheerful *adj.* joyeux

cheese *s.* fromage *m.*

chemical *adj.* chimique

chemist *s.* chimiste *m.*; pharmacien *m.*; **~'s** (shop) pharmacie *f.*

chemistry *s.* chimie *f.*

cheque *s.* chèque *m.*; **traveller's ~** chèque *m.* de voyage

chequebook *s.* carnet *m.* de chèques

cherish *v.a.* soigner; (hope) caresser

cherry *s.* cerise *f.*

chess *s.* échecs *m. pl.*

chessboard *s.* échiquier *m.*

chest *s.* coffre *m.*; (part of body) poitrine *f.*; ~ **of drawers** commode *f.*

chestnut *s.* châtaigne *f.*

chew *v.a.* mâcher

chicken *s.* poulet *m.*

chief *adj.* principal; *s.* chef *m.*

chiefly *adv.* principalement

child *s.* enfant *m. f.*

childhood *s.* enfance *f.*

childish *adj.* enfantin

childless *adj.* sans enfant

chill *s.* coup *m.* de froid; *v.a.* refroidir, glacer

chilly *adj.* (weather) frais; (un peu) froid

chimney *s.* cheminée *f.*

chin *s.* menton *m.*

china *s.* porcelaine *f.*

Chinese *adj.* chinois; *s.* Chinois, -e

chip *s.* éclat *m.*; copeau *m.*; **~s** frites *f. pl.*

chirp *v.n.* gazouiller

chisel *s.* ciseau *m.*; *v.a.* ciseler

chivalry *s.* chevalerie *f.*

chocolate *s.* chocolat *m.*

choice *s.* choix *m.*

choir *s.* choeur *m.*

choke *v.a. & n.* étouffer

choose *v.a.* choisir

chop *s.* côtelette *f.*

chorus *s.* choeur *m.*

Christian *adj.* chrétien; ~ **name** prénom *m.*

Christianity *s.* christianisme *m.*

Christmas *s.* Noël *m.*; ~ **eve** veille *f.* de Noël

chuckle *v.n.* rire tout bas; *s.* rire étouffé

church *s.* église *f.*

churchyard *s.* cimetière *m.*

cider *s.* cidre *m.*

cigar *s.* cigare *m.*

cigarette *s.* cigarette *f.*

cigarette-case *s.* étui *m.* à cigarettes

cigarette-holder *s.* porte-cigarette *m.*

cinders *s. pl.* cendres *f.*

cine-camera *s.* camera *f.*

cinema *s.* cinéma *m.*

cinerama *s.* cinérama *m.*

circle *s.* cercle *m.*

circuit *s.* circuit *m.*; détour *m.*; tournée *f.*

circular *adj.* circulaire

circulate *v.n.* circuler; *v.a.* faire circuler

circulation *s.* circulation *f.*

circumstance *s.* circonstance *f.*

circus *s.* cirque *m.*

cistern *s.* citerne *f.*

citation *s.* citation *f.*

cite *v.a.* citer

citizen *s.* citoyen, -ne *m. f.*, habitant *m.*

citizenship *s.* droit *m.* de cité

city *s.* ville *f.*; the City Cité *f.*

civil *adj.* civil; (polite) poli; ~ **servant** fonctionnaire *m.*

civilization *s.* civilisation *f.*

civilize *v.a.* civiliser

claim *s.* demande *f.*; réclamation *f.*; droit *m.*; *v.a.* revendiquer, réclamer

clamp *s.* crampon *m.*

clang *s.* bruit *m.* métallique; *v.n.* retentir

clap *s.* battement *m.*; applaudissements *m. pl.*; *v.n.* applaudir

clash *v.a.* choquer; *v.n.* s'entre-choquer

clasp *s.* agrafe *f.*; fermoir *m.*; *v.a.* agrafer; joindre

class *s.* classe *f.*

classic(al) *adj.* classique

classify *v.a.* classifier

classroom *s.* classe *f.*

clatter *s.* bruit *m.*; tracas *m.*; *v.n.* faire du bruit

clause *s.* clause *f.*, article *m.*

claw *s.* griffe *f.*; serre *f.*; ongle *m.*

clay *s.* glaise *f.*; argile *f.*

clean *adj.* propre; blanc; pur; *v.a.* nettoyer

cleanse *v.a.* nettoyer

clear *adj.* clair; *v.a.* déblayer; éclaircir; *v.n.* s'éclaircir; ~ **out** filer

clearly *adv.* clair, clairement; évidemment

cleave *v.a.* fendre; *v.n.* se fendre

clergy *s.* clergé *m.*

clergyman *s.* ministre *m.*

clerk *s.* employé *m.*, commis *m.*

clever *adj.* habile, adroit; intelligent

client *s.* client *m.*

cliff *s.* falaise *f.*

climate *s.* climat *m.*

climb *v.a. & n.* grimper

cling *v.n.* ~ **to** se cramponner à

clinic *s.* clinique *f.*

clip *s.* pince; *v.a.* tondre; couper; rogner; (tickets) poinconner

cloak *s.* manteau *m.*

cloakroom *s.* consigne *f.*; vestiaire *m.*

clock *s.* horloge *f.*; pendule *f.*; **it is 10 o'clock** il est dix heures

close *v.a.* (shut) fermer; (end) terminer; *v.n.* (se) fermer; se terminer; *adj.* fermé; (narrow) étroit; (relations) proche; intime; *adv.* tout près; *s.* enclos *m.*; (end) fin *f.*

closely *adv.* de près; étroitement

closet *s.* cabinet *m.*; armoire *f.*

cloth *s.* drap *m.*; (table) nappe *f.*

clothe *v.a.* vêtir

clothes *s. pl.* habits *m. pl.*

clothing *s.* vêtements *m. pl.*

cloud *s.* nuage *m.*

cloudy *adj.* couvert

clover *s.* trèfle *m.*

club *s.* (stick) massue *f.*; (people) cercle *m.*, club *m.*, société *f.*; (cards) trèfle *m.*

clue *s.* fil *m.*; (crossword) définition *f.*

clumsy *adj.* gauche

cluster *s.* grappe *f.*

clutch *v.a.* empoigner; *m.* pour empoigner; (motor) embrayage *m.*

coach *s.* voiture *f.*; wagon *m.*; autocar *m.*; (sports) entraîneur *m.*

coal *s.* charbon *m.*

coal-mine *s.* mine *f.* de houille

coarse *adj.* grossier; vulgaire

coast *s.* côte *f.*

coat *s.* (jacket) veston *m.*; (top) pardessus *m.*, manteau *m.*

cock *s.* coq *m.*, mâle *m.*; (gun) chien *m.*; (tap) robinet *m.*

cocktail *s.* cocktail *m.*

cocoa *s.* cacao *m.*

cod *s.* morue *f.*

code *s.* code *m.*

coffee *s.* café *m.*

coffee-pot *s.* cafetière *f.*

coffin *s.* cercueil *m.*

cog-wheel *s.* roue *f.* dentée

coil *s.* rouleau *m.*; bobine *f.*; *v.a.* lover; enrouler

coin *s.* pièce *f.*

coincidence *s.* coincidence *f.*

coke *s.* coke *m.*

cold *adj.* froid; **be ~** (pers.) avoir froid; (weather) faire froid; *s.* froid *m.*; (in the head) rhume *m.*; **catch a ~** s'enrhumer

collaborate *v.n.* collaborer

collaborator *s.* collaborateur, -trice *m.* *f.*

collapse *v.n.* s'effrondrer; (pers.) s'affaisser; *s.* effondrement *m.*; (pers.) affaissement *m.* subit

collar *s.* col *m.*; collet *m.*

colleague *s.* collègue *m.* *f.*

collect *v.a.* rassembler; recueillir

collection *s.* collection *f.*; collecte *f.*; (mail) levée *f.*

college *s.* collège *m.*

collide *v.n.* se heurter (contre), entrer en collision

colliery *s.* houillère *f.*; mine *f.*

collision *s.* collision *f.*

colon *s.* deux points *m.* *pl.*

colonel *s.* colonel *m.*

colony *s.* colonie *f.*

colour *s.* couleur *f.*

colourful *adj.* coloré

colourless *adj.* terne, pâle

column *s.* colonne *f.*

comb *s.* peigne *m.*; *v.a.* peigner

combat *s.* combat *m.*

combination *s.* combinaison *f.*

combine *v.a.* combiner

come *v.n.* venir, arriver; **~ across** recontrer; **~ back** revenir; **~ by** obtenir; passer; **~ down** descendre; **~ in** entrer; **~ off** avoir lieu; se détacher; **~ out** sortir; **~ up** monter

comedian *s.* comédien *m.*

comedy *s.* comédie *f.*

comely *adj.* avenant, bienséant

comfort *s.* consolation *f.*; bien-être *m.*; *v.a.* consoler

comfortable *adj.* confortable; commode; **be ~** être à l'aise

comic *adj.* comique

comma *s.* virgule *f.*

command *s.* ordre *m.*; *v.a.* commander

commander *s.* commandant *m.*
commemorate *v.a.* commémorer
commence *v.a. & n.* commencer
commend *v.a.* recommander; louer
comment *s.* commentaire *m.*; *v.n.* commenter
commentary *s.* commentaire *m.*
commercial *adj.* commercial; ~ **traveller** voyageur *m.* de commerce
commission *s.* commission *f.*; commande *f.*
commissioner *s.* commissaire *m.*
commit *v.a.* commettre; confier; ~ oneself se compromettre
commitment *s.* engagement *m.*
committee *s.* comité *m.*
commodity *s.* marchandise *f.*, article *m.*
common *adj.* commun
commonwealth *s.* the British Commonwealth commonwealth n.
communicate *v.a. & n.* communiquer
communication *s.* communication *f.*
communication-cord *s.* signal *m.* d'alarme
communion *s.* communion *f.*
communiqué *s.* communiqué *m.*
community *s.* communauté *f.*
compact *s.* pacte *m.*; poudrier *m.*; *adj.* compact, concis
companion *s.* compagnon, -agne *m. f.*
company *s.* compagnie *f.*; société *f.*
comparatively *adv.* comparativement
compare *v.a.* comparer (to à, with avec)
comparison *s.* comparaison *f.*
compartment *s.* compartiment *m.*
compass *s.* (mariner's) boussole *f.*; (pair of) ~**es** compas *m.*
compassion *s.* compassion *f.*
compel *v.a.* forcer
compete *v.n.* faire concurrence (à); concourir
competence *s.* compétence *f.*; capacité *f.*
competent *adj.* capable
competition *s.* concurrence *f.*; concours *m.*; compétition *f.*
competitor *s.* concurrent *m.*
compilation *s.* compilation *f.*
compile *v.a.* compiler
complain *v.n.* se plaindre
complaint *s.* plainte *f.*; maladie *f.*; réclamation *f.*
complement *s.* complément *m.*
complete *v.a.* compléter, achever; *adj.* complet
complicated *adj.* compliqué
complication *s.* complication *f.*
compliment *s.* compliment *m.*
comply *v.n.* ~ **with** se conformer à
component *adj. & s.* composant (*m.*)
compose *v.a.* composer; **be ~d of** se composer de
composer *s.* compositeur *m.*
composition *s.* composition *f.*; dissertation *f.*
compound *s. & adj.* composé (*m.*); *v.a.* composer
comprehend *v.a.* comprendre
comprehension *s.* compréhension *f.*
compress *v.a.* comprimer
compromise *s.* compromis *m.*; *v.a.* compromettre
compulsory *adj.* obligatoire

compute *v.a.* calculer, computer

computer *s.* calculateur *m.* (électronique)

comrade *s.* camarade *m.*

conceal *v.a.* cacher

conceit *s.* vanité *f.*

conceive *v.a.* concevoir

concept *s.* concept *m.*

concern *v.a.* concerner; regarder; **be ~ed** (in, with) s'interesser (à); (about) s'inquiéter (de); *s.* affaire *f.*; entreprise *f.*; anxiété *f.*

concerning *prep.* concernant

concert a. concert *m.*

concession *s.* concession *f.*

conciliation *s.* réconciliation *f.*

concise *adj.* concis

conclude *v.a. & n.* conclure

conclusion *s.* conclusion *f.*; **in ~** pour conclure

concrete *s.* béton *m.*; *adj.* concret

condemn *v.a.* condamner

condense *v.a.* condenser

condition *s.* condition *f.*; état *m.*; **on ~** that à condition que

conduct *s.* conduite *f.*; *v.a.* conduire; diriger

conductor *s.* receveur *m.*; chef *m.* d'orchestre

cone *s.* cône *m.*

confederacy *s.* confédération *f.*

confer *v.a. & n.* conférer

conférence *s.* conférence *f.*

confess *v.a.* avouer; confesser

confession *s.* confession *f.*

confidence *s.* confiance *f.*

confident *adj.* confiant

confidential *adj.* confidentiel

confine *v.a.* confiner, enfermer; **be ~d to** bed être alité

confirm *v.a.* confirmer

confirmation *s.* confirmation *f.*

conflict *s.* conflit *m.*

confound *v.a.* confondre

confront *v.a.* être en face; confronter

confuse *v.a.* brouiller, mettre en désordre

confusion *s.* confusion *f.*

congratulate *v.a.* féliciter (de)

congratulation *s.* félicitations *f. pl.*

congregation *s.* assemblée *f.*; congrégation *f.*

congress *s.* congrès *m.*

conjunction *s.* conjonction *f.*

connect *v.a.* joindre, lier; associer

connection *s.* connexion *f.*; rapport *m.*; (railw.) correspondance *f.*

conquer *v.a.* vaincre; conquérir

conqueror *s.* vainqueur *m.*; conquérant *m.*

conscience *s.* conscience *f.*

conscious *adj.* **be ~** (= not fainting) avoir connaissance; **be ~ of** avoir la conscience de

consciousness *s.* connaissance *f.*; conscience *f.*

conscript *adj. & s.* conscrit (*m.*)

consent *s.* consentement; *v.n.* consentir

consequence *s.* conséquence *f.*

consequent *adj.* conséquent

consequently *adv.* par conséquent

conservation *s.* conservation *f.*

consider *v.a.* considérer

considerable *adj.* considérable

considerate *adj.* attentif; réfléchi

consideration *s.* considération *f.*; (money) rémunération *f.*

consign *v.a.* liver; consigner, expédier

consignment *s.* expédition *f.*; envoi *m.*

consist *v.n.* ~ **of** se composer de, consister en

consistent *adj.* conséquent

consolation *s.* consolation *f.*

consonant *s.* consonne *f.*

conspicuous *adj.* en vue; frappant

conspiracy *s.* conspiration *f.*

conspire *v.a.* & *n.* conspirer

constable *s.* agent *m.* (de police)

constant *adj.* continuel; constant

constipation *s.* constipation *f.*

constitute *v.a.* constituer

constitution *s.* constitution *f.*

constrain *v.a.* contraindre (à)

constraint *s.* contrainte *f.*

construct *v.a.* construire

construction *s.* construction *f.*

consul *s.* consul *f.*

consulate *s.* consulat *m.*

consult *v.a.* & *n.* consulter

consultation *s.* consultation *f.*; ~ **room** cabinet *m.* (de consultation)

consume *v.a.* (destroy) consumer; (use up) consommer

consumer *s.* consommateur, -trice *m. f.*; ~ **goods** articles *m.* de grande consommation

consumption *s.* consommation *f.*; (disease) phtisie *f.*; tuberculose *f.*

contact *s.* contact *m.*; *v.a.* entrer en relations avec

contain *v.a.* contenir

container *s.* récipient *m.*

contemplate *v.a.* contempler; projeter

contemplation *s.* contemplation *f.*

contemporary *adj.* & *s.* contemporain (*m.*)

contempt *s.* mépris *m.*

contemptuous *adj.* méprisant

contend *v.n.* lutter contre (pour)

content *s.* contentement *m.*; ~**s** contenu *m.*; **table of** ~**s** table *f.*; des matières; *adj.* content

contest *s.* lutte *f.*; (sport) rencontre *f.*, match *m.*; (dispute) contestation *f.*; *v.a.* contester

continent *s.* continent *m.*

continental *adj.* continental

continual *adj.* continuel

continuation *s.* continuation *f.*; suite *f.*

continue *v.a.* & *n.* continuer

continuous *adj.* continu

contract *s.* contrat *m.*; *v.a.* contracter

contractor *s.* entrepreneur *m.*

contradiction *s.* contradiction *f.*

contrary *adj.* contraire; *adv.* contrairement

contrast *s.* contraste *m.*; *v.a.* mettre en contraste

contribute *v.a.* & *n.* contribuer

contribution *s.* contribution *f.*; article *m.*

contributor *s.* contributant *m.*; collaborateur *m.*

contrive *v.a.* inventer

control *s.* autorité *f.*; maîtrise *f.*; direction *f.*, commande *f.*; *v.a.* gouverner, **commander**, maîtriser, diriger; contrôler

controversy *s.* polémique *f.*, controverse *f.*

convenience *s.* commodité *f.*, convenance *f.*; **public** ~ cabinets *m. pl.* d'aisances

convenient *adj.* commode; **be ~ to s.o.** convenir à qn.

conversation *s.* conversation *f.*

converse *v.n.* converser; causer

convert *v.a.* convertir

convey *v.a.* transporter; transmettre; présenter

conveyance *s.* transport *m.*; voiture *f.*; véhicule *m.*

conveyer *s.* porteur *m.*; **~ belt** band *f.* transporteuse

convict *s.* forcat *m.*; *v.a.* convaincre (de), condamner

convince *v.a.* convaincre (de)

convoy *s.* convoi *m.*

cook *s.* cuisinier, -ière *m. f.*; **head ~** chef *m.*; *v.a.* faire cuire; *v.n.* cuire

cooking *s.* cuisine *f.*

cool *adj.* frais (*f.* fraîche); (fig.) calme; *v.a.* rafraîchir

co-operate *v.n.* coopérer

co-operation *s.* coopération *f.*

copper *s.* cuivre *m.*

copy *s.* copie *f.*; emplaire *m.*; numéro *m.*; *v.a.* copier

copy-book *s.* cahier *m.*

copyright *s.* droit *m.* d'auteur

coral *s.* corail *m.*

cord *s.* corde *f.*

cordial *adj.* cordial

cork *s.* bouchon *m.*

corkscrew *s.* tire-bouchon *m.*

corn *s.* grain *m.*; brains *m. pl.*; (wheat) blé *m.*; (maize) mais *m.*

corner *s.* coin *m.*

corporal *adj.* corporel; *s.* caporal *m.*

corporation *s.* corporation *f.*

corps *s.* corps *m.*

corpse *s.* cadavre *m.*

correct *adj.* correct; exact; *v.a.* corriger, rectifier

correction *s.* correction *f.*; rectification *f.*

correspond *v.n.* correspondre; être conforme (à)

correspondence *s.* correspondance *f.*

correspondent *s.* correspondant *m.*

corresponding *adj.* correspondant

corridor *s.* corridor *m.*; couloir *m.*

corridor-train *s.* train *m.* à couloir

corrupt *adj.* corrompu

cosmetics *s. pl.* cosmétiques *m. pl.*, produits *m. pl.* de beauté

cosmonaut *s.* cosmonaute *m.*

cost *s.* coût *m.*, frais *m. pl.*; prix *m.*; **~ of living** coût de la vie; **at the ~ of** au prix de; *v.n.* coûter

costly *adj.* coûteux

costume *s.* costume *m.*

cosy *adj.* comfortable

cottage *s.* chaumière *f.*

cotton *s.* coton *m.*

couch *s.* canapé *m.*, divan *m.*

cough *s.* toux *f.*; *v.n.* tousser

council *s.* conseil *m.*

councillor *s.* conseiller *m.*

counsel *s.* conseil *m.*; avocat *m.*

count[1] *s.* compte *m.*; (title) comte *m.*

count[2] *v.a. & n.* compter

countenance *s.* visage *m.*; air *m.*

counter *s.* comptoir *m.*, guichet *m.*; jeton *m.*

counterfoil *s.* souche *f.*

countersign *v.a.* contresigner

countless *s.* comtesse *f.*

countless *adj.* innombrable

country *s.* pays *m.*; (not town) campagne *f.*

countryman *s.* campagnard *m.*

countryside *s.* (les) campagnes *f. pl.*

countrywoman *s.* paysanne *f.*

county *s.* comté *m.*

couple *s.* couple *f.*

courage *s.* courage *m.*

courageous *adj.* courageux

course *s.* course *m.*; route *f.*; (meal) service *m.*, plat *m.*; **of ~** bien entendu

court *s.* cour *f.*; tribunal *m.*; court *m.* (de tennis); *v.a.* faire la cour à

courteous *adj.* courtois

courtesy *s.* courtoisie *f.*

courtship *s.* cour *f.*

courtyard *s.* cour *f.*

cousin *s.* cousin, -e *m. f.*

cover *s.* couverture *f.*; couvercle *m.*; (meat) couvert *m.*; (post) envéloppe *f.*; *v.a.* couvrir

cow *s.* vache *f.*

coward *s.* & *adj.* lâche *m.*

crab *s.* crabe *m.*

crack *s.* craquement *m.*; *v.a.* faire craquer; *v.n.* craquer; se fêler

cradle *s.* berceau *m.*

craft *s.* habileté *f.*; embarcation *f.*; métier *m.*; profession *f.*

craftsman *s.* artisan *m.*

cram *v.a.* fourrer; bourrer

crane *s.* grue *f.*

crash *s.* fracas *m.*; débâcle; atterrissage brutal, collision; *v.n.* tomber avec fracas; s'écraser sur le sol

crash-helmet *s.* serre-tête *m.*

crave *v.n.* **~ for** désirer ardemment

crawl *v.n.* ramper; (pers.) se traîner

crayon *s.* crayon *m.*

craze *s.* manie *f.*

crazy *adj.* fou, toqué

creak *s.* cri *m.*, grincement *m.*; *v.n.* crier, grincer

cream *s.* crème *f.*

crease *s.* (faux) pli *m.*

create *v.a.* créer

creation *s.* création *f.*

creature *s.* créature *f.*

credit *s.* crédit *m.*; mérite *m.*; honneur *m.*; **on ~** à terme; **give ~ to** ajouter foir à; *v.a.* ajouter foi à, créditer

creditor *s.* créancier *m.*

creek *s.* crique *f.*

creep *v.n.* ramper; se glisser

crew *s.* équipage *m.*; équipe *f.*

crib *s.* mangeoir *f.*; lit *m.* d'enfant; berceau *m.*

cricket *s.* (game) cricket *m.*

crime *s.* crime *m.*

criminal *adj.* & *s.* criminel, -elle

cripple *s.* estropié *m.*

crisis *s.* crise *f.*

crisp *adj.* croquant, croustillant; (air) vif.

critic *s.* critique *m.*

critical *adj.* critique

criticize *v.a.* critiquer

critique *s.* critique *f.*

croak *v.n.* croasser

crochet *s.* crochet *m.*

crop *s.* récoite *f.*; cueillette *f.*

cross *s.* croix *f.*; *v.a.* croiser, traverser

crossing *s.* passage *m.*; (sea) traversée *f.*; **level ~** passage à niveau

cross-question *s.* contre-interrogatoire *m.*; *v.a.* contre-interroger

cross-reference *s.* renvoi *m.*

crossroad *s.* chemin *m.* de traverse; **~s** carrefour *m.*

cross-section *s.* coupe *f.* en travers

crossword (puzzle) *s.* mots *m. pl.* croisés

crouch *v.n.* se blottir

crow *s.* corneille *f.*

crowd *s.* foule *f.*; tas *m.*

crowded *adj.* encombré, comble

crown *s.* couronne *f.*; *v.a.* couronner

crucial *adj.* décisif

crude *adj.* brut; cru; grossier

cruel *adj.* cruel

cruelty *s.* cruauté *f.*

cruet *s.* burette *f.*

cruise *v.n.* croiser; *s.* voyage *m.*

cruising *adj.* ~ **speed** vitesse *f.* de croisière

crumb *s.* mie *f.*; miette *f.*

crumble *v.a.* émietter; *v.n.* s'emietter

crusade *s.* croisade *f.*

crush *s.* écrasement *m.*; cohue *f.*; *v.a.* écraser

crust *s.* croûte *f.*

crutch *s.* béquille *f.*

cry *s.* cri *m.*; *v.a.* crier; ~ **down** décrier; *v.n.* crier; (weep) pleurer

crystal *s.* cristal *m.*

cub *s.* petit *m.*; (boy scout) louveteau *m.*

cube *s.* cube *m.*

cuckoo *s.* coucou *m.*

cucumber *s.* concombre *m.*

cue *s.* réplique *f.*

cuff *s.* poignet *m.*, manchette *f.*

cufflinks *s. pl.* boutons *m. pl.* de manchette

culminate *v.n.* se terminer

culprit *s.* accusé, -e *m. f.*

cultivate *v.a.* cultiver

cultural *adj.* cultural

culture *s.* culture *f.*

cunning *s.* ruse *f.*, finesse *f.*; *adj.* ruse

cup *s.* tasse *f.*; gobelet *m.*

cupboard *s.* armoire *f.*; placard *m.*

curate *s.* vicaire *m.*

curb *s.* gourmette *f.*

curd *s.* (lait) caillé *m.*

curdle *v.a.* cailler; *v.n.* se cailler

cure *s.* guérison *f.*; cure *f.*; remède *m.*; *v.a.* guérir

curiosity *s.* curiosité *f.*

curious *adj.* curieux

curl *s.* boucle *f.*; *v.a. & n.* boucler, friser; ~ **up** s'enrouler

curly *adj.* bouclé, frisé

currant *s.* **black ~** cassis *m.*; **red ~** groseille *f.* rouge

currency *s.* circulation *f.*, cours *m.*; terme *m.* d'echéance; unité *f.* monétaire, monnaie *f.*; **foreign ~** monnaie étrangère

current *adj.* courant, en cours; **in ~ use** d'usage courant; **~ events** actualités *f.*; **~ account** compte *m.* courant; *s.* courant *m.*; cours *m.*

curse *s.* malédiction *f.*; *v.a.* maudire; *v.n.* blasphémer

curtain *s.* rideau *m.*

curve *s.* courbe *f.*

cushion *s.* coussin *m.*

custom *s.* coutume *f.*; **~s** douane *f.*; **~s duties** droits *m.* de douane; **~s declaration** déclaration *f.* de douane; **~s formalities** la visite de la douane

customary *adj.* coutumier; accoutumé

custom-house *s.* client *m.*, acheteur *m.*

cut *v.a.* couper; trancher; tailler; hacher; ~ **down** abattre, coupler; réduire; ~ **off** couper; ~ **out** tailler; ~ **up** couper, débiter; *s.* (knife) coup *m.*; (wound) **coupure** *f.*; (clothes) coupe *f.*; (meat) morceau *m.*; (in wages) réduction *f.*

cutlery *s.* coutellerie *f.*

cutlet *s.* côtelette *f.*

cutter *s.* tailleur *m.*; coupeur *m.*

cycle *s.* cycle *m.*; bicyclette *f.*; *v.n.* pédaler

cycling *s.* cyclisme *m.*

cylinder *s.* cylindre *m.*

cynic *adj. & s.* cynique *m.*

Czech *adj.* tchèque; *s.* Tchèque *m.*

D

dad, daddy *s.* papa *m.*

dagger *s.* poignard *m.*

daily *adj.* journalier, quotidien; *s.* (journal) quotidien *m.*

dainty *adj.* friand, délicat; gentil; *s.* friandise *f.*

dairy *s.* laiterie *f.*

daisy *s.* marguerite *f.*

dam *s.* barrage *m.*; digue *f.*

damage *s.* dommage *m.*; préjudice *m.*; ~**s** dommages-intérêts *m.*

damn *v.a.* condamner; *s.* juron *m.*

damp *adj.* humide; *s.* humidité *f.*; *v.a.* mouiller, humecter

dance *s.* danse *f.*; bal *m.*; *v.a. & n.* danser

dancer *s.* danseur, -euse *m. f.*

dancing-hall *s.* salle *f.* de danse; dancing *m.*

dancing-shoes *s. pl.* souliers *m.* de bal, escarpins *m.*

Dane *s.* Danois, -e *m. f.*

danger *s.* danger *m.*

dangerous *adj.* dangereux

dare v. aux. & a. oser

daring *adj.* audacieux

dark *adj.* obscur, combre; (colour) foncé; (fig.) triste; **be** ~ faire sombre; *s.* obscurité *f.*; **in the** ~ dans l'obscurité

darken v.a obscurcir

darkness *s.* obscurité *f.*

darling *adj. & s.* chéri, -e

darn *v.a.* repriser

darning *s.* reprise *f.*

dart *s.* dard *m.*; ~**s** (game) fléchettes *f. pl.*

dash *v.a.* lancher; flanquer (par terre); ~ **to pieces** briser en morceaux; *v.n.* ~ **against** se heurter contre; ~ **at** se précipter sur; *s.* (with pen) trait *m.*, tiret *m.*; (vigour) élan *m.*, fougue *f.*; attaque *f.* soudaine

dashboard *s.* tablier *m.*; tableau *m.* de bord

data *s. pl.* données *f.*

date[1] *s.* date *f.*; millésime *m.*; **be up to** ~ être à la page; *v.a. & n.* dater

date[2] *s.* datte *f.*

daughter *s.* fille *f.*

daughter-in-law *s.* belle-fille *f.*

dawn *s.* point *m.* du jour; aube *f.*

day *s.* jour *m.*; (whole day) journée *f.*

daylight *s.* jour *m.*

daytime *s.* jour *m.*, journée *f.*

daze *v.a.* étourdir; éblouir

dazzle v.c. éblouir

deacon *s.* diacre *m.*

dead *adj.* mort; **the** ~ les morts *m. pl.*

deadly *adj.* morte !

deaf *adj.* sourd; **~ and dumb** sourd-muet

deal *v.a.* **~ out** distribuer; donner; *v.n.* **~ with** traiter qn.; commercer, traiter avec qn.; traiter (d'un sujet); **~ in** commercer de; *s.* (cards) donne *f.*; (commerce) affaire *f.*; **a good ~, a great ~** beaucoup (de)

dealer *s.* marchand *m.* (in de)

dean *s.* doyen *m.*

dear *s. & adj.* cher *m.*, chère *f.*

death *s.* mort *f.*

debate *s.* débat *m.*, discussion *f.*; *v.a.* discuter, mettre en discussion

debt *s.* dette *f.*

debtor *s.* débiteur, -trice *m. f.*

decay *s.* décadence *f.*; *v.n.* tomber en décadence; pourrir

decease *s.* décès *m.*; *v.n.* décéder

deceit *s.* déception *f.*; tromperie *f.*

deceive *v.a.* tromper; décevoir

December *s.* décembre *m.*

decent *adj.* décent; assez bon

deception *s.* déception *f.*

decide *v.a.* décider

decision *s.* décision *f.*

decisive *adj.* décisif

deck *s.* pont *m.*

deck-chair *s.* transatlantique *f.*

declaration *s.* déclaration *f.*

declare *v.a.* déclarer

decline *s.* décadence *f.*; *v.a.* décliner; *v.n.* baisser

decorate *v.a.* décorer (de)

decoration *s.* décoration *f.*

decrease *v.a. & n.* diminuer; *s.* diminution *f.*

decree *s.* décret *m.*

dedicate *v.a.* dédier

deed *s.* action *f.*; acte *m.*

deem *v.a.* juger

deep *adj.* profond; **ten feet ~** dix pieds de profondeur

deer *s.* cerf *m.*

deface *v.a.* défigurer

defeat *s.* défaite *f.*; *v.a.* vaincre

defect *s.* défaut *m.*

defence *s.* défense *f.*

defend *v.a.* défendre

defender *s.* défenseur *m.*

defer *v.a.* retarder, ajourner; **~ to** déférer à

defiance *s.* défi *m.*; **set at ~** défier

deficiency *s.* manque *m.*

deficient *adj.* insuffisant

defile *s.* défilé *m.*; *v.n.* défiler; *v.a.* souiller

define *v.a.* définer

definite *adj.* déterminé, défini

definition *s.* définition *f.*

defy *v.a.* défier; braver

degrade *v.a.* dégrader

degree *s.* degré *m.*; (university) grade *m.*; diplôme *m.*

delay *s.* retard *m.*, délai *m.*; *v.a.* retarder; différer; *v.n.* tarder

delegate *s.* délégué *m.*

delegation *s.* délégation *f.*

deliberate *adj.* délibéré; *v.a. & n.* délibérer

delicacy *s.* délicatesse *f.*

delicate *adj.* délicat

delicious *adj.* délicieux

delight *v.a.* **be ~ ed** at être enchanté de

delightful *adj.* délicieux

delinquent *s.* délinquant *m.*

deliver *v.a.* (letters) distribuer, (goods, etc.) livrer, (message) remettre; (speech) faire, prononcer; (free) délivrer; **be ~ed** of accoucher de

delivery *s.* (letters) distribution *f.*, (message) remise *f.*, (goods) livraison *f.*; (speech) prononciation *f.*, débit *m.*

delusion *s.* illusion *f.*

demand *s.* demande *f.*, réclamation *f.*; *v.a.* demander, réclamer

democracy *s.* démocratie *f.*

democrat *s.* démocrate *m.*

democratic *adj.* démocratique

demolish *v.a.* démolir

demonstrate *v.a.* démontrer

demonstration *s.* démonstration *f.*

den *s.* antre *m.*

denial *s.* dénégation *f.*

denomination *s.* dénomination *f.*; secte *f.*

denote *v.a.* dénoter

denounce *v.a.* dénoncer

dense *adj.* dense, épais

density *s.* densité *f.*

dentist *s.* dentiste *f.*

denture *s.* (artificial) dentier *m.*

deny *v.a.* nier

depart *v.n.* partir

department *s.* département *m.*

departure *s.* départ *m.*

depend *v.n.* dépendre (de), compter (sur)

dependence *s.* dépendance *f.*

dependent *adj.* dépendant

deplore *v.a.* déplorer

deposit *s.* dépôt *m.*; *v.a.* déposer

depot *s.* dépôt *m.*

depression *s.* abattement *m.*

deprive *v.a.* priver (de)

depth *s.* profondeur *f.*

deputy *s.* délégué *m.*; vice-, sous-

derive *v.a.* retirer (de); **be ~d from** dériver de

descend *v.n.* descendre

descendant *s.* descendant, -e *m. f.*

descent *s.* descente *f.*

describe *v.a.* décrire

description *s.* description *f.*; sorte *f.*

desert *s.* désert *m.*; *v.a.* déserter

deserve *v.a.* mériter

design *s.* dessein *m.*; projet *m.*; dessin *m.*; *v.a.* dessiner

desirable *adj.* désirable

desire *s.* désir *m.*; *v.a.* désirer

desk *s.* bureau *m.*

desolation *s.* désolation *f.*

despair *s.* désespoir *m.*; *v.n.* désespérer

despatch see dispatch

desperate *adj.* désespéré

despise *v.a.* mépriser

despite *prep.* ~ **(of)** en dépit de

dessert *s.* dessert *m.*

destination *s.* destination *f.*

destine *v.a.* desinter

destiny *s.* destin *m.*, destinée *f.*

destroy *v.a.* détruire

destruction *s.* destruction *f.*

detach *v.a.* détacher

detachment *s.* détachement *m.*

detail *s.* détail *m.*

detain *v.a.* retenir; détenir

detect *v.a.* découvrir

detective *s.* détective *m.*

detention *s.* détention *f.*

detergent *s.* détergent *m.*

deteriorate *v.n.* se détériorer

determination *s.* détermination *f.*

determine *v.a.* & *n.* déterminer, décider

detrimental *adj.* préjudiciable

develop *v.a.* développer; *v.n.* se développer

development *s.* développement *m.*

deviation *s.* déviation *f.*

device *s.* expédient *m.*; invention *f.*

devil *s.* diable *m.*

devlish *adj.* diabolique

devise *v.a.* combiner; tramer

devote *v.a.* consacrer

devoted *adj.* dévoué

devotion *s.* dévotion *f.*; dévouement *m.*

devour *v.a.* dévorer

dew *s.* rosée *f.*

diagnosis *s.* diagnostic *m.*

diagram *s.* diagramme *m.*

dial *s.* cadran *m.*; *v.a.* compser un numéro

dialogue *s.* dialogue *m.*

diameter *s.* diamètre *m.*

diamond *s.* diamant *m.*; (cards) carreau *m.*

diaper *s.* couche *f.*

diarrhoea *s.* diarrhée *f.*

diary *s.* journal *m.*; agenda *m.*

dictate *v.a.* dicter; *v.n.* ~ **to** donner des ordres à

dictation *s.* dictée *f.*

dictator *s.* dictateur *m.*

dictionary *s.* dictionnaire *m.*

die[1] *s.* dé *m.*

die[2] *v.n.* mourir

Diesel engine *s.* moteur *m.* Diesel; diesel *m.*

diet *s.* alimentation *f.*; régime *m.*

differ *v.n.* différer

difference *s.* différence *f.*

different *adj.* différent

difficult *adj.* difficile

difficulty *s.* difficulté *f.*

diffuse *adj.* diffus

dig *v.a.* bêcher

digest *v.a.* digérer

digestion *s.* digestion *f.*

dignity *s.* dignité *f.*

diligent *adj.* diligent

dim *adj.* faible, pâle, obscur

dimension *s.* dimension *f.*

diminish *v.a.* & *n.* diminuer

dimple *s.* fossette *f.*

dine *v.n.* diner

dining-car *s.* wagon-restaurant *m.*

dining-hall *s.* salle *f.* à manger; réfectoire *m.*

dining-room *s.* salle *f.* à manger

dinner *s.* dîner *m.*

dinner jacket *s.* smoking *m.*

dip *v.a.* & *n.* plonger

diploma *s.* diplôme *m.*

diplomacy *s.* diplomatie *f.*

diplomat *s.* diplomate *m.*

diplomatic *adj.* diplomatique

direct *adj.* direct; *v.a.* diriger; commander; adresser

direction *s.* direction *f.*; instructions *f. pl.*

directly *adv.* directement; tout de suite

director *s.* directeur *m.*

directory *s.* annuaire *m.*; Bottin *m.*

dirt *s.* saleté *f.*; boue *f.*, crotte *f.*; crasse *f.*

dirty *adj.* sale; crotté; crasseux

dirty *adj.* sale; crotté; crasseux

disadvantage *s.* désavantage *m.*

disagree *v.n.* différer; se brouiller; ne pas convenir (à)

disagreeable *adj.* désagréable
disappear *v.n.* disparaître
disappearance *s.* disparition *f.*
disappoint *v.a.* désappointer; tromper
disappointment *s.* désappointement *m.*
disapprove *v.n.* ~ **of** désapprouver qch.
disaster *s.* désastre *m.*
disastrous *adj.* désastreux
disc see **disk**
discern *v.a.* discerner
discharge *v.a.* décharger; (employee) congédier; renvoyer; (prisoner) élargir; (gas) dégager; (debt) liquider; (duty) s'aquitter de; *s.* décharge *f.*; (employee) congé *m.*; (prison) élargissement *m.*
discipline *s.* discipline *f.*
disclose *v.a.* découvrir
discontented *adj.* mécontent (de)
discourage *v.a.* décourager
discouragement *s.* découragement *m.*
discourse *s.* discours *m.*
discover *v.a.* découvrir
discovery *s.* découverte *f.*
discredit *s.* discrédit *m.*; *v.a.* discréditer
discreet *adj.* discret
discretion *s.* discrétion *f.*; prudence *f.*
discuss *v.a.* discuter
discussion *s.* discussion *f.*
disdain *v.a.* dédaigner; *s.* dédain *m.*
disease *s.* maladie *f.*
disembark *v.a.* & *n.* débarquer
disgrace *s.* disgrâce *f.*; *v.a.* disgracier
disgraceful *adj.* honteux
disguise *s.* déguisement; *v.a.* déguiser
disgust *s.* dégoût *m.*; *v.a.* dégoûter
disgusting *adj.* dégoûtant
dish *s.* plat *m.*; mets *m.*; **wash up the ~es** laver la vaisselle
dishonest *adj.* malhonnête
dishonour *s.* déshonneur *m.*; *v.a.* déshonorer (bill) ne pas honorer
disinfect *v.a.* désinfecter
disk *s.* disque *m.*
dislike *s.* aversion *f.*, dégoût *m.*; *v.a.* ne pas aimer
dismal *adj.* lugubre, sombre
dismay *s.* consternation *f.*
dismiss *v.a.* congédier; bannir, écarter
disobedience *s.* désobéissance *f.*
disobedient *adj.* désobéissant
disobey *v.a.* désobéir (à)
disorder *s.* désordre *m.*
dispatch *s.* expédition *f.*; dépêche *f.*
dispensary *s.* pharmacie *f.*
dispense *v.a.* dispenser; préparer; *v.n.* ~ **with** se disposer de
disperse *v.a.* disperser
displaced *adj.* ~ **person** personne *f.* déplacée
displacement *s.* déplacement *m.*
display *v.a.* exposer; étaler; déployer, faire preuve de; *s.* exposition *f.*; étalage *m.*; parade *f.*
displease v.a déplaire à
disposal *s.* **at s.o.'s ~** à la disposition de qn.
dispose *v.n.* ~ **of** disposer de; vendre
disposition *s.* disposition *f.*
dispute *s.* dispute *f.* discuission *f.*; via. discuter; *v.n.* se disputer

disqualify *v.a.* disqualifier
dissatisfy *v.a.* mécontenter
dissolve *v.a.* dissoudre; *v.n.* se dissoudre
distance *s.* distance *f.*
distant *adj.* lointain; éloigné
distil *v.a. & n.* distiller
distinct *adj.* distinct (de); marqué
distinction *s.* distinction *f.*
distinguish *v.a.* distinguer
distract *v.a.* distraire
distraction *s.* distraction *f.*; confusion *f.*
distress *s.* détresse *f.*; *v.a.* affliger
distribute *v.a.* distribuer
distribution. *s.* distribution *f.*
district *s.* région *f.*, contrée *f.*; district *m.*
disturb *v.a.* troubler; déranger
disturbance *s.* trouble *m.*, dérangement *m.*
ditch *s.* fossé *m.*
dive *v.n.* plonger (into dans)
diver *s.* plongeur *m.*, scaphandrier *m.*
divergent *adj.* divergent diversion *s.* déviation *f.*
divide *v.a.* divider
dividend *s.* dividende *m.*
divine *adj.* divin
divinity *s.* théologie *f.*
division *s.* division *f.*
divorce *s.* divorce *m.*; *v.a.* divorcer (d'avec)
dizzy *adj.* **feel** ~ avoir le vertige
do *v.a.* faire; finir; ~ **away with** supprimer; ~ **up** envelopper; ~ **with** se contenter de
dock *s.* bassin *m.*
doctor *s.* docteur *m.*; médecin *m.*
doctrine *s.* doctrine *f*
document *s.* document *m.*
dog *s.* chien *m.*
dogma *s.* dogme *m.*
doll *s.* poupée *f.*
dollar *s.* dollar *m.*
domestic *adj. & s.* domestique (*m. f.*)
domicile *s.* domicile *m.*
dominate *v.a. & n.* dominer
dominion *s.* domination *f.*; **~s** colonies *f.*
donkey *s.* âne *m.*
doom *s.* sentence *f.*; *v.a.* condamner; **~ed to** voué à
door *s.* porte *f.*; (vehicle) portière *f.*
dormitory *s.* dortoir *m.*
dose *s.* dose *f.*
dot *s.* point *m.*
double *adj. & s.* doubel (*m.*)
doubt *s.* doute *m.*; **no** ~ sans doute; *v.a. & n.* douter
doubtful *adj.* douteux
doubtless *adj.* sans doute
dough *s.* pâte *f.*
dove *s.* colombe *f.*
down *adv.* à bas, en bas, par en bas; **be ~ with** (illness) être au lit avec; **fall** ~ tomber à terre; **go** ~ aller an bas; *prep.* le long de; ~ **the river** en aval; ~ **the street** plus bas dans la rue
downhill *s.* pente *f.*; *adv.* en pente, en descendant
downstairs *adv.* en bas
downwards *adv.* en bas
dozen *s.* douzaine *f.*
draft *s.* projet *m.*; (letter) minute *f.*; (troops) détachement *m.*; (drawing) esquisse *f.*
drag *v.a.* traîner; tirer

drain *s.* égout *m.*, canal *m.*; *v.a.* drainer; vider

drama *s.* drame *m.*; théâtre *m.*

dramatic *adj.* dramatique

draper *s.* marchand *m.* d'étoffes (marchand) drapier *m.*; **~'s** magasin *m.* de nouveautés

draught *s.* tirage *m.*; (drink) trait *m.*; (air) courant *m.* d'air

draw *v.a.* (pull) tirer, traîner; (tooth) arracher; (sketch) dessiner; **~ down** baisser; **~ on** tirer; **~ out** prolonger; *v.n.* tirer; **~ near** s'approcher

drawer *s.* tiroir *m.*

drawing *s.* dessin *m.*

drawing-pin *s.* punaise *f.*

drawing-room *s.* salon *m.*

dread *v.a.* redouter

dreadful *adj.* redoutable

dream *s.* rêve *m.*; *v.a. & n.* rêver

dress *s.* habits *m. pl.*; robe *f.*; *v.a.* habiler; *v.n.* s'habiler; **~ a wound** panser

dress-circle *s.* (premier) balcon *m.*

dressing-gown *s.* (woman) peignoir *m.*, (man) robe *f.* de chambre

dressmaker *s.* couturière *f.*

drift *v.n.* flotter; dériver; *s.* dérive *f.*; amoncellement *m.*

drill *s.* foret *m.*; (soldiers) exercice *m.*

drink *s.* boisson *f.*; *v.a.* boire

drip *v.n.* dégoutter

drive *v.a.* conduire; **~ in** (nail) enfoncer; *v.n.* conduire; aller an voiture

driver *s.* (engine) mécanicien *m.*; (bus) conducteur *m.*; (car) chauffeur *m.*

driving *s.* conduite *f.*; **~ licence** permis *m.* de conduire

drop *s.* goutte *f.*; *v.a.* laisser tomber; abandonner; *v.n.* (dé)-goutter; **~ in** entrer en passant

drown *v.a.* noyer; *v.n.* se noyer

drug *s.* drogue *f.*

druggist *s.* droguiste *m.*

drum *s.* tambour *m.*

drunk *adj.* ivre

dry *adj.* sec, sèche; aride; tari; *v.a.* sécher

dry-clean *v.a.* nettoyer à sec

dual *adj.* double

dub *v.a.* doubler

duchess *s.* duchesse *f.*

duck *s.* cane *f.*; canard *m.*

due *adj.* (proper) dû; (owing) exible; échéant, payable; **in ~ form** en bonne et due forme; **in ~ time** en temps voulu; **~ to** causé par, par suite de; **the train is ~ at** le train arrive à; *s.* dû *m.*; droit *m.*

duke *s.* duc *m.*

dull *adj.* borné; ennuyeux; (colour) terne; (weather, sad) triste

dumb *adj.* muet

dummy *s.* mannequin *m.*; (cards) mort *m.*

dung *s.* fumier *m.*

dupe *s.* dupe *f.*; *v.a.* duper

duplicate *s.* duplicata *m.*; *adj.* en double; *v.a.* daire en double

during *adv.* pendant, au cours de

dusk *s.* crépuscule *m.*

dust *s.* poussière *f.*

dustbin *s.* poubelle *f.*

dusty *adj.* poussiéreux, poudreux

Dutch *adj.* hollandais

Dutchman *s.* Hollandais *m.*

duty *s.* devoir *m.*; (customs) droit *m.*; (task) tâche *f.*, fonction(s) *f.* (*pl.*); **be on** ~ être de service
duty-free *adj.* exempt de droits, en franchise
dwarf *s.* nain, -e *m. f.*
dwell *v.n.* habiter; ~ **(up)on** s'appesantir sur
dwelling *s.* habitation *f.*
dwelling-house *s.* maison *f.* d'habitation
dwindle *v.n.* diminuer
dye *s.* teinte *f.*, teinture *f.*; *v.a.* teindre
dynasty *s.* dynastie *f.*

E

each *pron.* chacun, -e; ~ **other** l'un l'autre; *adj.* chaque
eager *adj.* ardent
eagle *s.* aigle *m.*
ear *s.* oreille *f.*
earl *s.* comte *m.*
early *adv.* de bonne heure; *adj.* précoce; premier
earn *v.a.* gagner; mériter
earnest *adj.* sérieux
earnings *s. pl.* salaire *m.*
earth *s.* terre *f.*
earthenware *s.* poterie *f.*
earthquake *s.* tremblement *m.* de terre
ease *s.* aise *f.*; repos *m.*; **at one's** ~ à son aise; **with** ~ avec facilité
east *s.* est *m.*; *adj.* d'est, de l'est; *adv.* à l'est (de)
Easter *s.* Pâques *m. pl.*
eastern *adj.* (de l')est, oriental
eastwards *adv.* vers l'est
easy *adj.* facile
easy-chair *s.* fauteuil *m.*
easy-going *adj.* nonchalant
eat *v.a.* manger; up finir; dévorer
ebb *s.* reflux *m.*
ecclesiastic *adj.* & *s.* ecclésiastique (*m.*)
economic *adj.* économique
economical *adj.* économe
economics *s.* économie *f.* politique
economize *v.n.* faire des économes
economy *s.* économie *f.*
ecstasy *s.* extase *f.*
edge *s.* tranchant *m.*, fil *m.*; bord *m.*
edition *s.* édition *f.*
editor *s.* rédacteur *m.*
editorial *s.* article *m.* de fond
educate *v.a.* élever
education *s.* éducation *f.*
effect *s.* effet *m.*
effective *adj.* efficace; effectif
efficiency *s.* efficacité *f.*
efficient *adj.* capable
effort *s.* effort *m.*
egg *s.* oeuf *m.*; **boiled** ~ oeuf à la coque; **fried** ~ oeuf sur le plat
Egyptian *adj.* égyptien; *s.* Egyptien, -enne *m. f.*
eight *adj.* & *s.* huit
eighteen *adj.* & *s.* dix-huit
eighteenth *adj.* dix-huitième
eighth *adj.* huitième
eighty *adj.* & *s.* quatre-vingt(s)
either *pron.* & *adj.* l'un ou l'autre; chacun; chaque; ~ **... or** ou ... ou
elaborate *v.a.* élaborer; *adj.* minutieux
elastic *adj.* élastique
elbow *s.* coude *m.*
elderly *adj.* d'un certain âge
elect *v.a.* choisir; élire
election *s.* élection *f.*

electric(al) *adj.* électrique; **~al engineer** (ingénieur) électricien *m.*

electricity *s.* électricité *f.*

electron *s.* électron *m.*

electronic *adj.* électronique

elegance *s.* élégance *f.*

elegant *adj.* élégant

element *s.* élément *m.*

elementary *adj.* élémentaire

elephant *s.* éléphant *m.*

elevate *v.a.* élever

eleven *adj.* & *s.* onze

eleventh *adj.* onzième

elm *s.* orme *m.*

else *adj.* autre; **anything ~, madam?** encore quelque chose, Madame ?; *adv.* **or ~** ou bien, autrement

elsewhere *adv.* ailleurs

embankment *s.* remblai *m.*

embark *v.a.* embarquer; *v.n.* s'embarquer

embarrass *v.a.* embarrasser

embassy *s.* ambassade *f.*

embrace *v.a.* embrasser

embroidery *s.* broderie *f.*

emerge *v.n.* émerger; apparaitre

emergency *s.* circonstance *f.* critique; **in case of ~** en cas d'accident or d'urgence; **~ exit** sortie *f.* de secours

emigrant *s.* émigrant, -e *m. f.*

emigrate *v.n.* émigrer

emigration *s.* émigration *f.*

eminent *adj.* éminent

emit *v.a.* émettre

emotion *s.* émotion *f.*

emphasis *s.* accent *m.*, force *f.*; **lay ~ on** appuyer sur

emphasize *v.a.* appuyer sur

empire *s.* empire *m.*

employ *v.a.* employer

employee *s.* employé *m.*

employer *s.* employeur *m.*

employment *s.* emploi *m.*

empty *adj.* vide

enable *v.a.* rendre capable

enclose *v.a.* entourer (de); joindre (à une lettre)

encounter *v.a.* affronter; rencontrer

encourage *v.a.* encourager

encouragement *s.* encouragement *m.*

encyclopaedia *s.* encylopédie *f.*

end *s.* bout *m.*; fin *f.*; *v.a.* & *n.* finir; **~ in** finir en

endeavour *s.* effort *m.*; *v.n.* s'efforcer (à or de)

ending *s.* terminaison *f.*; fin *f.*

endless *adj* sans fin

endorse *v.a.* endosser

endorsement *s.* endossement *m.*

endow *v.a.* doter (de)

endure *v.a.* supporter, endurer

enemy *s.* ennemi, -e *m. f.*

energetic *adj.* énergique

energy *s.* énergie *f.*

enforce *v.a.* imposer; (law) faire exécuter

engage *v.a.* engager; fiancer; **be ~d** être occupé; être fiancé(e)

engagement *s.* engagement *m.*; fiançailles *f. pl.*

engine *s.* machine *f.*

engine-driver *s.* mécanicien *m.*

engineer *s.* ingénieur *m.*

English *adj.* anglais

Englishman *s.* Anglais *m.*

Englishwoman *s.* Anglaise *f.*

enjoy *v.a.* jouir de; trouver bon; ~ **oneself** s'amuser
enjoyment *s.* jouissance *f.*
enlarge *v.a.* agrandir
enlist *v.a.* enrôler
enormous *adj.* énorme
enough *adj. & adv.* assez (de)
enquire see inquire
enrage *v.a.* exaspérer
enrol(l) *v.a.* enrôler
ensign *s.* (flag) drapeau *m.*, pavillon *m.*; (pers.) porte-drapeau *m.*
ensue *v.n.* s'ensuivre
enter *v.a.* entrer (dans); (in list) inscrire
enterprise *s.* entreprise *f.*
entertain *v.a.* amuser; recevoir; avoir (une opinion)
entertainment *s.* divertissement *m.*; amusement *m.*; hospitalité *f.*
enthusiasm *s.* enthousiasme *m.*
enthusiastic *adj.* enthousiaste
entire *adj.* entier
entirely *adj.* entièrement
entitle *v.a.* **be ~d** to avoir droit à
entrance *s.* entrée *f.*; ~ **examination** examen d'entrée *m.*
entreat *v.a.* supplier
entry *s.* entrée *f.*; inscription *f.*
enumerate *v.a.* énumérer
envelope *s.* enveloppe *f.*
envious *adj.* envieux (de)
environment *s.* milieu *m.*
envy *s.* envie *f.*; *v.a.* envier
epidemic *s.* épidémie *f.*
equal *adj.* égal
equality *s.* égalité *f.*
equation *s.* équation *f.*
equip *v.a.* équiper
equipment *s.* équipement *m.*
erase *v.a.* effacer
erect *adj.* droit; *v.a.* dresser; ériger
err *v.n.* errer
error *s.* erreur *f.*
escalator *s.* escalator *m.*, escalier *m.* roulant
escape *v.n.* (s')échapper; *s.* fuite *f.*
escort *s.* escorte *f.*; *v.a.* escorter
essay *s.* essai *m.*, composition
essential *adj.* essentiel
establish *v.a.* établir
establishment *s.* établissement *m.*
estate *s.* propriété *f.*; biens *m. pl.*
esteem *s.* estime *f.*; *v.a.* estimer
estimate *s.* estimation *f.*; évaluation *f.*; *v.a.* estimer
eternal *adj.* éternel
eucharist *s.* eucharistie *f.*
European *adj.* européen
evacuate *v.a.* évacuer
even *adj.* uni; égal; pair; *adv.* même; ~ **if** méme si
evening *s.* soir *m.*; (party) soirée *f.*
event *s.* événement *m.*
eventual *adj.* éventuel
ever *adv.* toujours; (any time) jamais
evermore *adv.* toujours
every *adj.* (all) tous; (each) chaque; ~ **day** tous les jours
everybody *pron.* tout le monde
everyday *adj.* de tous les jours
everyone see everybody
everything *pron.* tout *m.*
everywhere *adv.* partout
evidence *s.* évidence *f.*
evident *adj.* évident
evil *s.* mal *m.*; *adj.* mauvais
evolution *s.* évolution *f.*
ewe brebis *f*

exact *adj.* exact

exactly *adv.* exactement

exaggerate *v.a.* exagérer

exaggeration *s.* exagération *f.*

examination *s.* examen *m.*

examine *v.a.* examiner; vérifier; (customs) visiter

example *s.* example *m.*; **for** ~ par exemple

excavation *s.* fouille *f.*

exceedingly *adv.* excessivement

excel *v.a.* surpasser; *v.n.* exceller à

excellent *adj.* excellent

except *v.a.* excepter; *prep.* excepté; sauf; ~ **for** exception faite pour

exception *s.* exception *f.*

exceptional *adj.* exceptionnel

excess *s.* excès *m.*; ~ **luggage** excédent *m.* de bagages

excessive *adj.* excessif

exchange *s.* échange *m.*; (telephone) bureau central *m.*; **foreign** ~ change *m.*; *v.a.* échanger

excite *v.a.* exciter

excitement *s.* excitation *f.*

exclaim *v.n.* s'ecrier

exclamation *s.* exclamation *f.*

exclude *v.a.* exclure

exclusive *adj.* exclusif

excursion *s.* excursion *f.*

excuse *s.* excuse *f.*; *v.a.* excuser

execute *v.a.* exécuter

execution *s.* exécution *f.*

executive *adj.* & *s.* exécutif *m.*; agent *m.* d'exécution

exempt *adj.* exempt (de); *v.a.* exempter (de)

exercise *s.* exercice *m.*; *v.a.* exercer

exertion *s.* effort *m.*

exhaust *v.a.* épuiser

exhaust-pipe *s.* tuyau *m.* d'échappement

exhibit *v.a.* présenter, exhiber; exposer

exhibition *s.* exhibition *f.*; exposition *f.*

exist *v.n.* exister

existence *s.* existence *f.*

exit *s.* sortie *f.*

expand *v.a.* étendre; dilater

expansion *s.* expansion *f.*

expect *v.a.* attendre, s'attendre à; (think) croire

expedient *s.* expédient *m.*

expedition *s.* expédition *f.*

expel *v.a.* expulser

expense *s.* dépense *f.*

expensive *adj.* coûteux, cher

experience *s.* expérience *f.*; *v.a.* éprouver

experiment *s.* expérience *f.*; *v.n.* faire des expériences, expérimenter

experimental *adj.* expérimental

expert *s.* expert *m.*

expire *v.n.* expirer

explain *v.a.* expliquer

explanation *s.* explication *f.*

exploration *s.* exploration

explore *v.a.* explorer

explosion *s.* explosion *f.*

export *s.* exportation *f.*; ~**s** articles *m. pl.* d'exportation; *v.a.* exporter

exporter *s.* exportateur *m.*

expose *v.a.* exposer

exposure *s.* exposition *f.*; révélation *f.*

express *adj.* exprès; formel; exact; ~ **letter** lettre *f.* par exprès; *s.* (train) express *m.*; *v.a.* exprimer

expression *s.* expression *f.*
exquisite *adj.* exquis
extend *v.a.* étendre; prolonger
extension *s.* extension *f.*; prolongation *f.*
extensive *adj.* étendu, vaste
extent *s.* étendue *f.*
extinguish *v.a.* éteindre
extra *adj.* supplémentaire
extract *s.* extrait *m.*; *v.a.* extraire
extraordinary *adj.* extraordinaire
extravagant *adj.* extravagant
extreme *adj.* & *s.* extrême (*m.*)
extremely *adv.* extrêmement
extremity *s.* extrèmité *f.*
eye *s.* oeil *m.*
eyebrow *s.* sourcil *m.*
eyelid *s.* paupière *f.*
eyepiece *s.* oculaire *m.*

F

fable *s.* fable *f.*
fabric *s.* tissu *m.*; textile *m.*
face *s.* visage *m.*; face *f.*; figure *f.*; **in ~ of** devant; *v.a.* affronter, faire face à, braver
facility *s.* facilité *f.*
fact *s.* fait *m.*; **in ~** de fait; en effet
factor *s.* facteur *m.*; élément *m.*
factory *s.* fabrique *f.*; usine *f.*
faculty *s.* faculté *f.*
fade *v.n.* se faner; **~ away** s'évanouir
fail *v.n.* manquer (de); (not succeed) échouer, (in an exam) être refusé
failure *s.* insuccès *m.*
faint *v.n.* s'évanouir
fair *adj.* beau; bel, belle; (hair) blond; (just) juste: (weather) clair; **~ play** jeu loyal *m.*
fairly *adv.* assez bien
faith *s.* foi *f.*
faithful *adj.* fidèle
falcon *s.* faucon *m.*
fall *v.n.* tomber; baisser; **~ back on** avoir recours à; **~ in** s'effondrer; **~ off** se déprécier; **~ under** être compris dans; *s.* chute *f.*; baisse *f.*
false *adj.* faux; artificiel
falter *v.n.* hésiter
fame *s.* réputation *f.*; renommée *f.*
familiar *adj.* familier, intime (avec)
family *s.* famille *f.*
famous *adj.* célèbrre, fameux
fan[1] *s.* éventail *m.*; ventilateur *m.*
fan[2] *s.* passionné, -e *m. f.*, fervent *m.*
fancy *s.* fantaisie *f.*; imagination *f.*
fantastic *adj.* fantastique; fantasque
far *adv.* loin; **~ off** au loin; **as ~ as** autant que; **by ~ de** beaucoup; **how ~ is it?** à quelle distance est-ce ?; *adj.* lointain
fare *s.* prix de (la) place *m.*; (taxi) prix de la course *m.*; (food) chère *f.*
farewell *s.* adieu *m.*; **bid ~ to** dire adieu à
farm *s.* ferme *f.*
farmer *s.* fermier *m.*
farming *s.* agriculture *f.*
farmyard *s.* cour *f.* de ferme
farther *adv.* plus loin (que)
fashion *s.* mode *f.*; manière *f.*
fashionable *adj.* élégant
fast *adj.* vite, rapide; **be ~** (clock) avancer; *adv.* vite
fasten *v.a.* attacher

fastener *s.* attache *f.*; agrafe *f.*; **zip ~** fermeture éclaire *f.*

fat *adj.* gros, gras; *s.* gras *m.*; graisse *f.*

fatal *adj.* fatal

fate *s.* destin *m.*, sort *m.*

father *s.* père *m.*

father-in-law *s.* beau-père *m.*

fatigue *s.* fatigue *f.*

fault *s.* défaut *m.*; faute *f.*

faultless *adj.* sans faute

faulty *adv.* défectueux

favour *s.* faveur *f.*; **in ~ of** en faveur de; **do a ~** rendre un service (à)

favourable *adj.* favorable

favourite *adj.* favori

fear *s.* crainte *f.*; *v.a. & n.* craindre

fearful *adj.* affreux, effrayant

feast *s.* fête *f.*; festin *m.*

feat *s.* exploit *m.*

feather *s.* plume *f.*

feature *s.* trait *m.*; caractéristique *f.*; **~ film** le grand film

February *s.* février *m.*

federal *adj.* fédéral

federation *s.* fédération *f.*

fee *s.* honoraires *m. pl.*; (school) **~s** frais *m. pl.*

feeble *adj.* faible

feed *v.a.* nourrir; paître

feel *v.a. & n.* (se) sentir; éprouver, ressentir, (with hand) toucher; tâter; **~ cold** avoir froid

feeling *s.* sentiment *m.*

fellow *s.* camarade *m.*; compagnon *m.*; garçon *m.*; (of a society) membre *m.*, (university) agrégé *m.*

fellowship *s.* camaraderie *f.*; communauté *f.*

female *adj.* féminin; (animal) femelle; *s.* femme *f.*; femelle *f.*

feminine *adj.* féminin

fence *s.* clôture *f.*; palissade *f.*; *v.a.* enclore; *v.n.* faire de l'escrime

fencing *s.* escrime *f.*

fender *s.* pare-choc(s) *m.*

ferry *s.* (passage *m.* en) bac *m.*

ferry-boat *s.* bac *m.*

fertile *adj.* fertile

fertilize *v.a.* fertiliser

festival *s.* festival *m.*

fetch *v.a.* aller chercher; apporter

feudal *adj.* féodal

fever *s.* fièvre *f.*

few *pron. & adj.* peu (de); **a ~** quelques-(uns)

fiancé, -e *s.* fiancé, -e *m. f.*

fibre *s.* fibre *f.*

fiction *s.* fiction *f.*; (novels) romans *m. pl.*

field *s.* champ *m.*; (sport) terrain *m.*

fierce *adj.* cruel, violent, féroce

fiery *adj.* de feu; ardent

fifteen *adj. & s.* quinze (*m.*)

fifteenth *adj.* quinzième

fifth *adj.* cinquième; cinq

fiftieth *adj.* cinquantième

fifty *adj. & s.* cinquant (*m.*)

fig *s.* figue *f.*

fight *s.* combat *m.*; lutte *f.*

fighter *s.* combattant *m.*; avion *m.* de chasse

figure *s.* figure *f.*; (arithm.) chiffre *m.*

file[1] *s.* (tool) lime *f.*; *v.a.* limer

file[2] *s.* classeur *m.*, dossier *m.*; liasse *f.*; (people) file *f.*; *v.a.* classer; enregistrer

filing cabinet *s.* cartonnier *m.*, fichier *m.*

fill *v.a.* remplir; occuper; ~ **in, up** remplir

film *s.* (photo) pellicule *f.*; (cinema) film *m.*

filter *s.* filtre *m.*; *v.a.* filtrer

filthy *adj.* sale; *(fig.)* obscène

fin *s.* nageoire *f.*

final *adj.* final

finally *adv.* enfin

finance *s.* finance *f.*

financial *adj.* financier

find *v.a.* trouver; ~ **out** inventer, découvrir

fine[1] *s.* (penalty) amende *f.*; *v.a.* mettre à l'amende

fine[2] *adj.* fin; beau

finger *s.* doigt *m.*; **first** ~ index *m.*

fingerprint *s.* empreinte *f.* digitale

finish *v.a.* finir; terminer

Finnish *adj.* finlandais

fir *s.* sapin *m.*

fire *s.* feu *m.*; **on** ~ en feu; *v.a.* mettre feu à; (gun) tirer; *v.n.* tirer

fire-arm *s.* arme *f.* à feu

fire-brigade *s.* les pompiers *m. pl.*

fire-engine *s.* pompe *f.* à incendie

fire-escape *s.* escalier *m.* de sauvetage

fireplace *s.* cheminée *f.*

fire-station *s.* poste *m.* d'incendie

fireworks *s. pl.* feu *m.* d'artifice

firm[1] *s.* maison *f.* (de commerce)

firm[2] *adj.* ferme

firmament *s.* firmament *m.*

firmness *s.* fermeté *f.*

first *adj.* premier; *adv.* premièrement; d'abord; (railway) en première; **at** ~ d'abord

firstly *adv.* premièrement

first-rate *adj.* de premier ordre

fish *s.* poisson *m.*; *v.a. & n.* pêcher

fisher(man) *s.* pêcheur *m.*

fishmonger *s.* poissonnier *m.*

fist *s.* poing *m.*

fit[1] *s.* attaque *f.*; accès *m.*

fit[2] *adj.* convenable, bon, propre; en état (de), capable (de)

five *adj. & s.* cinq (*m.*)

fix *v.a.* fixer; ~ **up** arranger

flag *s.* drapeau *m.*; (navy) pavillon *m.*

flagrant *adj.* flagrant

flake *s.* flocon *m.*

flame *s.* flamme *f.*

flannel *s.* flanelle *f.*

flap *s.* coup *m.*, tape *f.*

flare *v.n.* flamboyer

flash *s.* éclair *m.*; *v.n.* jeter des éclairs, étinceler

flashlight *s.* flash (électronique) *m.*

flat[1] *adj.* plat; insipide; (positive) formel, net; *s.* plat *m.*; (music) bémol *m.*

flat[2] *s.* appartement *m.*; étage *m.*

flatter *v.a.* flatter

flattery *s.* flatterie *f.*

flavour *s.* saveur *f.*, goût *m.*, arome *m.*

flax *s.* lin *m.*

flea *s.* puce *f.*

flee *v.a. & n.* fuir, se sauver

fleece *s.* toison *f.*

fleet *s.* flotte *f.*

flesh *s.* chair *f.*; viande *f.*

flexible *adj.* flexible

flight *s.* vol *m.* (birds, stairs) volée *f.*; (fleeing) fuite *f.*

flimsy *adj.* ténu; fragile; frivole

fling *v.a.* jeter

flirt *s.* coquette *f.*; *v.n.* flirter

float *v.n.* flotter; *v.a.* faire flotter

flock *s.* troupeau *m.*, troupe *f.*

flood *s.* inondation *f.*; (tide) flux *m.*; *v.a.* inonder

floodlight *v.a.* illuminer par projecteurs

floor *s.* plancher *m.*, parquet *m.*; (storey) étage *m.*

flour *s.* farine *f.*

flourish *v.n.* fleurir; prospérer

flow *v.n.* couler, s'écouler; *s.* flux *m.*; cours *m.*

flower *s.* fleur *f.*

flower-bed *s.* plate-bande *f.*

flu *s.* grippe *f.*

flue *s.* tuyau *m.*

fluent *adj.* facile, coulant

fluid *adj.* & *s.* fluide (*m.*)

fluorescent *adj.* ~ **lamp** tube *m.* fluorescent

flush *v.a.* inonder; nettoyer avec une chasse d'eau; *v.n.* rougir

flute *s.* flûte *f.*

flutter *s.* coltigement *m.*; *v.a.* agiter; *v.n.* voltiger

fly[1] *s.* mouche *f.*

fly[2] *v.n.* voler; prendre l'avion (pour)

foam *s.* écume *f.*; (beer) mousse *f.*

focus *s.* foyer *m.*

fodder *s.* fourrage *m.*

fog *s.* brouillard *m.*

foil[1] *s.* feuille *f.*; tain *m.*

foil[2] *s.* (fencing) fleuret *m.*

fold *s.* pli *m.*; *v.a.* plier; envelopper; (arms) croiser; ~ **up** replier

folding *adj.* pliant

foliage *s.* feuillage *m.*

folk *s.* gens *m. pl.*

follow *v.a.* suivre; accompagner; *v.n.* suivre; s'ensuivre; **as ~s** comme suit

follower *s.* suivant *m.*, compagnon *m.*, partisan *m.*

following *adj.* suivant; **the** ~ ce qui suit

folly *s.* sottise *f.*

fond *adj.* **be ~ of** aimer

food *s.* nourriture *f.*, aliments *m. pl.*

fool *s.* sot *m.*

foolish *adj.* sot; fou

foot *s.* pied *m.*; **on** ~ à pied

football *s.* football *m.*; ballon *m.*

foot-brake *s.* frein *m.* à pied

footnote *s.* note *f.* (au bas de la page)

footstep *s.* pas *m.*

for[1] *prep.* pour; (in exchange for) contre; (because of) à cause de; (time) pendant; (in spite of) malgré

for[2] conj. car

forbid *v.a.* défendre; interdire

force *s.* force *f.*; violence *f.*; *v.a.* forcer

forearm *s.* avant-bras *m.*

forecast *s.* prévision *f.*; *v.a.* prévoir

forefinger *s.* index *m.*

foreground *s.* premier plan *m.*

forehead *s.* front *m.*

foreign *adj.* étranger

foreigner *s.* étranger, -ère *m. f.*

foremost *adj.* premier; *adv.* **first and** ~ tout d'abord

foresee *v.a.* prévoir

forest *s.* forêt *f.*

foretell *v.a.* prédire

foreword *s.* avant-propos *m.*

forge *v.a.* forger

forgery *s.* contrefaçon *f.*; faux *m.*

forget *v.a.* oublier
forgetful *adj.* oublieux
forgive *v.a.* pardonner
fork *s.* fourchette *f.*; (hay) fourche *f.*
form *s.* forme *f.*; (bench) banc *m.*; (class) classe *f.*; (paper) formule *f.*; ~ **of government** régime *m.*; *v.a.* former
formal *adj.* formel
formality *s.* formalité *f.*
former *pron.* le premier, la première; celui-là, celle-là; *adj.* premier, -ère; précédent
formerly *adv.* autrefois
formula *s.* formule *f.*
forsake *v.a.* abandonner
fortieth *adj.* quarantième
fortification *s.* fortification *f.*
fortify *v.a.* fortifier
fortnight *s.* quinze jours *m. pl.*
fortress *s.* fortresse *f.*
fortunate *adj.* heureux
fortunately *adv.* heureusement
fortune *s.* fortune *f.*
forty *adj.* & *s.* quarante (*m.*)
forward *adv.* en avant; **go** ~ (s')avancer; *adj.* avancé; *v.a.* faire suivre; expédier
forwarding *s.* expédition *f.*; ~ **agency** entreprise *f.* de transport
forwards *adv.* en avant
foul *adj.* sale; impure; (language) ordurier
found *v.a.* fonder
foundation *s.* fondation *f.*
founder *s.* fondateur *m.*
fountain *s.* fontaine *f.*
fountain-pen *s.* stylo-(graphe) *m.*
four *adj.* & *s.* quatre (*m.*)
fourteen *adj.* & *s.* quatorze (*m.*)
fourth *adj.* quatrième; quatre
fowl *s.* poule *f.*
fox *s.* renard *m.*
fraction *s.* fraction *f.*
fracture *s.* fracture *f.*
fragile *adj.* fragile
fragment *s.* fragment *m.*
fragrant *adj.* parfumé
frame *s.* (picture) cadre *m.*; (structure) charpente *f.*; (window) châssis *m.*
framework *s.* charpente *f.*
frank *adj.* franc
frankness *s.* franchise *f.*
fraud *s.* fraude *f.*
free *adj.* libre; ~ **of, from** exempt de
freedom *s.* liberté *f.*
freely *adv.* librement; gratis
freeze *v.a.* geler
freight *s.* fret *m.*
French *adj.* français; *s.* (language) le français; **the** ~ les Français *m. pl.*
French-bean(s) *s.* (*pl.*) haricots *m. pl.* verts
Frenchman *s.* Français *m.*
Frenchwoman *s.* Française *f.*
frequent *adj.* fréquent; *v.a.* fréquenter
frequently *adv.* fréquemment
fresh *adj.* frais, fraîche; nouveau, nouvel, -elle
friar *s.* moine *m.*
fricassee *s.* fricassée *f.*
friction *s.* friction *f.*
Friday *s.* vendredi *m.*
fridge *s.* frigo *m.*
friend *s.* ami, -e *m. f.*
friendly *adj.* aimable; ami; amical

friendship *s.* amitié *f.*

fright *s.* peur *f.*; **take ~** prendre peur

frighten *v.a.* effrayer

frightful *adj.* affreux; effrayant

frock *s.* robe *f.*

frog *s.* grenouille *f.*

frolic *s.* ébats *m. pl.*; *v.n.* folâtrer, gambader

from *prep.* (place) de; (time) depuis; (separation) de, à; (change) de

front *s.* front *m.*; devant *m.*; façade *f.*; **in ~ of** en face de, en avant de; *adj.* de devant

front-door *s.* porte *f.* d'entrée

frontier *s.* frontière *f.*

frost *s.* gelée *f.*

frosty *adj.* de gelée; fig. froid

frown *v.a. & n.* froncer les sourcils

frozen *adj.* gelé

fruit *s.* fruit *m.*

fruitful *adj.* fructueux

fruit-tree *s.* arbre fruitier *m.*

frustrate *v.a.* déjouer; décevoir; contrecarres

fry *v.a. & n.* (faire) frire

frying-pan *s.* poêle (à frire) *f.*

fuel *s.* combustible *m.*

fulfil *v.a.* accomplir

full *adj.* plein; complet; **~ name** les nom et prénoms *m. pl.*; **~ stop** point *m.*

full-time *adj.* de toute la journée

fully *adv.* pleinement

fume *s.* fumée *f.*

fun *s.* amusement *m.*; **for ~** pour rire

function *s.* fonction *f.*

fund *s.* fonds *m.*

fundamental *adj.* fondamental

funeral *s.* funérailles *f. pl.*

funnel *s.* entonnoir *m.*; (steamer) cheminée *f.*

funny *adj.* drôle

fur *s.* fourrure *f.*

fur coat *s.* manteau *m.* de fourrure

furious *adj.* furieux

furnace *s.* fourneau *m.*

furnish *v.a.* pourvoir (de), fournir; meubler (de)

furniture *s.* meubles *m. pl.*, ameublement *m.*; **piece of ~** meuble *m.*

furrier *s.* fourreur *m.*

furrow *s.* sillon *m.*

further *adv.* plus loin; (any longer) davantage; *adj.* ultérieur; autre; plus lointain; supplémentaire, nouveau

furthermore *adv.* en outre, de plus

fury *s.* fureur *f.*; (pers.) furie *f.*

fuss *s.* embarass *m.*; bruit *m.*; **make a ~** faire des embarras; **~ about** faire **l'affairé**

future *s.* avenir *m.*; (gramm.) futur *m.*; **in the ~** à l'avenir; *adj.* futur

G

gain *s.* fain *m.*; *v.a.* gagner

gait *s.* allure *f.*

gala *s.* gala *m.*

gale *s.* grand vent *m.*

gall *s.* bile *f.*; fiel *m.*; amertume *f.*

gallant *adj.* brave; galant

gallery *s.* galerie *f.*

gallon *s.* gallon *m.*

gallop *s.* galop *m.*; *v.n.* galoper

gamble *v.n.* jouer; *s.* jeu *m.*

game *s.* jeu *m.*; partie *f.*; (animal) gibier *m.*

gamekeeper *s.* garde-chasse *m.*

gang *s.* bande *f.*; équipe *f.*
gangway *s.* passage *m.*
gaol see jail
gap *s.* trou *m.*; brèche *f.*; vide *m.*
gape *v.n.* bâiller; stand gaping gober des mouches; ~ **at** regarder bouche bée
garage *s.* garage *m.*
garden *s.* jardin *m.*
gardener *s.* jardinier *m.*
garlic *s.* ail *m.*
garment *s.* vêtement *m.*
garnish *s.* garniture *f.*; *v.a.* garnir
garter *s.* jarretière *f.*
gas *s.* gaz *m.*
gasp *s.* soupir *m.*
gas-works *s. pl.* usine *f.* à gaz
gate *s.* porte *f.*
gateway *s.* portail *m.*
gather *v.a.* réunir; amasser; cueillir; (understand) conclure; *v.n.* s'assembler
gathering *s.* rassemblement *m.*; abcès *m.*
gauge *s.* jauge *f.*; calibre *m.*; indicateur *m.*; *v.a.* jauger; calibrer
gauze *s.* gaze *f.*
gay *adj.* gai
gear *s.* attirail *m.*, appareil *m.*; (motorcar) vitesse *f.*
gear-box *s.* boîte *f.* des vitesses
general *adj.* général; *s.* général *m.* (*pl.* généraux)
generation *s.* génération *f.*
generator *s.* générateur *m.*
generosity *s.* générosité *f.*
generous *adj.* généreux
genial *adj.* doux, douce; bienfaisant
genius *s.* génie *m.*
gentle *adj.* doux, douce
gentleman *s.* gentleman *m.*
genuine *adj.* authentique; vrai
geographical *adj.* géographique
geography *s.* géographie *f.*
geology *s.* géologie *f.*
geometric(al) *adj.* géométrique
geometry *s.* géométrie *f.*
germ *s.* germe *m.*
German *adj.* allemand; *s.* Allemand, -e *m. f.*
gesticulate *v.n.* gesticuler
gesture *s.* geste *m.*
get *v.a.* obtenir, procurer, trouver, recevoir; *v.n.* arriver; (become) devinir; ~ **at** parvenir (à); ~ **in** entrer; ~ **off** partir; ~ **on** prospérer; (agree) s'accorder (avec); ~ **out** of sortir (de); ~ **over** surmonter; (illness) se remettre; ~ **up** se lever
geyser *s.* chauffe-bain *m.*
ghost *s.* esprit *m.*; revenant *m.*, fantôme *m.*
giant *s.* géant *m.*
gift *s.* don *m.*
gifted *adj.* bien doué
gills *s. pl.* ouïes *f.*
gin *s.* genièvre *m.*; gin *m.*
giraffe *s.* girafe *f.*
girdle *s.* ceinture *f.*; *v.a.* ceinturer
girls *s.* jeune fille *f.*
give *v.a.* donner; ~ **up** renoncer à; livrer; *v.n.* ~ **in** céder (à)
glacier *s.* glacier *m.*
glad *adj.* heureux; content; joyeux
gladness *s.* joie *f.*
glance *s.* coup *m.* d'oeil; *v.n.* ~ **at** jeter un regard sur
glare *s.* lumière *f.* éblouissante; clinquant *m.*; *v.n.* briller d'un éclat éblouissant

glass *s.* verre *m.*; (pane) vitre *f.*; **~es** lunettes *f. pl.*

glazier *s.* vitrier *m.*

gleam *s.* lueur *f.*; *v.n.* luire

glide *v.n.* glisser; planer

glider *s.* planeur *m.*

glimmer *s.* lueur *f.*; *v.n.* jeter une lueur faible

glimpse *s.* coup *m.* d'oeil (rapide)

glitter *v.n.* étinceler

globe *s.* globe *m.*

gloomy *adj.* sombre

glorious *adj.* glorieux

glory *s.* gloire *f.*

glove *s.* gant *m.*

glow *v.n.* luire rouge; (joy) rayonner; (coal) être rouge; *s.* chaleur *f.*; lumière *f.*; fig. ardeur *f.*

glue *s.* colle (forte) *f.*; *v.a.* coller

gnat *s.* cousin *m.*; moustique *f.*

gnaw *v.a. & n.* ronger

go *v.n.* aller; ~ **away** s'en aller; ~ **back** retourner; ~ **back on one's word** reprendre sa parole; ~ **down** descendre; baisser; ~ **in for** s'occuper de, s'adonner à, faire (de); ~ **into** entrer dans; ~ **off** s'en aller; ~ **on** continuer; (happen) se passer; ~ **out** sortir; ~ **over, through** traverse; (read) parcourir); ~ **up** monter; ~ **with** accompagner; ~ **without** se passer de; **let** ~ lâcher prise

goal *s.* but *m.*

goalkeeper *s.* gardien (de but) *m.*

goat *s.* bouc *f.*, chèvre *f.*

God *s.* Dieu *m.*

god-child *s.* filleul, -e *m. f.*

godfather *s.* parrain *m.*

godmother *s.* marraine *f.*

goggles *s. pl.* bésicles *f.*

gold *s.* or *m.*

golden *adj.* d'or, en or

golf *s.* golf *m.*

good *adj.* bon; ~ **evening!** bonsoir !; ~ **morning!** bonjour !; **be so ~ as to** avoir la bonté de; **make ~** remplir; indemniser de; *s.* bien *m.*; **~s** marchandise *f.*; **~s station** gare *f.* de marchandises; **~s train** train *m.* de marchandises

goodbye *int. & s.* adieu (*m.*)

good-looking *adj.* de belle mine, beau

goodness *s.* bonté *f.*

good-tempered *adj.* de caractère facile, de bonne humeur

goodwill *s.* bonne volonté *f.*

goose *s.* oie *f.*

gooseberry *s.* groseille *f.* à maquereau

gospel *s.* évangile *m.*

gossip *s.* bavardage *m.*; racontar *m.*, cancan *m.*; (pers.) compère *m.*; commère *f.*; *v.n.* bavarder

Gothic *adj.* gothique

govern *v.a. & n.* gouverner

governess *s.* gouvernante *f.*

government *s.* gouvernement *m.*

governor *s.* gouverneur *m.*

gown *s.* robe *f.*

grace *s.* grâce *f.*

graceful *adj.* gracieux

gracious *adj.* gracieux

grade *s.* grade *m.*; classe *f.*

gradual *adj.* graduel

graduate *s.* gradué, -e *m. f.*; *v.a.* graduer; *v.n.* prendre ses diplômes

grain *s.* grain *m.*

grammar *s.* grammaire *f.*

grammar school *s.* lycée *m.*, collège *m.*

grammatical *adj.* grammatical

gram(me) *s.* gramme *m.*

gramophone *s.* gramophone *m.*, phonographe *m.*

gramophone-record *s.* disque *m.*

grand *adj.* grand; magnifique; ~stand tribune *f.*

grandchild *s.* petit-fils *m.*, petite-fille *f.* (*pl.* petits-enfants *m.*)

granddaughter *s.* petite-fille *f.*

grandfather *s.* grand-père *m.*

grandmother *s.* grand-mère *f.*

grandson *s.* petit-fils *m.*

granite *s.* granit *m.*

granny *s.* grand'maman *f.*

grant *v.a.* accodder, concéder; accéder; ~ **that** admettre que; *s.* don *m.*, concession *f.*; subside *m.*

grape *s.* grain *m.* de raisin; **bunch of ~s** grappe *f.* de raisin

grapefruit *s.* pamplemousse *f.*

graph *s.* graphique *m.*, courbe *f.*

graphic *adj.* graphique

grasp *v.a.* saisir; comprendre; *s.* prise *f.*, etreinte *f.*

grass *s.* herbe *f.*; gazon *m.*

grasshopper *s.* sauterelle *f.*

grate *s.* grille *f.*; *v.a.* râper; faire grincer; *v.n.* grincer

grateful *adj.* reconnaissant (à)

gratitude *s.* reconnaissance *f.*

grave[1] *s.* tombe *f.*, tombeau *m.*

grave[2] *adj.* grave

gravel *s.* gravier *m.*

gravy *s.* jus *m.*

gray *adj.* gris

graze *v.n.* paître

grease *s.* graisse *f.*; *v.a.* graisser

great *adj.* grand; **a** ~ many beaucoup (de)

greatly *adj.* très; beaucoup

greatness *s.* grandeur *f.*

greed *s.* avidité *f.*

greedy *adj.* avide

Greek *adj.* grec, grecque; *s.* Grec *m.*, Grecque *f.*

green *adj.* vert

greengrocer *s.* fruitier, -ère *m. f.*

greenhouse *s.* serre *f.*

greet *v.a.* saluer

greeting *s.* saluation *f.*

grey *adj.* gris

grief *s.* chagrin *m.*

grieve *v.a.* affliger; *v.n.* s'affliger

grill *s.* gril *m.*; *v.a.* griller

grim *adj.* sévère, menaçant, sinistre

grin *v.n.* grimacer; ~ **at** faire des grimaces à; *s.* rire *m.*; grimace *f.*

grind *v.a.* moudre

grinder *s.* (tooth) molaire *f.*

grindstone *s.* meule *f.*

grip *s.* étreinte *f.*; prise *f.*; *v.a.* saisir, étreindre

groan *v.n.* gémir; *s.* gémissement *m.*

grocer *s.* épicier, -ère *m. f.*; **~'s** (shop) épicerie *f.*

grocery *s.* épicerie *f.*

groove *s.* rainure *f.*

gross *adj.* gros; grossier; (weight) brut

ground *s.* terre *f.*; terrain *m.*; (reason) raison *f.*; **~s** jardins *m. pl.*; *v.a.* fonder

group *s.* groupe *m.*

grow *v.a.* cultiver; *v.n.* (*pers.*) grandir; (plant) croître; (become) devenir

growl *s.* grondement *m.*; *v.n.* gronder

grown-up *s.* grande personne *f.*

growth *s.* croissance *f.*; culture *f.*; récolte *f.*

grudge *s.* rancune *f.*; *v.a.* donner à contrecoeur à

grumble *v.n.* grommeler; *s.* grognement *m.*

grunt *s.* grognement *m.*; *v.n.* grogner

guarantee *s.* garantie *f.*; (*pers.*) garant, -e *m. f.*; *v.a.* garantir

guard *s.* garde *f.*; (train) conducteur *m.*; *v.a.* garder; *v.n.* **~ against** se garder

guardian *s.* gardien, -enne *m. f.*

guess *v.a. & n.* devnier; conjecturer; *s.* conjecture *f.*

guest *s.* invité *m.*, convive *m.*; hôte, -esse *m. f.*

guide *s.* guide *m.*; *v.a.* guider

guide-book *s.* guide *m.*

guilt *s.* culpabilité *f.*

guilty *adj.* coupable (de)

guitar *s.* guitare *f.*

gulf *s.* golfe *m.*

gull *s.* mouette *f.*

gullet *s.* gosier *m.*

gum[1] *s.* gomme *f.*; *v.a.* gommer

gum[2] (teeth) gencive *f.*

gun *s.* fusil *m.*; canon *m.*

gush v.i. jaillir; *s.* jaillissement *m.*

gutter *s.* (street) ruisseau *m.*

gymnasium *s.* gymnase *m.*

gymnastics *s.* gymnastique *f.*

H

haberdashery *s.* mercerie *f.*

habit *s.* habitude *f.*

hail *s.* grêle *f.*; *v.n.* grêler

hair *s.* (single) cheveu *m.*; (whole) cheveux *m. pl.*; (animal) poil *m.*

hairdresser *s.* coiffeur, -euse *m. f.*

half *s.* moitié *f.*; demi *m.*; *adj.* demi; **~ an hour** une demi-heure *f.*

half-time *s.* mi-temps *m.*

halfway *adv.* à mi-chemin; à moitié chemin; à mi-distance

hall *s.* (grande) salle *f.*; (college) réfectoire *m.*; (house) vestibule *m.*; (hotel) hall *m.*

halt *s.* halte *f.*; *v.a.* faire arrêter; *v.n.* faire halte, boiter

ham *s.* jambon *m.*

hammer *s.* marteau *m.*

hand *s.* main *f.*; (*pers.*) ouvrier *m.*; (clock) aiguille *f.*; **on the one ~ ... on the other** d'une part ... d'autre part

handbag *s.* sac (à main) *m.*

handbook *s.* manuel *m.*

handkerchief *s.* mouchoir *m.*

handle *s.* manche *m.*, anse *f.*; poignée *f.*; bras *m.*; *v.a.* manier; traiter

hand-made *adj.* fait à la main

handsome *adj.* joli

handwriting *s.* écriture *f.*

handy *adj.* (*pers.*) adroit; (thing) commode

hang *v.a.* pendre; (with tapestry) tendre; **~ up** accrocher; *v.n.* pendre; dépendre (de)

hanger *s.* crochet *m.*; cintre *m.*

happen *v.n.* arriver; se trouver; **I ~ed to be present** je me trouvais là par hasard

happiness *s.* bonheur *m.*

happy *adj.* heureux

harbour *s.* port *m.*

hard *adj.* dur; difficile; sévère; **~ up** gêné; *adv.* durement; **work ~** travailler dur

hardly *adv.* à peine

hardware *s.* quincaillerie *f.*

hare *s.* lièvre *m.*

harm *s.* mal *m.*; tort *m.*; **do ~ to** nuire à

harmful *adj.* nuisible

harmless *adj.* inoffensif

harmony *s.* harmonie *f.*

harness *s.* harnais *m.*

harp *s.* harpe *f.*

harsh *adj.* revéche; âpre; rigoureux

hart *s.* cerf *m.*

harvest *s.* moisson *f.*; (crop) récolte *f.*

haste *s.* hâte *f.*; **make ~** se dépêcher

hasten *v.a.* hâter; *v.n.* se dépêcher

hasty *adj.* précipité

hat *s.* chapeau *m.*

hate *v.a.* haïr; *s.* haine *f.*

hateful *adj.* odieux

hatred *s.* haine *f.*

haul *v.a.* traîner; haler; *s.* traction *f.*

haulage *s.* roualge *m.*; frais *m. pl.* de roulage

haunch *s.* hanche *f.*

haunt *v.a.* fréquenter; hanter

have *v.a.* avoir; (food) prendre; **~ to** il faut que, il faut (+ *inf.*); had rather préférer (+ *inf.*); **~ on** (clothes) porter

haversack *s.* havresac *m.*

hawk *s.* faucon *m.*

hay *s.* foin *m.*

hazard *s.* hasard *m.*

hazy *adj.* brumeux; (*fig.*) vegue

he *pron.* il (alone) lui; **~ who** celui que

head *s.* tête *f.*; (chief) chef *m.*; (river) source *f.*; *v.a.* être en tête de; *adj.* principal

headache *s.* mal *m.* de tête

heading *s.* en-tête *m*

headlight *s.* phare *m.*, projecteur *m.*

headline *s.* manchette *f.*

headmaster *s.* directeur *m.*

headquarters *s. pl.* quartier *m.* général

heal *v.a.* guérir; *v.n.* se guérir

health *s.* santé *f.*

healthy *adj.* bien portant; sain

heap *s.* amas *m.*, tas *m.*; *v.a.* **~ up** entasser

hear *v.a.* entendre; (listen to) écouter; *v.n.* entendre; **~ from** recevoir une lettre de; **~ of** avoir des nouvelles de; entendre parler de

heart *s.* coeur *m.*; **by ~** par coeur

hearth *s.* foyer *m.*

hearty *adj.* cordial

heat *s.* chaleur *f.*; (anger) golère *f.*; *v.a. & n.* chauffer

heating *s.* chauffage *m.*

heave *v.a.* lever; pousser; jeter; *v.n.* se soulever

heaven *s.* ciel *m.*

heavy *adj.* pesant; lourd

hedge *s.* haie *f.*

hedgehog *s.* hérisson *m.*

heed *s.* attention *f.*; **take ~ to** faire attention à

heedless *adj.* insouciant; inattentif

heel *s.* talon *m.*

height *s.* hauteur *f.*

heir *s.* héritier *m.*

heiress *s.* héritière *f.*

helicopter *s.* hélocoptère *m.*

hell *s.* enfer *m.*

hello *int.* allô !

helm *s.* barre (du gouvernail) *f.*

helmet *s.* casque *m.*

help *v.a.* aider; secourir; **~ oneself** se servir; *s.* aide *f.*

helpful *adj.* (pers.) serviable; (thing) utile

helping *s.* portion *f.*

helpless *adj.* sans secours

hem *s.* ourlet *m.*; bord *m.*

hen *s.* poule *f.*

hence *adv.* (place, time) d'ici; (reason) de là

her *pron.* (acc.) la; (dat.) lui; (alone) elle

herb *s.* herbe *f.*

herd *s.* troupeau *m.*

here *adv.* ici; **from ~** d'ici; look here! dites donc !; **~ here is!** le voici !

heritage *s.* héritage *m.*

hermit *s.* ermite *m.*

hero *s.* héros *m.*

heroic *adj.* héroïque

heroine *s.* héroïne *f.*

herring *s.* hareng *m.*

hers *pron.* à elle; le sien, la sienne, les siens, les siennes

herself *pron.* elle-même; (reflex.) se

hesitate *v.n.* hésiter

hew *v.a.* couper

hiccough, hiccup *s.* hoquet *m.*

hide *v.a.* cacher; *v.n.* se cacher

hideous *adj.* hideux; horrible

high *adj.* haut; (speed) grand; (price) élevé; *adv.* haut

highness *s.* altesse *f.*

highroad, highway *s.* grande route *f.*

hike *v.n.* faire du tourisme à pied

hiker *s.* touriste *f.*, randonneur, -euse (à pied) *m. f.*

hill *s.* colline *f.*

hilly *adj.* montueux

him *pron.* (acc.) le; (dat.) lui; (alone) lui

himself *pron.* lui-même; (reflex.) se; **by ~** tout seul

hinder *v.a.* empêcher

hindrance *s.* empêchement *m.*

hinge *s.* gond *m.*; charnière *f.*; *v.n.* tourner (sur)

hint *s.* allusion *f.*; avis *m.*; *v.n.* **~ at** faire allusion à

hip *s.* hanche *f.*

hire *s.* ouage *m.*; **for ~** à louer; *v.a. & n.* louer

his *pron.* son, sa; ses

hiss *s.* sifflement *m.*; *v.a. & n.* siffler

historic(al) *adj.* historique

history *s.* histoire *f.*

hit *v.a.* frapper; atteindre; trouver; *s.* coup *m.*; succès *m.*

hitchhike *v.n.* faire de l'auto stop

hive *s.* ruche *f.*

hoard *s.* magot *m.*, amas *m.*; *v.a.* thésauriser; entasser

hoarse *adj.* raque

hobby *s.* dada *m.*

hockey *s.* hockey *m.*

hoe *s.* houe *f.*

hog *s.* porc *m.*

hoist *v.a.* hisser; *s.* monte-charge *m.*

hold *v.a.* tenir; retenir; maintenir; contenir; (consider) renir (pour); **~ back** retenir; **~ out** tendre; offrir; **~ that** soutenir que; *v.n.* tenir; (be true) être vrai; **~ on** ne pas lâcher prise; **~ out** durer

holder *s.* possesseur *m.*

hole *s.* trou *m.*

holiday *s.* fête *f.*, jour *m.* férié; (holidays) vacances *f. pl.*, congé *m.*;

be on ~ être en congé, en vacance(s)

hollow *adj.* creux, -euse; fig. faux, fausse

holy *adj.* saint; bénit

home *s.* foyer *m.*, demeure *f.*; **at ~** chez soi, à la maison; *adv.* chez soir; come, **go ~** rentrer; *adj.* domestique; de l'intérieur

homeless *adj.* sans asile

homely *adj.* simple; modeste

homesickness *s.* mal du pays *m.*

homeward *adv.* vers la maison; **~ bound** en retour

honest *adj.* honnête honesty *s.* honnêteté *f.*

honey *s.* miel *m.*

honeymoon *s.* lune *f.* de miel

honour *s.* honneur *m.*; *v.a.* honorer

hood *s.* capuchon *m.*; capeline *f.*; (motor) capote *f.*

hoof *s.* sabot *m.*

hook *s.* crochet *m.*, croc *m.*; (fishing) hameçon *m.*

hoop *s.* cercle *m.*

hoot *v.a.* huer; *v.n.* corner; *s.* huée *f.*

hooter *s.* sirène *f.*; corne *f.*, trompe *f.*

hop *v.n.* sautiller

hope *s.* espérance *f.*; espoir *m.*; *v.n.* espérer

hopeful *adj.* plein d'espoir

hopeless *adj.* sans espoir

horizon *s.* horizon *m.*

horizontal *adj.* horizontal

horn *s.* corne *f.*; trompe *f.*

horrible *adj.* affreux, -euse

horse *s.* cheval *m.* (*pl.* chevaux)

horseback; **on ~** à cheval

horseman *s.* cavalier *m.*

horse-race *s.* course *f.* de chevaux

horseshoe *s.* fer *m.* à cheval

hose *s.* bas *m. pl.*

hospitable *adj.* hospitalier

hospital *s.* hôpital *m.*

hospitality *s.* hospitalité *f.*

host *s.* hôte *m.*

hostel *s.* pension *f.* pour étudiants, hôtellerie *f.*

hostess *s.* hôtesse *f.*

hostile *adj.* hostile (à)

hostility *s.* hostilité *f.*

hot *adj.* chaud

hotel *s.* hôtel *m.*

hour *s.* heure *f.*

house *s.* maison *f.*; (theatre) salle *f.*

household *s.* ménage *m.*

housekeeper *s.* gouvernante *f.*

housekeeping *s.* ménage *m.*

housewife *s.* ménagère *f.*

housework *s.* travaux (*m. pl.*) domestiques; **do the ~** faire le ménage

how *adv.* comment; **~ many, much?** combien de ?; **~ long?** combien de temps ?; **~ are your?** comment allez-vous ?

however *adv.* de quelque manière que ...; toutefois, cependant

howl *v.a. & n.* hurler; *s.* hurlement *m.*

hue *s.* couleur *f.*; cri *m.*

hug *v.a.* serrer dans les bras

huge *adj.* énorme

hullo *int.* holà !; allô !

hum *v.n.* bourdonner; *s.* bourdonnement *m.*

human *adj.* humain

humanity *s.* humanité *f.*

humble *adj.* humble

humorous *adj.* amusant; humoristique; drôle

humour *s.* humour *m.*; **be in a ~ to** être d'humeur à

hundred *s.* cent *m.*

hundredth *adj.* centième

hundredweight *s.* quintal *m.*

Hungarian *adj.* hongrois; *s.* Hongrois, -e *m. f.*

hunger *s.* faim *f.*; *v.n.* avoir faim

hungry *adj.* affamé; **be ~** avoir faim

hunt *v.a. & n.* chasser; (with hounds) chasser à courre; *s.* chasse (à courre) *f.*

hunter *s.* chasseur *m.*

hurl *v.a.* jeter; lancer

hurry *s.* hâte; **be in a ~** to être pressé de; *v.n.* se presser; **~ up!** pressez-vous !; *v.a.* presser, hâter

hurt *v.a.* faire mal à; blesser; (feelings) froisser

husband *s.* mari *m.*

hush *int.* chut !; *s.* calme *m.*; *v.a.* calmer

husk *s.* cosse *f.*; glume *f.*; *v.a.* écosser, monder

hut *s.* cabane *f.*

hydrogen *s.* hydrogène *m.*

hygiene *s.* hygiène *f.*

hymn *s.* hymne *m.*

hyphen *s.* trait d'union *m.*

hypnotize *v.a.* hypnotiser

hypocrisy *s.* hypcrisie *f.*

hysterical *adj.* hystérique

I

I *pron.* je; moi

ice *s.* glace *f.*

ice-cream *s.* glace *f.*

icy *adj.* glacial

idea *s.* idée *f.*

ideal *adj. & s.* idéal (*m.*)

identical *adj.* identique

identity *s.* identité *f.*; **~ card** carte *f.* d'identité

idle *adj.* désoeuvré; (lazy) paresseux; *v.a.* **~ away** perdre

idleness *s.* oisiveté *f.*; paresse *f.*

if *conj.* si; **as ~** comme si

ignition *s.* ignition *f.*; (motor) allumage *m.*

ignorant *adj.* ignorant; **be ~ of** ignorer

ignore *v.a.* refuser de connaître

ill *adj.* malade; (bad) mauvais; **be taken ~** tomber malade; **~ luck** malheur *m.*; *adv.* mal; *s.* mal *m.*

illegal *adj.* illégal

illegitimate *adj.* illégitime

illicit *adj.* illicite

illness *s.* maladie *f.*

illusion *s.* illusion *f.*

illustrate *v.a.* illustrer

illustration *s.* illustration *f.*; exemple *m.*

image *s.* image *f.*

imagination *s.* imagination *f.*

imagine *v.a.* imaginer; se figurer

imitate *v.a.* imiter

immediate *adj.* immédiat

immense *adj.* immense

immigrant *adj. & s.* immigrant, -e (*m. f.*)

immigrate *v.n.* immigrer

immigration *s.* immigration *f.*

immoral *adj.* immoral

immortal *adj.* immortel

impatience *s.* impatience *f.*

impatient *adj.* impatient

impediment *s.* obstacle *m.*

impel *v.a.* forcer; pousser

imperfect *adj.* & *s.* imparfait (*m.*)
imperial *adj.* impérial
impertinent *adj.* impertinent
implement *s.* outil *m.*, ustensile *m.*
implication *s.* implication *f.*
implore *v.a.* implorer
imply *v.a.* impliquer; donner à entendre
import *v.a.* importer; (mean) signifier; *s.* (usu. *pl.*) importation(s) *f.*
importance *s.* importance *f.*
important *adj.* important
importer *s.* importateur *m.*
impose *v.a.* imposer (à)
impossibility *s.* impossibilité *f.*
impossible *adj.* impossible
impression *s.* impression *f.*
imprison *v.a.* emprisonner
imprisonment *s.* emprisonnement
improbable *adj.* improbable
improper *adj.* impropre; inconvenant
improve *v.a.* améliorer; perfectionner; *v.n.* s'améliorer
improvement *s.* amélioration *f.*; progrès *m.*
impulse *s.* impulsion *f.*
in *prep.* dans; en; à; ~ **the morning** le matin; ~ **the evening** le soir; ~ **time** à temps; ~ **spring** au printemps
inadequate *adj.* insuffisant
incapable *adj.* incapable (de)
incense *s.* encens *m.*
inch *s.* pouce *m.*
incident *s.* incident *m.*
incidental *adj.* fortuit; incidental
incline *v.a.* & *n.* incliner
include *v.a.* comprendre; renfermer
inclusive *adj.* inclusif; ~ **of** y compris
income *s.* revenu *m.*
income tax *s.* impôt *m.* sur (le) revenu
incompatible *adj.* incompatible
incompetent *adj.* incompétent
inconsistent *adj.* inconséquent
inconvenient *adj.* incommode, gênant
increase *v.a.* & *n.* augmenter; *s.* augmentation *f.*
incredible *adj.* incroyable
incur *v.a.* contracter; encourir; s'attirer
incurable *adj.* incurable
indebted *adj.* endetté
indeed *adv.* de fait; vraiment
independence *s.* indépendance *f.*
independent *adj.* indépendant
index *s.* index *m.*; (on dial) aiguille *f.*; (math.) exposant *m.*; ~ **finger** index *m.*
Indian *adj.* indien; des Indes; ~ **corn** mais *m.*; *s.* Indien, -enne *m. f.*
india-rubber *s.* gomme *f.*
indicate *v.a.* indiquer
indicator *s.* indicateur *m.*
indifference *s.* indifférence *f.*
indifferent *adj.* indifférent (à)
indigestion *s.* indigestion *f.*
indignant *adj.* indigné
indirect *adj.* indirect
indiscreet *adj.* indiscret
indiscretion *s.* indiscrétion *f.*; imprudence *f.*
indispensable *adj.* indispensable
individual *adj.* individuel; *s.* individu *m.*
indoor *adj.* d'intérieur

indoors *adv.* à la maison; **stay ~** ne pas sortir
induce *v.a.* persuader; (cause) occasionner
inducement *s.* encouragement *m.*; **~s** attraits *m. pl.*
indulge *v.a.* se livrer (à); caresser; *v.n.* **~ in** s'abandonner à; se laisser aller à
indulgence *s.* indulgence *f.*; laisser-aller *m.*
industrial *adj.* industriel
industrious *adj.* travailleur
industry *s.* industrie *f.*
inefficient *adj.* incapable; inefficace
inestimable *adj.* inestimable
inevitable *adj.* inévitable
inexpensive *adj.* peu coûteux, peu cher, bon marché
inexperienced *adj.* inexpérimenté
inexplicable *adj.* inexplicable
infallible *adj.* infaillible
infamous *adj.* infâme
infant *s.* enfant *m. f.*
infantry *s.* infanterie *f.*
infant-school *s.* école *f.* maternelle
infection *s.* infection *f.*
infer *v.a.* conclure, déduire
inferior *adj.* inférieur
infinitive *s.* infinitif *m.*
infirm *adj.* infirm
infirmary *s.* infirmerie *f.*
inflame *v.a.* enflammer
inflammable *adj.* inflammable
inflate *v.a.* gonfler
inflexion *s.* inflexion *f.*
inflict *v.a.* infliger; imposer à
influence *s.* influence *f.*; *v.a.* influencer
influenza *s.* grippe *f.*
inform *v.a.* informer
informal *adj.* sans cérémonie
information *s.* information *f.*; renseignement *m. pl.*
ingenious *adj.* ingénieux
ingenuity *s.* ingéniosité *f.*
ingredient *s.* ingrédient *m.*
inhabit *v.a.* habiter
inhabitant *s.* habitant *m.*
inherit *v.a. & n.* hériter (de)
inheritance *s.* héritage *m.*
initial *s.* initiale *f.*
initiative *s.* initiative *f.*
injection *s.* injection *f.*
injure *v.a.* nuire à; blesser
injury *s.* préjudice *m.*; dommage *m.*; blessure *f.*
injustice *s.* injustice *f.*
ink *s.* encre *f.*
inland *s. & adj.* intérieur (*m.*)
inn *s.* auberge *f.*; taverne *f.*
inner *adj.* intérieur
innocence *s.* innocence *f.*
innocent *adj.* innocent
innumerable *adj.* innombrable
inoculate *v.a.* inoculer
inquire *v.n.* **~ about** s'enquérir, se renseigner sur; **~ after** demander après, demander des nouvelles de
inquiry *s.* demande *f.*; recherche *f.*; make inquiries about s'informer de; **~ office** bureau *m.* des renseignements
insane *adj.* fou, fol, folle
inscription *s.* inscription *f.*
insect *s.* insecte *m.*
insecure *adj.* peu sûr, mal assuré
insensible *adj.* sans connaissance; insensible
inseparable *adj.* inséparable

insert *v.a.* insérer (dans)

inside *s. & adj.* intérieur (*m.*); *adv.* à l'intérieur

insignificant *adj.* insignifiant

insist *v.n.* insister (on sur)

insistence *s.* insistance *f.*

inspect *v.a.* inspecter

inspection *s.* inspection *f.*

inspector *s.* inspecteur *m.*

inspiration *s.* inspiration *f.*

inspire *v.a.* inspirer

install *v.a.* installer

instalment *s.* fraction *f.*, acompte *m.*

instance *s.* exemple *m.*; cas *m.*; **for** ~ par exemple

instant *adj.* urgent; *s.* instant *m.*

instead *adv.* ~ **of** au lieu de

instinct *s.* instinct *m.*

institute *s.* institut *m.*; *v.a.* instituer

institution *s.* institution *f.*

instruct *v.a.* instruire

instruction *s.* instruction *f.*

instructive *adj.* instructif

instrument *s.* instrument *m.*

instrumental *adj.* instrumental

insufficiency *s.* insuffisance *f.*

insufficient *adj.* insuffisant

insult *s.* insulte *f.*; *v.a.* insulter

insurance *s.* assurance *f.*

insure *v.a.* (faire) assurer

integral *adj.* intégral; *s.* intégrale *f.*

integrity *s.* intégrité *f.*

intellectual *adj.* intéllectuel

intelligence *s.* intelligence *f.*; (information) renseignements *m. pl.*

intelligent *adj.* intelligent

intend *v.a.* avoir l'intention de (faire qch.), se proposer de; destiner qn., qch. (à) vouloir dire

intense *adj.* intense

intensity *s.* intensité *f.*

intent *s.* intention *f.*; *adj.* ~ **on** absorbé dans

intention *s.* intention *f.*

intercontinental *adj.* intercontinental

interest *s.* intérêt *m.*; *v.a.* intéresser

interesting *adj.* intéressant

interfere *v.n.* intervenir; ~ **with** gêner; se mêler de

interior *adj. & s.* intérieur (*m.*)

intermediate *adj.* intermédiaire

intermission *s.* interruption *f.*, pause *f.*

internal *adj.* interne; intérieur

international *adj.* international

interpret *v.a.* interpréter

interpretation *s.* interprétation *f.*

interpreter *s.* interprète *m.*

interrogation *s.* interrogation *f.*

interrupt *v.a.* interrompre

interruption *s.* interruption *f.*

interval *s.* intervalle *m.*

intervention *s.* intervention *f.*

interview entrevue f,; interview *m. f.*

intimate *adj.* intime

into *prep.* dans; en

intolerable *adj.* intolérable

introduce *v.a.* introduire; (pers.) présenter

introduction *s.* introduction *f.*; (pers.) présentation *f.*

invade *v.a.* envahir

invalid[1] *s.* malade *m. f.*

invalid[2] *adj.* invalide

invasion *s.* invasion *f.*

invent *v.a.* inventer

invention *s.* invention *f.*

inverted *adj.* ~ **commas** guillemets *m.*

invest *v.a.* (money) placer

investigate *v.a.* rechercher

investigation *s.* investigation *f.*

investment *s.* placement *m.*

invisible *adj.* invisible

invitation *s.* invitation *f.*

invite *v.a.* inviter

invoice *s.* facture *f.*

involuntary *adj.* involontaire

involve *v.a.* envelopper (dans); impliquer (dans); entraîner

inward *adj.* intérieurement; en dedans

Irish *adj.* irlandais

iron *s.* fer *m.*; *v.a.* repasser

ironical *adj.* ironique

ironware *s.* quincaillerie *f.*

ironworks *s.* ferronnerie *f.*

irony *s.* ironie *f.*

irregular *adj.* irrégulier

irrelevant *adj.* nonpertinent; hors de la question; inapplicable (à)

irresolute *adj.* irrésolu

irritate *v.a.* irriter

island *s.* île *f.*; (street) refuge *m.*

isle *s.* île *f.*

isolate *v.a.* isoler

isotope *s.* isotope *m.*

issue *s.* (way out) sortie *f.*; (end) issue *f.*, fin *f.*; résultat *m.*; (publication) publication *f.*, édition; (paper) numéro *m.*; (money) émission *f.*; *v.a.* émettre; publier

it *pron.* il, elle; (acc.) le, la; of it en; y

Italian *adj.* itelien; *s.* Italien, -enne *m. f.*

itch *s.* démangeaison *f.*; *v.n.* démanger

itchy *adj.* galeux

item *s.* article *m.*, détail *m.*

its *pron.* son, sa, *pl.* ses

itself *pron.* lui-même, elle-même; se; (emphatic) même

ivory *s.* ivoire *m.*

ivy *s.* lierre *m.*

J

jack *s.* (cards) valet *m.*; (lifting) cric *m.*, lève-auto *m.*

jackal *s.* chacal *m.*

jacket *s.* veston *m.*

jail *s.* prison *f.*

jam[1] *s.* confiture *m.*

jam[2] *v.a.* serrer; coincer; encombrer; *s.* encombrement *m.*

January *s.* janvier *m.*

Japanese *adj.* japonais

jar *s.* jarre *f.*; bocal *m.*

javelin *s.* javeline *f.*

jaw *s.* mâchoire *f.*

jealous *adj.* jaloux

jealousy *s.* jalousie *f.*

jelly *s.* gelée *f.*

jerk *s.* saccade *f.*; secousse *f.*

jersey *s.* jersey *m.*

jet *s.* jet *m.*; (gas) bec *m.*; ~ **plane** avion *m.* à réaction

Jew *s.* Juif *m.*

jewel *s.* bijou *m.*

jeweller *s.* bijoutier *m.*; **~'s shop** bijouterie *f.*

jewellery *s.* bijouterie *f.*

jib *s.* foc *m.*

job *s.* tâche *f.*; travail *m.* (*pl.* -aux); emploi *m.*; **odd ~s** petits travaux *m.*

join *v.a.* joindre; unir; se joindre (à); *v.n.* se joindre; s'unir; ~ **in** prendre part à

joiner *s.* menuisier *m.*

joint *s.* joint *m.*; articulation *f.*; (meat) gros morceau *m.*; *adj.* commun; indivis; co-; **~-stock company** société *f.* par actions

joke *s.* plaisanterie *f.*

jolly *adj.* joyeux; jovial

journal *s.* journal *m.* (*pl.* -aux)

journalist *s.* journaliste *m.*

journey *s.* voyabe *m.*

joy *s.* joie *f.*

joyful *adj.* joyeux

judge *s.* juge *m.*; *v.a. & n.* juger

judg(e)ment *s.* jugement *m.*

jug *s.* cruche *f.*; pot *m.*

juggler *s.* jongleur *m.*

Jugoslav *adj.* yougoslave

juice *s.* jus *m.*

July *s.* juillet *m.*

jump *s.* saut *m.*; *v.a. & n.* sauter

junction *s.* jonction *f.*; (gare *f.* d')embranchement *m.*

June *s.* juin *m.*

jungle *s.* jungle *f.*

junior *adj.* jeune

jury *s.* jury *m.*

juryman *s.* juré *m.*

just *adj.* juste; *adv.* (exactly) juste; (barely) à peine; ~ **now** il n'y a qu'un instant; ~ **so** précisément

justice *s.* justice *f.*

justification *s.* justifcation *f.*

justify *v.a.* justifier

jut *v.n.* ~ **out** faire saillie

juvenile *adj.* juvénile; d'enfants

K

kangaroo *s.* kangourou *m.*

keel *s.* quille *f.*

keen *adj.* aigu; tranchant; (mind) pénétrant; **be ~ on** être enthousiaste de, avoir la passion de

keep *v.a.* tenir; garder; maintenir; observer; ~ **back** retenir; ~ **up** soutenir; *v.n.* rester; ~ **on** continuer à

keeper *s.* gardien *m.*

kerb *s.* bordure *f.*

kernel *s.* amande *f.*

kettle *s.* bouilloire *f.*

key *s.* clé *f.*; (piano) touche *f.*; (music) ton *m.*

keyboard *s.* clavier *m.*

kick *v.a.* donner un coup de pied (à); *v.n.* ruer; *s.* coup *m.* de pied

kid *s.* chevreau *m.*; (child) gosse *m. f.*

kidney *s.* rein *m.*; (food) rognon *m.*

kill *v.a. & n.* tuer; abattre

kilogram(me) *s.* kilogramme *m.*

kilometre *s.* kilomètre *m.*

kind *adj.* bon; bienveillant; aimable

kindle *v.a.* allumer; exciter; enflammer; *v.n.* s'enflammer

kind *adj.* bon; doux

kindness *s.* bonté *f.*; bienveillance *f.*

kindred *s.* parenté *f.*; parents *m. pl.*

king *s.* roi *m.*

kingdom *s.* royaume *m.*

kinsman *s.* parent *m.*

kiss *s.* baiser *m.*; *v.a.* embrasser; baiser

kit *s.* fourniment *m.*

kitchen *s.* cuisine *f.*

kite *s.* cerf-volant *m.*

kitten *s.* petit chat *m.*

knapsack *s.* havresac *m.*

knee *s.* genou *m.* (*pl.* -x)

knife *s.* couteu *m.*

knight *s.* chevalier *m.*; (chess) cavalier *m.*

knit *v.a.* tricoter; (brow) froncer

knob *s.* bosse *f.*; bouton *m.*

knock *s.* coup *m.*; *v.a. & n.* frapper; ~ **down** renverser

knocker *s.* marteau *m.*

knot *s.* noeud *m.*; *v.a.* nouer; *v.n.* se nouer

know *v.a.* savoir; connaître; reconnaître; **~n for** connu pour; *v.n.* savoir; ~ **of** avoir connaissance de; **let** ~ prévenir

knowledge *s.* connaissance *f.*; (acquired) savoir *m.*

knuckle *s.* articulation *f.* de doigt

L

label *s.* étiquette *f.*; *v.a.* étiqueter

laboratory *s.* laboratoire *m.*

labour *s.* travail *m.*; **~(e) exchange** bureau *m.* de placement; *v.n.* travailler

labourer *s.* travailleur *m.*

lace *s.* dentelle *f.*

lack *s.* manque; *v.a. & n.* ~ **(for)** manquer (de)

lad *s.* jeune garçon *m.*

ladder *s.* échelle *f.*

lading *s.* chargement *m.*

ladle *s.* louche *f.*

lady *s.* dame *f.*; **young** ~ jeune dame *f.*; demoiselle *f.*, jeune fille *f.*

lag *v.n.* ~ **behind** rester en arrière

lake *s.* lac *m.*

lamb *s.* agneau *m.*

lame *adj.* boîteux

lamp *s.* lampe *f.*

lampshade *s.* abat-jour *m.*

land *s.* (not sea) terre *f.*; (country) pays *m.*; *v.a. & n.* débarquer; (plane) atterrir

landing *s.* débarquement *m.*; (plane) atterrissage *m.*

landing-strip *s.* piste *f.* d'atterrissage

landlady *s.* propriétaire *f.*; aubergiste *f.*

landlord *s.* propriétaire *m.*; aubergiste *m.*

landscape *s.* paysage *m.*

lane *s.* ruelle *f.*; chemin *m.*

language *s.* langue *f.*; (expression) langage *m.*

lap[1] *s.* genous *m. pl.*; (coat) pan *m.*; (sports) tour (de piste) *m.*

lap[2] *v.a.* envelopper (de); laper

lapse *s.* faute *f.*; chute *f.*; lapsus *m.*; (time) laps *m.*; *v.n.* retomber (dans); (time) s'écouler; (fail) faire un faux pas

lard *s.* saindoux *m.*

larder *s.* dépense *f.*

large *adj.* gros, grand; considérable; **at** ~ en liberté, en général

lark *s.* alouette *f.*

last *adj.* dernier; *adv.* dernièrement, en dernier lieu; *v.n.* durer

lasting *adj.* durable

latch *s.* loquet *m.*

latch-key *s.* clef *f.* de porte

late *adj.* tardif; **be** ~ être en retard; *adv.* tard; **~r on** par la suite; plus tard

lately *adv.* dernièrement, recemment

latest *adj.* r´cent, le dernier; **at (the)** ~ au plus tard

lathe *s.* tour *m.*

lather *s.* mousse *f.*

Latin *adj.* latin; *s.* latin *m.*

latter *adj.* dernier; **the ~** ce dernier; celui-ci, celle-ci, ceux-ci

laugh rire (at de); *s.* rire *m.*

laughter *s.* rire *m.*

launch *v.a.* lancer

launching *adj.* **~ site** rampe *f.* à fusées

laundry *s.* buanderie *f.*, blanchisserie *f.*

lavatory *s.* lavabo *m.*; cabinet *m.* de toilette

lavish *adj.* prodigue (de); *v.a.* prodiguer

law *s.* loi *f.*; droit *m.*

law-court *s.* court *f.* de justice, tribunal *m.*

lawful *adj.* légal; permis; légitime

lawn *s.* pelouse *f.*

lawn-mower *s.* tondeuse *f.*

lawsuit *s.* procès *m.*

lawyer *s.* homme *m.* de loi avoué *m.*; avocat *m.*

lay *v.a.* coucher, poser, étendre; **~ aside, by** mettre de côté; (money) réserver; **~ down** poser; **~ on** appliquer; be laid up être alité

lay-by *s.* refuge *m.*, garage *m.*

layer *s.* couche *f.*

lazy *adj.* parresseux

lead[1] *s.* (metal) plomb *m.*

lead[2] *v.a. & n.* mener, conduire; **~ the way** montrer le chemin

leader *s.* conducteur *m.*; (newspaper) éditorial *m.*

leadership *s.* conduite *f.*; direction *f.*

leaf *s.* feuille *f.*; (book) beuillet *m.*; page *f.*

leak *s.* fuite *f.*; voie d'eau *f.*; *v.n.* fuir

lean *adj.* maigre

leap *v.a. & n.* sauter; *s.* saut *m.*

learn *v.a. & n.* apprendre

learning *s.* savoir *m.*, science *f.*

leash *s.* laisse *f.*

least *adj.* le plus petit; le moindre; *adv.* le moins; *s.* moins *m.*; **at ~** au moins, à tout le moins; **not in the ~** pas le moins du monde

leather *s.* cuir *m.*

leave *v.a.* laisser; quitter; be left rester; *s.* permission *f.*; congé *m.*; **on ~** en congé

lecture *s.* conférence *f.* (on sur); *v.n.* faire des conférences

lecturer *s.* conférencier *m.*; (univ.) professeur *m.* (de faculté)

left *adj. & s.* gauche (*f.*)

left-luggage office *s.* consigne *f.*

leg *s.* jambe *f.*; patte *f.*

legal *adj.* légal

legislature *s.* législature *f.*

legitimate *adj.* légitime

leisure *s.* loisir *m.*; **be at ~** être de loisir

lemon *s.* citron *m.*

lemonade *s.* limonade *f.*

lend *v.a.* prêter

length *s.* longueur *f.*; (time) durée *f.*

lengthen *v.a.* allonger; prolonger

lens *s.* lentille *f.*

leopard *s.* léopard *m.*

less *adj.* moindre; moins de; *adv.* moins; **~ than** moins de

lessen *v.a. & n.* diminuer

less *s.* leçon *f.*

lest *conj.* de peur que

let *v.a.* laisser, permettre à; (house) louer; **~ me go** laisse-moi aller;

~ **down** laisser tomber (à); ~ **in** laisser entrer

letter *s.* lettre *f.*; ~s belles-lettres *f. pl.*

lettuce *s.* laitue *f.*

level *s.* niveau *m.*; *adj.* uni; plat; horizontal; *v.a.* niveler; pointer

lever *s.* levier *m.*

levy *s.* levée *f.*; *v.a.* lever

lexicon *s.* lexique *m.*

liability *s.* responsabilité *f.*; liabilities passif *m.*

liable *adj.* responsable (de); sujet (à)

liar *s.* menteur *m.*

liberal *adj.* libéral; généreux

liberty *s.* liberté *f.*

librarian *s.* bibliothécaire *m. f.*

library *s.* bibliothèque *f.*

licence *s.* permission *f.*; permis *m.* patente *f.*; (excess of liberty) licence *f.*

license *v.a.* accorder un permis (à)

lick *v.a.* lécher

lid *s.* couvercle *m.*

lie[1] *s.* mensonge *m.*; *v.a. & n.* mentir

lie[2] *v.n.* être couché; (dead) reposer; (be situated) se trouver; ~ **down** se coucher; **it ~s with you** cela dépend de vous

lieutenant *s.* lieutenant *m.*

life *s.* vie *f.*

life insurance *s.* assurance *f.* sur la vie

lifeless *adj.* inanimé

lift *v.a.* lever; fig. élever; ~ **up** soulever; *s.* (apparatus) ascenseur *m.*; **give s.o. a ~** faire monter qn. (dans sa voiture)

light[1] *s.* lumière *f.*; éclairage *f.*; jour *m.*; lampe *f.*; (fire) feu *m.*; **come to ~** se révéler; *v.a.* allumer; éclairer; *v.n.* s'éclairer; *adj.* clair; éclairé

light[2] *adj.* léger; **make ~ of** faire peu de cas de

lighten[1] *v.a.* éclairer; *v.n.* faire des éclairs

lighten[2] *v.a.* alléger

lighter *s.* briquet *m.*

lighthouse *s.* phare *m.*

lighting *s.* éclairage *m.*

lightning *s.* éclair *m.*

like[1] *adj.* semblable, pareil, ressemblant; *prep.* comme

like[2] *v.a.* aimer; **I should ~ to** je voudrais + *inf.*

likely *adv.* probable

likeness *s.* ressemblance *f.*; portrait *m.*

lily *s.* lis *m.*

limb *s.* membre *m.*

limit *s.* limite *f.*; *v.a.* limiter

limited *adj.* ~ **liability** company société anonyme *f.*

line *s.* ligne *f.*; (poetry) vers *m.*; (railw.) voie *f.*; *v.a.* (garment) doubler; *v.n.* ~ **up** s'aligner; faire la queue

linen *s.* toile *f.*; ligne *m.*

lining *s.* doublure *f.*

link *s.* chaînon *m.*, *fig.* lien *m.*; *v.a.* lier; unir

lion *s.* lion *m.*

lip *s.* lèvre *f.*

lipstick *s.* rouge *m.* à lèvres

liquid *adj. & s.* liquide (*m.*)

list *s.* liste *f.*; *v.a.* enregister

listen *v.n.* (also ~ **in**) écouter

listener *s.* auditeur, -trice

living-room *s.* salle *f.* de séjour

load *s.* charge *f.*; fardeau *m.*; *v.a.* charger

loaf *s.* pain *m.*

loan *s.* prêt *m.*; emprunt *m.*

loathe *v.a.* détester

lobby *s.* couloir *m.*, vestibule *m.*

lobster *s.* homard *m.*

local *adj.* local

location *s.* emplacement *m.*; situation *f.*

literary *adj.* littéraire

literature *s.* littérature *f.*

litter *s.* litière *f.*

little *adj.* petit; peu de

live *v.n.* vivre; (reside) habiter, demeurer; ~ **on** vivre de

lively *adv.* vivant, gai

liver *s.* foie *m.*

lock[1] *s.* serrure *f.*

lock[2] *s.* (hair) boucle *f.*

locksmith *s.* serrurier *m.*

lodger *s.* locataire *m. f.*

lodging *s.* logement *m.*; **furnished ~s** garni *m.*

log *s.* bûche *f.*; bille *f.*

logical *adj.* logique

loin *s.* (pork) longe *f.*; (beef) aloyau *m.*; rein *m.*

lonely *adj.* solitaire

long[1] *adj.* long; **a ~ time** (since) depuis longtemps; **be ~ in** être long à; *adv.* longtemps; **how ~?** combien de temps ?; **~ ago** il y a longtemps

long[2] *v.n.* **~ for** désirer qch., soupirer après

long distance *adj.* à (longue) distance

long-play(ing) *adj.* **~ record** microsillon *m.*

look *v.a. & n.* regarder; **~ after** soigner; **~ at** regarder; **~ back** regarder en arrière; **~ for** chercher; **~ into** examiner; **~ out** être sur ses gardes, *int.* gare !; **~ over** parcourir; **~ up** chercher; *s.* regard *m.*; air *m.*; aspect *m.*

looking-glass *s.* miroir *m.*

loom *s.* métier *m.* de tisserand

loop *s.* boucle

loose *adj.* lâche; délié, détache; vague

loosen *v.a.* desserrer

lord *s.* maître *m.*; seigneur *m.*

lorry *s.* camion *m.*

lose *v.a. & n.* perdre

loss *s.* perte *f.*

lot *s.* sort *m.*; (portion) partage *m.*; **a ~ of** beaucoup de

lottery *s.* loterie *f.*

loud *adj.* fort; bruyant

loudspeaker *s.* haute-parleur *m.*

lounge *s.* (grand) vestibule *m.*; foyer *m.*, hall *m.*; *v.n.* flâner

lounge-suit *s.* complet veston *m.*

love *s.* amour *m.*; *v.a.* aimer

lovely *adj.* beau, bel, belle; charmant

lover *s.* amoureux *m.*; amant *m.*

low *adj. & adv.* bas

lower *adj.* inférieur; (deck) premier (pont); *v.a.* baisser; (flags, sails) amener

loyal *adj.* loyal; fidèle

loyalty *s.* loyauté *f.*

lubricate *v.a.* lubrifier

luck *s.* chance *f.*; **bad ~** malchance *f.*

lucky *adj.* heureux

luggage *s.* bagages *m. pl.*

luggage-van *s.* fourgon *m.* (aux bagages)

lump *s.* morceau *m.*

lunch *s.* déjeuner *m.*; *v.n.* déjeuner

lung *s.* poumon *m.*

lute *s.* luth *m.*

luxurious *adj.* luxueux

luxury *s.* luxe *m.*

lyre *s.* lyre *f.*

lyric *adj.* lyrique

M

machine *s.* machine *f.*

machinery *s.* machines *f. pl.*; *fig.* mécanisme *m.*

mackintosh *s.* imperméable *m.*

mad *adj.* fou, fol, folle

madam *s.* madame *f.*

magazine *s.* revue *f.*; (rifle) magasin *m.*

magic *adj.* magique

magistrate *s.* magistrat *m.*

magnet *s.* aimant *m.*

magnetic *adj.* magnétique

magnificent *adj.* magnifique

maid *s.* (jeune) fille *f.*; bonne *f.*

mail *s.* courrier *m.*

mail-boat *s.* paquebot-poste *m.*

mail-van *s.* wagon-poste *m.*

main *adj.* principal

mainland *s.* terre *f.* ferme

mainly *adv.* principalement

mains *s.* secteur (de courant) *m.*

maintain *v.a.* maintenir; soutenir

maintenance *s.* entretien *m.*

majesty *s.* majesté *f.*

major *s.* commandant *m.*; *adj.* majeur

majority *s.* majorité *f.*; plupart *f.*

make *v.a.* & *n.* faire; rendre; ~ **away with** détruire; ~ **for** se diriger vers; ~ **off** décamper; ~ out comprendre; prouver; ~ **over** céder; ~ **up** (list) dresser; (invent) inventer; ~ **up for** compenser; *s.* forme *f.*, fabrication *f.*

male *adj.* mâle; masculin; *s.* mâle *m.*

malice *s.* méchanceté *f.*

man *s.* homme *m.*

manage *v.a.* conduire, diriger, gérer, gouverner; **I shall ~ it** j'en viendrai à bout

management *s.* direction *f.*; gérance *f.*

manager *s.* directeur *m.*; gérant *m.*

manicure *s.* manicure *m. f.*

manifest *adj.* manifeste; *v.a.* manifester

manipulate *v.a.* manipuler

manner *s.* manière *f.*; air *m.*, **~s** manières *f. pl.*; (morals) moeurs *f. pl.*

manoeuvre *s.* manoeuvre *f.*; *v.a.* faire manoeuvrer

manor *s.* manoir *m.*

manual *adj.* & *s.* manuel (*m.*)

manufacture *s.* manufacture *f.*; *v.a.* fabriquer

manufacturer *s.* manufacturier *m.*; fabricant *m.*

manure *s.* fumier *m.*

manuscript *s.* manuscrit *m.*

many *adj.* beaucoup de

map *s.* carte *f.* géographique

marble *s.* marbre *m.*

march *s.* marche *f.*; *v.n.* marcher

March *s.* mars *m.*

mare *s.* jument *f.*

margarine *s.* margarine *f.*

marine *s.* marine *f.*; *adj.* marin; maritime

mariner *s.* marin *m.*

mark *s.* marque *f.*; (aim) but *m.*; (school) point *m.*; (coin) marc *m.*; *v.a.* marquer; souligner

market *s.* marché *m.*

market-price *s.* prix *m.* courant

marmalade *s.* marmelade *f.* (d'oranges)

marriage *s.* mariage *m.*

married *adj.* marié

marry *v.a.* épouser; *v.n.* (get married) se marier

marsh *s.* marais *m.*

marshal *s.* maréchal *m.*; *v.a.* ranger; conduire

martial *adj.* martial

martyr *s.* martyr *m.*

marvel *s.* merveille *f.*; *v.n.* s'étonner (de)

marvellous *adj.* merveilleux

masculine *adj.* mâle; masculin

mask *s.* masque *m.*

mason *s.* maçon *m.*

mass[1] *s.* masse *f.*; majorité *f.*

mass[2] *s.* (eccles.) messe *f.*

mast *s.* mât *m.*

master *s.* maître *m.*; *v.a.* maîtriser

mat *s.* (door) paillasson *m.*; (table) dessous de plat *m.*

match[1] *s.* égal, -e *m. f.*, pareil, -le *m. f.*, mariage *m.*; (pers.) parti *m.*; (sport) **match** *m.*; *v.a.* assortir; *v.n.* s'assortir

match[2] *s.* allumette *f.*

mate *s.* camarade *m.*; (birds) mâle *m.*, femelle *f.*; (chess) mat *m.*; (ship) second *m.*; *v.a.* marier (à); *v.n.* s'accoupler

material *s.* matière *f.*; *adj.* matériel

maternal *adj.* maternel

mathematical *adj.* mathématique

mathematics *s.* mathématiques *f. pl.*

matinée *s.* matinée *f.*

matron *s.* mère de famille *f.*; (hospital) infirmière-en-chef *f.*; surveillante *f.*

matter *s.* matière *f.*; affaire *f.*; sujet *m.*; chose *f.*; **as a ~ of fact** en fait; **what is the ~?** qu'est-ce qu'il y a ? *v.n.* importer; **it does not ~** n'importe

mattress *s.* matelas *m.*; **spring ~** sommier *m.*, matelas *m.* à ressort

mature *adj.* mûr; *v.a. & n.* mûrir

maturity *s.* maturité *f.*

May *s.* mai *m.*

may v. aux. pouvoir; **~ I?** vous permettez ?

maybe *adv.* peut-être

mayor *s.* maire *m.*

me *pron.* (acc.) me; (alone, with *prep.*) moi

meadow *s.* pré *m.*

meal *s.* repas *m.*

mean[1] *s.* moyen terme *m.*; (math.) moyenne *f.*; **~s** moyens *m. pl.*, (way to do) moyen *m.*; **by ~s of** au moyen de; **by all ~s** mais certainement; **by no ~s** en aucune façon; *adj.* moyen

mean[2] *v.a.* (signify) vouloir dire, signifier; (wish) vouloir (faire), avoir l'intention (de); destiner; **what does that word ~?** que signifie ce mot ? **what do you ~ by that?** qu'entendez vous par là ?

mean[3] *adj.* misérable, pauvre; bas, vil; ladre

meaning *s.* intention *f.*; sens *m.*

meantime, -while *adv.* **(in the ~)** dans l'intervalle, pendant ce temps-là

measure *s.* mesure *f.*; *v.a.* mesurer

meat *s.* viande *f.*; (food) nourriture *f.*

mechanic *s.* artisan *m.*, mécanicien *m.*

mechanical *adj.* mécanique

mechanics *s.* mécanique *f.*

mechanism *s.* mécanisme *m.*

mechanize *v.a.* mécaniser

medal *s.* médaille *f.*

medical *adj.* médical; **~ student** étudiant *m.* en médecin

medicine *s.* médecine *f.*

meditate *v.a. & n.* méditer

medium *s.* moyer terme *m.*; milieu *m.*; *adj.* moyen

meet *v.a.* recontrer (qn.), se rencontrer avec (qn.); (face) affronter; (expenses) faire face à; **~ s.o. at the station** aller recevoir qn. à la gare; *v.n.* se rencontrer; **~ with** rencontrer; éprouver

meeting *s.* rencontre *f.*; réunion *f.*

mellow *adj.* mûr; moelleux

melody *s.* mélodie *f.*

melon *s.* melon *m.*

melt *v.a.* fondre

member *s.* membre *m.*

memorial *s.* monument *m.*; mémorial *m.*

memory *s.* mémoire *f.*; souvernir *m.*

mend *v.a.* raccommoder; réparer; corriger

mental *adj.* mental

mention *v.a.* mentionner; citer; **don't ~ it** il n'y a pas de quoi

merchandise *s.* marchandise *f.*

merchant *s.* négociant *m.*; commerçant *m.*

merciful *adj.* miséricordieux

mercy *s.* pitié *f.*; miséricorde *f.*

mere *adj.* seul

merely *adv.* purement; simplement

merit mérite *m.*; *v.a.* mériter

merry *adj.* gai

mess *s.* gâchis *m.*; **make a ~ of** gâcher

message *s.* message *m.*

messenger *s.* messager *m.*

metal *s.* métal *m.*

meteorology *s.* météorologie *f.*

method *s.* méthode *f.*

metre *s.* mètre *m.*

microphone *s.* microphone *m.*

microscope *s.* microscope *m.*

middle *s.* milieu *m.*; *adj.* du milieu; moyen

midnight *s.* minuit *m.*

might *s.* force *f.*; puissance *f.*

mighty *adj.* fort; puissant

migrate *v.n.* émigrer

mild *adj.* doux; bénin

mile *s.* mille *m.*

mileage *s.* parcours *m.*; (expense) prix *m.* par mille

military *adj.* militaire

milk *s.* lait *m.*

milkman *s.* laitier *m.*

mill *s.* moulin *m.*; fabrique *f.*

miller *s.* meunier *m.*

milliner *s.* modiste *f.*

million *s.* million *m.*

mince *s.* hachis *m.*; *v.a.* hacher

mind *s.* esprit *m.*; (remembrance) souvenir *m.*; (opinion) pensée *f.*, avis *m.*; **change one's ~** changer d'avis; **make up one's ~ to** se décider à, se résigner à; *v.a.* faire attention à, prendre garde à; écouter; (look after) garder; (trouble about) s'inquiéter de; **do you ~ my smoking?** est-ce que cela vous gêne que je fume ?; **I don't ~** cela m'est égal; **never ~** ça ne fait rien

mine[1] *s.* mine *f.*; *v.a.* miner

mine[2] *pron.* à moi; le mien

miner *s.* mineur *m.*

mineral *adj. & s.* minéral (*m.*)

minister *s.* ministre *m.*

ministry *s.* ministère *m.*

minor *adj.* mineur

minority *s.* minorité

mint *s.* Hôtel *m.* de la Monnaie; (plant) menthe *f.*

minus *adj.* en moins; *adv.* moins

minute *s.* minute *f.*; petit moment *m.*; **~ hand** grande aiguille *f.*

miracle *s.* miracle *m.*

mirror *s.* miroir *m.*

miscarry *v.n.* avorter

miscellaneous *adv.* divers

mischief *s.* mal *m.*; méchanceté *f.*

miser *s.* avare *m.*

miserable *adj.* misérable; malheureux

misery *s.* misère *f.*

misfortune *s.* malheur *m.*

miss[1] *v.a.* manquer; ne pas entendre; ne pas voir; s'apercevoir de l'absence (de); **~ out** omettre; **be ~ing** manquer

miss[2] *s.* mademoiselle *f.*

missile *s.* projectile *m.*

mission *s.* mission *f.*

missionary *s.* missionnaire *m. f.*

mist *s.* brouillard *m.*, brume *f.*

mistake *s.* erreur *f.*; méprise *f.*; faute *f.*; *v.a.* se tromper de; **~ for** prendre pour; **be ~n** se tromper

mistress *s.* maîtresse *f.* (de maison)

mistrust *s.* méfiance *f.*

misty *adj.* brumeux

misunderstand *v.a.* comprendre mal

mitten *s.* mitaine *f.*

mix *v.a.* mêler; mélanger; **be ~ed up in** être mêlé à

mixture *s.* mélange *m.*; mixture *f.*

moan *v.n.* gémir; *s.* gémissement *m.*

mob *s.* foule *f.*, populace *f.*

mobilization *s.* mobilisation *f.*

mobilize *v.a.* mobiliser

mock *s.* moquerie *f.*; *adj.* faux; *v.a.* railler

mockery *s.* moquerie *f.*

model *s.* modèle *m.*

moderate *adj.* modéré; *v.a.* modérer

modern arj. moderne

modest *adj.* modeste

modesty *s.* modestie *f.*

modify *v.a.* modifier

moist *adj.* moite, humide

moisten *v.a.* humecter

moisture *s.* humidité *f.*

molecule *s.* molécule *f.*

moment *s.* moment *m.*

momentary *adj.* momentané

monarch *s.* monarque *m.*

monarchy *s.* monarchie *f.*

Monday *s.* lundi *m.*

money *s.* argent *m.*; monnaie *f.*

money-order *s.* mandat *m.*

monk *s.* moine *m.*

monkey *s.* singe *m.*

monopolize *v.a.* monopoliser

monopoly *s.* monopole *m.*

monotonous *adj.* monotone

monstrous *adj.* monstrueux

month *s.* mois *m.*

monthly *adj.* mensuel; *adv.* mensuellement

monument *s.* monument *m.*

monumental *adj.* monumental

mood *s.* humeur *f.*; mode *m.*

moon *s.* lune *f.*

moonlight *s.* clair *m.* de lune

moor *s.* bruyère *f.*

mop balai *m.*; *v.a.* (also ~ **up**) éponger, essuyer

moral *s.* morale *f.*; **~s** moeurs *f. pl.*; *adj.* moral; de morale

more *adj. & pron.* plus de; davantage de; ~ **than** plus que; **some** ~ en ... davantage; **no** ~ n'en ... pas davantage, ne ... plus; *adv.* plus; davantage; ~ **and** ~ de plus en plus

moreover *adv.* de plus

morning *s.* matin *m.*; **in the** ~ le matin; *adj.* du matin

mortal *adj. & s.* mortel (*m. f.*)

mortality *s.* mortalité *f.*

mortgage *s.* hypothèque *f.*; *v.a.* hypothéquer

mosquito *s.* moustique *f.*

moss *s.* mousse *f.*

most *adj. & pron.* le plus (de), la plupart (de); **at the** ~ tout au plus; ~ **people** la plupart des gens; **make the** ~ **of** tirer le meilleur parti de; *adv.* très, fort, bien

mostly *adv.* pour la plupart; prinicipalement; la plupart du temps

motel *s.* motel *m.*

moth *s.* mite *f.*

mother *s.* mère *f.*

mother-in-law *s.* belle-mère *f.*

mother-tongue *s.* langue *f.* maternelle

motion *s.* mouvement *m.*; signe *m.*; (proposal) motion *f.*

motionless *adj.* immobile

motive *s.* motif *m.*

motor *s.* moteur *m.*

motor-bus *s.* autobus *m.*

motor-car *s.* auto(mobile) *f.*

motorcoach *s.* autocar *m.*

motorcycle *s.* motocyclette *f.*

motor-scooter *s.* scooter *m.*

motorway *s.* autoroute *f.*

mould *s.* moule *m.*; *v.a.* mouler

mount *s.* mont *m.*; *v.a. & n.* monter

mountain *s.* montagne *f.*

mountaineering *s.* alpinisme *m.*

mountainous *adj.* montagneur

mourn *v.a. & n.* pleurer, (se) lamenter

mouse *s.* souris *f.*

moustache *s.* moustache *f.*

mouth *s.* bouche *f.*; (beast) gueule *f.*

move *s.* mouvement *m.*; (chess) cóup *m.*; *v.a.* remuer; déplacer; (goods) transporter; (affect) émouvoir; (motion) proposer; ~ **house** (also ~) déménager; *v.n.* se mouvoir, se déplacer; s'avancer; (chess) jouer; ~ **forward** s'avancer; ~ **in** emménager; ~ **out** déménager; ~ **on** avancer; *int.* circulez !

movement *s.* mouvement *m.*

mow *v.a.* faucher; tondre

mower *s.* faucheur *m.*; faucheuse (à moteur) *f.*

much *adj. & pron.* beaucoup; *adv.* beaucoup; très; **too** ~ trop

mud *s.* boue *f.*
muddle *s.* fouillis *m.*; *v.a.* embrouiller
muddy *adj.* boueux
mug *s.* timbale *f.*
mule *s.* mulet *m.*, mule *f.*
multiple *adj.* multiple
multiplication *s.* multiplication *f.*
multiply *v.a.* multiplier
multitude *s.* multitude *f.*
municipal *adj.* municipal
murder *s.* meurtre *m.*
murderer *s.* meurtrier *m.*
murmur *s.* murmure *m.*
muscle *s.* muscle *m.*
museum *s.* musée *m.*
mushroom *s.* champignon *m.*
music *s.* musique *f.*
musical *adj.* musical; ~ **instrument** instrument *m.* de musique
music-hall *s.* café *m.* concert
musician *s.* musicien, -enne *m. f.*
must v. aux. il faut que; devoir
mustard *s.* moutarde *f.*
mute *adj.* muet
mutter *s.* murmure *m.*; *v.n.* murmurer
mutton *s.* mouton *m.*
mutual *adj.* mutuel
my *pron.* mon, ma; mes (*pl.*)
myself *pron.* moi-même; **by** ~ seul
mysterious *adj.* mystérieux
mystery *s.* mystère *m.*
mystic *adj.* mystique
myth *s.* mythe *m.*

N

nail *s.* (to hammer) clou *m.*; (on fingers) ongle *m.*; *v.a.* clouer
nail-brush *s.* brosse *f.* à ongles
naked *adj.* nu; dénudé
name *s.* nom *m.*; *v.a.* nommer; désigner
namely *adv.* savoir
nap *s.* somme *m.*
napkin *s.* serviette *f.*; (infant) couche *f.*
narrate *v.a.* raconter
narrow *adj.* étroit
nation *s.* nation *f.*
national *adj.* national
nationality *s.* nationalité *f.*
nationalize *v.a.* nationaliser
native *adj.* & *s.* natif, -ive (*m. f.*)
natural *adj.* naturel
naturalize *v.a.* naturaliser
nature *s.* nature *f.*
naughty *adj.* méchant
naval *adj.* naval
navigate *v.n.* naviguer
navigator *s.* navigateur *m.*
navy *s.* marine *f.*
near *adv.* près, proche; *prep.* près de, auprès de; *adj.* proche
nearly *adv.* (almost) presque
neat *adj.* propre; élégant
necessary *adj.* nécessaire
necessity *s.* nécessité *f.*
neck *s.* cou *m.*
necklace *s.* collier *m.*
necktie *s.* cravate *f.*
need *s.* besoin; *v.a.* avoir besoin (de); demander
needle *s.* aiguille *f.*
needless *adj.* inutile
needy *adj.* nécessiteux
negative *adj.* négatif; *s.* négative *f.*; (photo) cliché *m.*; **in the** ~ négativement
neglect *v.a.* négliger (de)

negligence *s.* négligence *f.*

negotiation *s.* négociation *f.*

negro, -ess *s.* nègre *m.*, négresse *f.*

neighbour *s.* voisin, -e *m. f.*

neighbourhood *s.* voisinage *m.*

neither *pron.* & *adj.* ni l'un ni l'autre

nephew *s.* neveu *m.*

nerve *s.* nerf *m.*

nervous *adj.* nerveux

nest *s.* nid *m.*

net[1] *s.* filet *m.*

net[2] *adj.* net

network *s.* réseau *m.*

neutral *adj.* neutre

never *adj.* (ne ...) jamais

nevertheless *adv.* néanmoins

new *adj.* neuf, neuve; nouveau, -el, elle; **New Year** Nouvel An

news *s.* nouvelle *f.*

newspaper *s.* journal *m.*

next *adj.* le plus proche; prochain, suivant; ~ **door to** à côté de; *adv.* ensuite, après; *prep.* ~ **to** à côté de

nice *adj.* agréable, bon; gentil

niece *s.* nièce *f.*

night *s.* nuit *f.*; soir *m.*; **by** ~ de nuit; **good ~!** bonne nuit !

nightingale *s.* rossignol *m.*

nine *adj.* & *s.* neuf (*m.*)

nineteen *adj.* & *s.* dix-neuf (*m.*)

ninety *adj.* & *s.* quatre-vingt-deux (*m.*)

ninth *adj.* neuvième; neuf

nip *v.a.* pincer

nitrogen *s.* azote *m.*

no *adj.* ne ... pas (de), ne ... aucun

noble *adj.* noble

nobleman *s.* gentilhomme *m.*

nobody, no one *pron.* personne ne (+ verb)

noise *s.* bruit *m.*

noisy *adj.* bruyant

none *pron.* ne ... aucun; personne ne (+ verb)

nonsense *s.* bêtise *m.*; no ~ pas de bêtises

non-smoker *s.* compartiment *m.* pour non-fumeurs

non-stop *adj.* & *adv.* sans arrêt; sans escale

noon *s.* midi *m.*

nor *conj.* ni; (and ... not) et ne ... pas, non plus

normal *adj.* normal

north *s.* nord *m.*; *adj.* du nord

north-east *adj.* & *s.* nord est *m.*

northern *adj.* du nord

north-west *adj.* & *s.* nord-ouest *m.*

nose *s.* nez *m.*

nostril *s.* narine *f.*

not *adv.* ne ... pas, ne ... point

notable *adj.* notable

note *s.* note *f.*; (letter and money) billet *m.*; (tone) ton *m.*; *v.a.* noter; remarquer

notebook *s.* carnet *m.*

noted *adj.* distingué

nothing *pron.* rien; ne ... rien

notice *s.* avis *m.*; attention *f.*; connaissance *f.*; **take ~ of** faire attention à

notify *v.a.* avertir, notifier

notion *s.* idée *f.*

noun *s.* nom *m.*

nourish *v.a.* nourrir

novel *s.* roman *m.*

novelist *s.* romancier *m.*

novelty *s.* nouveauté *f.*

November *s.* novembre *m.*

now *adv.* maintenant

nowadays *adv.* de nos jours

nowhere *adv.* ne ... nulle part

nuclear *adj.* nucléaire; ~ **energy** énergie *f.* nucléaire; ~ **physics** physique *f.* **nucléaire**; ~ **power station** centrale *f.* nucléaire

nuisance *s.* (*pers.*) peste *f.*; (thing) ennui *m.*

number *s.* nombre *m.*, numéro *m.*

number-plate *s.* plaque *f.* matricule

numerous *adj.* nombreux

nun *s.* religieuse *f.*

nurse *s.* nourrice *f.*, bonne (d'enfant) *f.*; (hospital) infirmier, -ère *m. f.*; *v.a.* (suckle) allaiter; (the sick) soigner

nursery *s.* chambre *f.* des enfants

nut *s.* noix *f.*, noisette *f.*

nylon *s.* nylon *m.*; ~ **stockings** (or ~s) bas nylons *m. pl.*

O

oak *s.* chêne *m.*

oar *s.* rame *f.*

oat(s) *s.* (*pl.*) avoine *f.*

oath *s.* serment *m.*

obedience *s.* obéissance *f.*

obedient *adj.* obéissant

obey *v.a. & n.* obéir (à)

object *s.* objet *m.*; but *m.*; (gram*m.*) régime *m.*; *v.a.* objecter; *v.n.* s'opposer (à)

objection *s.* objection *f.*

objective *adj. & s.* objectif (*m.*)

obligation *s.* obligation *f.*

oblige *v.a.* obliger

obscure *adj.* obscur

observation *s.* observation *f.*

observe *v.a. & n.* observer

obstacle *s.* obstacle *m.*

obstinate *adj.* obstiné

obtain *v.a.* obtenir

obvious *adj.* évident

occasion *s.* occasion *f.*

occasional *adj.* occasionnel

occasionally *adv.* de temps en temps

occupation *s.* occupation *f.*

occupy *v.a.* occuper; ~ **oneself with** s'occuper de

occur *v.n.* arriver; se trouver; **it ~red to me** il m'est venu à l'idée que

occurrence *s.* événement *m.*

ocean *s.* océan *m.*

October *s.* octobre *m.*

odd *adj.* impair; dépareillé, déparié; (strange) non usuel, bizarre

odds *s. pl.* avantage *m.*; chances *f. pl.*

of *prep.* de

off *adv.* à ... de distance; **be ~** s'en aller; **be well ~** être à l'aise; *prep.* de

offence *s.* offense *f.*

offend *v.a. & n.* offenser

offensive *s.* offensive *f.*

offer *s.* offre *f.*; *v.a.* offrir

office *s.* bureau *m.*; (of *pers.*) charge *f.*; fonction *f.*

officer *s.* officer *m.*; (police) agent *m.*

official *adj.* officiel; *s.* fonctionnaire *m. f.*

often *adv.* souvent

oil *s.* huile *f.*; pétrole *m.*

ointment *s.* onguent *m.*

old *adj.* vieux, -eil, -eille; âgé; ancien; **how ~ are you?** quel âge avez-vous ? ~ **age** vieillesse *f.*; **grow** ~ vieillir

old-fashioned *adj.* à l'ancienne mode

omission *s.* omission *f.*

omit *v.a.* omettre (de)

on *prep.* sur; (*prep.* omitted with days, etc.); ~ **Monday** lundi; ~ **time** à la minute

once *adv.* une foir; autrefois; **at** ~ tout de suite

one *adj. & s.* un, une; *pron.* (~, ~s omitted if preceded by *adj.*); (people, they) on; **this** ~ celui-ci; **that** ~ celui-là; ~**'s** son, sa, ses; **which** ~**?** lequel ... ?

oneself *pron.* soi-même; **by** ~ tout seul

onion *s.* oignon *m.*

onlooker *s.* spectateur, -trice *m. f.*

open *adj.* ouvert; découvert; public; franc; *v.a.* ouvrir; *v.n.* s'ouvrir

opening *s.* ouverture *f.*

opera *s.* opéra *m.*

operate *v.a. & n.* opérer; ~ **on** opérer (qn.)

operating-theatre *s.* salle *f.* d'opération

operation *s.* opération *f.*

operative *adj.* actif

opinion *s.* opinion *f.*; **in my** ~ à mon avis

opponent *s.* adversaire *m.*

opportunity *s.* occasion *f.*

oppose *v.a.* s'opposer à; ~**d to** opposé à

opposition *s.* opposition *f.*

optional *adj.* facultatif

or *conj.* ou; **whether ...** ~ ou ... ou

oral *adj.* oral

orange *s.* orange *f.*

orchard *s.* verger *m.*

orchestra *s.* orchestre *m.*

order *s.* ordre *m.*; (commerce) commande *f.*; (ruling) règlement *m.*; *v.a.* **ordonner**; (goods) commander

order-form *s.* bon *m.* commande

ordinary *adj.* ordinaire *m.*

ore *s.* minerai *m.*

organ *s.* organe *m.*; (music) orgue *m.*

organic *adj.* organique

organization *s.* organisation *f.*

organize *v.a.* organiser

oriental *adj.* oriental

origin *s.* origine *f.*

original *adj.* original

ornament *s.* ornement *m.*; *v.a.* orner

ornamental *adj.* ornemental

orphan *adj. & s.* orphelin, -e (*m. f.*)

other *adj. & pron.* autre

otherwise *adv.* autrement

ought v. aux. devoir

ounce *s.* once *f.*

our *adj.* notre, (*pl.*) nos

ours *pron.* le, la nôtre; les nôtres

ourself *pron.* nous(-mêmes); ourselves nous(-mêmes); by ourselves seul, -s

out *adv.* dehors; *prep.* ~ **of** hors de

outdoors *adv.* dehors, en plein air

outfit *s.* trousseau *m.*

outing *s.* excursion *f.*

outline *s.* contour *m.*; aperçu *m.*; *v.a.* esquisser

outlive *v.a.* survivre à

outlook *s.* perspective *f.*

output *s.* production *f.*

outrageous *adj.* outrageant; atroce

outset *s.* début *m.*; **at the ~** dès le commencement

outside *adv.* au dehors; *prep.* en dehors de; *adj.* du dehors; *s.* extérieur

outskirts *s. pl.* banlieue *f.*; lisière *f.*

outstanding *adj.* non réglé, à payer; saillant; éminent

outward *adj.* extérieur

outwards *adv.* à l'extérieur, en dehors

oven *s.* four *m.*

over *prep.* au-dessus de; (motion) par dessus; (superior) sur; (more than) plus de; (across) par; *adv.* (more) davantage; (finished) fini, passé; (too) trop

overcoat *s.* pardessus *m.*

overcome *v.a.* surmonter; vaincre

overcrowded *adj.* surpeuplé

overdo *v.a.* faire trop cuire; exagérer

overexpose *v.a.* surexposer

overflow *s.* débordement *m.*; *v.a.* inonder; *v.n.* déborder

overlook *v.a.* (look on to) avoir vue sur; (neglect) négliger; (superintend) surveiller

overpower *v.a.* accabler; subjuguer

overseas *adj.* d'outre-mer; **~s** (*adv.*) outre-mer

oversight *s.* inadvertence *f.*

overtake *v.a.* rattraper; surprendre (par)

overthrow *s.* renversement *m.*; *v.a.* renverser

overtime *s.* heures *f. pl.* supplémentaires

overwhelming *adj.* accablant

owe *v.a.* devoir (à); être redevable (à)

owing *adj.* **~ to** à cause de

owl *s.* hibou *m.*

own *adj.* propre; **of my ~** à moi; *v.a.* posséder

owner *s.* propriétaire *m. f.*

ox *s.* boeuf *m.*

oxygen *s.* oxygène *m.*

oyster *s.* huître *f.*

P

pace *s.* pas *m.*; *v.a.* arpenter; *v.n.* aller au pas

pack *s.* paquet; (cards) jeu *m.*; (wool) balle; (hounds) meute *f.*; *v.a.* emballer; faire; **~ off** expédier

package *s.* colis *m.*; paquet *m.*

packet *s.* paquet *m.*

pact *s.* pacte *m.*

pad *s.* bourrelet *m.*; tampon *m.*; bloc *m.*; **blotting ~** buvard *m.*

paddle *v.n.* pagayer

page *s.* page *f.*

pail *s.* seau *m.*

pain *s.* douleur *f.*; **take ~s** se donner de la peine

painful *adj.* douloureux

paint *s.* peinture *f.*; *v.a.* peindre

painter *s.* peintre *m.*

painting *s.* peinture *f.*

pair *s.* paire *f.*; couple *m.*

palace *s.* palais *m.*

palate *s.* palais *m.*

pale *adj.* pâle; **grow ~** pâlir

palm *s.* palme *f.*

pan *s.* poêle *f.*

pane *s.* vitre *f.*

panel *s.* panneau *m.*

panorama *s.* panorama *m.*

pansy *s.* pensée *f.*

pantry *s.* office *f.*

pants *s. pl.* caleçon *m.*, pantalon *m.*

paper *s.* papier; (newspaper) journal *m.*; (essay) étude *f.*; (exam) composition *f.*

parade *s.* parade *f.*; *v.n.* parader

paraffin *s.* pétrole *m.*

paragraph *s.* paragraphe *m.*

parallel *s.* (line) parallèle *f.*; (comparison) parallèle *m.*; *adj.* parallèle

paralysis *s.* paralysie *f.*

parcel *s.* paquet *m.*

pardon *s.* pardon *m.*; **I beg your ~** je vous demande pardon; (I beg your) **~?** comment (dites-vous) ?, pardon ?; *v.a.* pardonner

parents *s. pl.* père *m.* et mère *f.* parents

parish *s.* paroisse *f.*

Parisian *adj.* parisien; *s.* Parisien, -enne *m. f.*

park *s.* parc *m.*; (car) (parc de) stationnement *m.*; *v.a.* garer; stationner; **no ~ing** stationnement interdit

parliament *s.* parlement *m.*

parliamentary *adj.* parlementaire

parlour *s.* petit salon *m.*

parrot *s.* perroquet *m.*

part *s.* part *f.*; partie *f.*; (theatre) rôle *m.*; (region) région *f.*; **on my ~** de ma part; **take ~ in** prendre part à; *v.a.* diviser; séparer; *v.n.* se diviser; (pers.) se séparer (de)

partial *adj.* (unfair) partial; (incomplete) partiel

participant *s.* participant *m.*

participate *v.n.* **~ in** prendre part à

participation *s.* participation *f.*

participle *s.* participe *m.*

particular *adj.* particulier; *s.* détail *m.*

partly *adv.* en partie

partner *s.* associé, -e *m. f.*; partenaire *m. f.*

partridge *s.* perdrix *f.*

party *s.* parti *m.*; partie *f.*; groupe *m.*; réception *f.*; soirée *f.*

pass *v.a.* passer; dépasser; surpasser; (law) voter; (resolution) prendre; (exam) être reçu (à); *v.n.* passer; *s.* défilé *m.*; laisser-passer *m.*

passage *s.* passage *m.*; couloir *m.*

passenger *s.* voyageur, -euse *m. f.*; passager, -ère *m. f.*

passer-by *s.* passant *m.*

passion *s.* passion *f.*

passionate *adj.* passionné

passive *adj.* & *s.* passif (*m.*)

passport *s.* passeport *m.*

past *adj.* passé; dernier; *s.* passé *m.*

paste *s.* pâte *f.*

pastime *s.* passe-temps *m.*

pastry *s.* pâtisserie *f.*

patch *s.* pièce *f.*

patent *s.* brevet *m.* d'invention

path, -way *s.* sentier *m.*

patience *s.* patience *f.*

patient *s.* malade *m. f.*; *adj.* patient

patriot *s.* patriote *m. f.*

patrol *s.* patrouille; *v.n.* aller en patrouille

patron *s.* patron *m.*; client *m.*

pattern *s.* modèle *m.*

pause *s.* pause *f.*; *v.n.* faire une pause

pave *v.a.* paver

pavement *s.* trottoir *m.*

pavilion *s.* pavillon *m.*

paw *s.* patte *f.*

pay *v.a.* payer; (visit) faire; ~ **off** acquitter; *v.n.* payer; *s.* paye *f.*, salaire *m.*

payable *adj.* payable (à)

payment *s.* payement *m.*

pea *s.* pois *m.*

peace *s.* paix *f.*

peaceful *adj.* paisible

peach *s.* pêche *f.*

peacock *s.* paon *m.*

peak *s.* pic *m.*, cime *f.*

pear *s.* poire *f.*

pearl *s.* perle *f.*

peasant *s.* paysan, -anne *m. f.*

pebble *s.* caillou *m.*

peck *s.* coup *m.* de bec

peculiar *adj.* particulier

pedestrian *s.* piéton *m.*

peel *s.* pelure *f.*; *v.a.* peler

peer *s.* pair *m.*

peg *s.* pince *f.*; piquet *m.*

pen *s.* style *m.*

penalty *s.* peine *f.*

pencil *s.* crayon *m.*

penicillin *s.* pénicilline *f.*

penknife *s.* canif *m.*

penny *s.* penny *m.*

pension *s.* pension *f.*

people *s.* peuple *m.*; gens *m. pl.* [*f.* with *adj.* before it]; famille *f.*

pepper *s.* poivre *m.*

per *prep.* par; ~ **cent** pour cent

perceive *v.a.* percevoir

perch *s.* perchoir *m.*; *v.n.* se percher

perfect *adj.* parfait; *v.a.* rendre parfait; achever

perform *v.a.* accomplir, exécuter

performance *s.* représentation *f.*

perfume *s.* parfum *m.*

perhaps *adv.* peut-être

peril *s.* péril *m.*

period *s.* période *f.*

periodical *s.* périodique *m.*

perish *v.n.* périr

perishable *adj.* périssable

permanent *adj.* permanent

permission *s.* permission *f.*

permit *s.* permis *m.*; *v.a.* permettre

persecution *s.* persécution *f.*

Persian *adj.* persan

persist *v.n.* persister

person *s.* personne *f.*

personal *adj.* personnel

personality *s.* personnalité *f.*

perspiration *s.* transpiration *f.*

persuade *v.a.* convaincre (de), persuader

pertain *v.n.* appartenir (à)

pet *s.* enfant *m. f.* gâté, -e; *adj.* favori; ~ **dog** chien *m.* familier

petrol *s.* essence *f.*

petroleum *s.* pétrole *m.*

petticoat *s.* jupon *m.*

phase *s.* phase *f.*

pheasant *s.* faisan, -e *m. f.*

phenomenon *s.* phénomène *m.*

philosopher *s.* philisophe *m.*

philosophy *s.* philosophie *f.*

phone *s.* téléphone *m.*; *v.a. & n.* téléphoner

photo(graph) *s.* photographie *f.*; *v.a.* photographier

phrase *s.* phrase *f.*

physical *adj.* physique

physician *s.* médecin *m.*

physicist *s.* physicien *m.*

physics *s.* physique *f.*

pianist *s.* pianiste *m. f.*

piano *s.* piano *m.*

pick *v.a.* cueillir; picoter; (teeth) curer; (bone) ronger; (choose) choisir; ~ **out** choisir; ~ **up** ramasser; prendre

pickle *s.* marinade *f.*; ~ *s.* pickles *m.*

picnic *s.* pique-nique *m.*

picture *s.* tableau *m.*; portrait *m.*; film *m.*; ~s cinéma *m.*

pie *s.* pâté *m.*

piece *s.* morceau *m.*; partie *f.*; pièce *f.*; ~ **of news** nouvelle *f.*; ~ **of work** ouvrage *m.*

pier *s.* jetée *f.*

pierce *v.a.* percer

pig *s.* cochon *m.*

pigeon *s.* pigeon *m.*

pile[1] *s.* tas *m.*; *v.a.* (also ~ **up**) entasser, amasser

pile[2] *s.* pieu *m.*, pilot *m.*

pill *s.* pillule *f.*

pillar *s.* pilier *m.*

pillar-box *s.* boîte *f.* aux lettres

pillow *s.* oreiller *m.*

pilot *s.* pilote *m.*

pin *s.* épingle *f.*

pinch *v.a.* pincer

pine *s.* pin *m.*

pineapple *s.* ananas *m.*

pink *adj.* & *s.* rose (*m.*)

pint *s.* pinte *f.*

pious *adj.* pieux

pipe *s.* tuyau *m.*; (smoking) pipe *f.*

pistol *s.* pistolet *m.*

pit *s.* fosse *f.*; creux *m.*; (theatre) parterre *m.*

pitch *s.* degre *m.*; ton *m.*; *v.a.* (tent) dresser; (camp) asseoir

pity *s.* pitié *f.*; dommage *m.*

place *s.* lieu *m.*, endroit *m.*; place *f.*; emploi *m.*; *v.a.* mettre

plain *adj.* uni; simple; évident; ordinaire

plait *s.* tresse *f.*

plan *s.* plan *m.*; projet *m.*; *v.a.* faire le plan (de)

plane *s.* plan *m.*; (tool) rabot *m.*; (aero-) avion *m.*; *v.a.* raboter

planet *s.* planète *f.*

plank *s.* planche *f.*

plant *s.* plante *f.*; (works) using *f.*, fabrique *f.*; *v.a.* planter

plantation *s.* plantation *f.*

plaster *s.* (em)plâtre *m.*

plastic *adj.* plastique; ~s plastiques *m. pl.*

plate *s.* plaque *f.*; planche *f.*; (china) assiette *f.*; (silver) vaisselle *f.*

platform *s.* quai *m.*

platinum *s.* platine *m.*

platter *s.* plat *m.*

play *s.* jeu *m.*; pièce *f.* de théâtre; *v.a.* & *n.* jouer

player *s.* joueur, -euse *m. f.*

playground *s.* cour *f.* de récréation

plea *s.* excuse *f.*; défense *f.*

plead *v.a.* & *n.* plaider

pleasant *adj.* agréable

please *v.a.* & *n.* plaire (à); **be ~ed with, to** être content de; **as you** ~ comme vous voulez; **if you** ~ s'il vous plaît

pleasure *s.* plaisir *m.*

pledge *s.* gage *m.*; *v.a.* mettre en gage

plenty *s.* abondance *f.*; ~ **of** quantité de, beaucoup de

plot *s.* (land) terrain *m.*; (story) intrigue *f.*; (conspiracy) complot *m.*; *v.n.* conspirer

plough *s.* charrue *f.*; *v.a.* & *n.* labourer

plug *s.* tampon *m.*; prise *f.* de courant; *v.a.* tamponner

plum *s.* prune *f.*

plume *s.* plume *f.*; plumet *m.*

plunder *v.a.* piller; *s.* pillage *m.*

plunge *v.a. & n.* plonger; plongeon *m.*

plural *s. & adj.* pluriel (*m.*)

plus *prep.* plus

ply *v.a.* manier; s'appliquer (à); *v.n.* faire le service (entre)

pocket *s.* poche *f.*

pocket-book *s.* carnet *m.*; portefeuille *m.*

poem *s.* poème *m.*

poetic(al) *adj.* poétique

poetry *s.* poésie *f.*

point *s.* point *m.*; pointe *f.*; *v.a. & n.* ~ **out** montrer du doigt; faire valoir (un fait); ~ **to** indiquer

poison *s.* poison *m.*; *v.a.* empoissoner

poisonous *adj.* vénéneux

pole *s.* pôle *m.*

Pole *m.* Polonais, -e *m. f.*\

police *s.* police *f.*

policeman, -officer *s.* agent (de police) *m.*

police-station *s.* poste (de police) *m.*

policy *s.* politique *f.*; (insurance) police *f.*

polish *s.* poli *m.*; fig. politesse *f.*; *v.a.* polir

Polish *adj.* polonais

polite *adj.* poli

political *adj.* politique

politician *s.* politique *m.*; politicien *m.*

politics *s.* politique *f.*

poll *s.* vote *m.*; liste *f.* (électorale); scrutin *m.*

pool[1] *s.* mare *f.*

pool[2] *s.* pool *m.*

poor *adj.* pauvre; (bad) mauvais

pope *s.* pape *m.*

popular *adj.* populaire

popularity *s.* popularité *f.*

population *s.* population *f.*

pork *s.* porc *m.*; ~ **butcher** charcutier *m.*

port *s.* port *m.*; (ship) bâbord *m.*

portable *adj.* portatif

porter *s.* portier *m.*; (railw.) porteur *m.*

portfolio *s.* serviette *f.*

portion *s.* portion *f.*; *v.a.* partager

portrait *s.* portrait *m.*

Portuguese *adj.* portugais; *s.* Portugais, -e *m. f.*

position *s.* position *f.*

positive *adj. & s.* positif (*m.*)

possess *v.a.* posséder

possession *s.* possession *f.*

possibility *s.* possibilité *f.*

possible *adj.* possible

post[1] *s.* poteau *m.*; *v.a.* afficher, placarder

post[2] poste *f.*; courrier *m.*; *v.a.* mettre à la poste

postage *s.* port *m.*, affranchissement; ~ **paid** port payé

postal *adj.* postal; ~ order mandat (de poste) *m.*

poster *s.* affiche *f.*

post-free *adj.* franco

postman *s.* facteur *m.*

post(-)office *s.* bureau *m.* de poste

postpone *v.a.* remettre

postscript *s.* post-scriptum *m.*

pot *s.* pot *m.*

potato *s.* pomme *f.* de terre

pottery *s.* poterie *f.*

pouch *s.* blague *f.*

poultry *s.* volaille *f.*

pound *s.* livre *f.*

pour *v.a.* verser

pouring *adj.* torrentiel

poverty *s.* pauvreté *f.*

powder *s.* poudre *f.*

power *s.* pouvoir *m.*; puissance *f.*; force *f.*

powerful *adj.* puissant

power-plant, -station *s.* centrale *f.* électrique

practical *adv.* pratique

practice *s.* pratique *f.*; exercise *m.*

practise *v.a.* pratiquer, exercer; étudier

praise *s.* louange *f.*; *v.a.* louer

pray *v.a. & n.* prier

prayer *s.* prière *f.*

preach *v.a. & n.* prêcher

preacher *s.* prédicateur *m.*

precede *v.a.* précéder

preceding *adj.* précédent

precious *adj.* précieux

precision *s.* précision *f.*

predecessor *s.* prédécesseur *m.*

predict *v.a.* prédire

prefabricated *adj.* préfabriqué

preface *s.* préface *f.*

prefer *v.a.* préférer (to à), aimer mieux

preferable *adj.* préférable (à)

preference *s.* préférence *f.*

pregnant *adj.* enceinte

prejudice *s.* préjugé *m.*

preliminary *adj.* préliminaire

premature *adj.* prématuré

premier *s.* premier ministre *m.*, (in France) président *m.* du conseil

premises *s. pl.* lieux *m. pl.*; local *m.*, immeuble *m.*

premium *s.* prime *f.*

preparation *s.* préparation *f.*

prepare *v.a.* préparer, apprêter; *v.n.* se préparer

preposition *s.* préposition *f.*

Presbyterian *adj.* presbytérien

prescribe *v.a.* prescrire, ordonner; *v.n.* ~ **for** faire une ordonnance pour

prescription *s.* prescription *f.*; (medical) ordonnance *f.*

presence *s.* présence *f.*

present[1] *adj.* présent; actuel; *s.* présent *m.*; **at** ~ à présent

present[2] *s.* (gift) cadeau *m.*, présent *m.*; *v.a.* présenter; donner

presently *adv.* tout à l'heure

preserve *v.a.* préserver; (fruits) conserver; *s.* confiture *f.*; conserve *f.*

president *s.* président *m.*

press *s.* presse *f.*; *v.a.* presser; serrer

pressure *s.* pression *f.*

presume *v.a.* présumer

presumption *s.* présomption *f.*

pretend *v.a. & n.* feindre, faire semblant; prétendre (à)

pretention *s.* prétension *f.*

pretty *adj.* joli

prevail *v.n.* prévaloir; prédominer

prevent *v.a.* empêcher

prevention *s.* empêchement *m.*

previous *adj.* antérieur (à)

prey *s.* proie *f.*

price *s.* prix *m.*; cours *m.*

price-list *s.* prix-courant *m.*, tarif *m.*

prick *v.a.* piquer; *s.* piqûre *f.*

pride *s.* orgueil *m.*

priest *s.* prête *m.*

primary *adj.* primaire

prime *adj.* ~ **minister** see **premier**

primitive *adj.* primitif

prince *s.* prince *m.*

princess *s.* princesse *f.*

principal *adj.* principal; *s.* directeur *m.*, patron, -ne *m. f.*, principal *m.*

principle *s.* principe *m.*

print *s.* empreinte *f.*; impression *f.*; **out of** ~ épuisé; *v.a.* imprimer; faire une empreinte (sur); (photo) tirer; **~ed matter** imprimés *m. pl.*

printing-office *s.* imprimérie *f.*

prison *s.* prison *f.*

prisoner *s.* prisonnier, -ère *m. f.*

private *adj.* particulier; personel; privé

privilege *s.* privilège *m.*

prize *s.* prix *m.*

probability *s.* probabilité *f.*

probable *adj.* probable

probably *adv.* probablement

problem *s.* problème *m.*

procedure *s.* procédé *m.*

proceed *v.n.* aller (à); se mettre (à); avancer; passer (à); procéder; ~ **with** continuer

process *s.* développement *m.*; méthode *f.*, procédé *m.*; *v.n.* aller en procession

procession *s.* cortège *m.*; procession *f.*

proclaim *v.a.* proclamer

proclamation *s.* proclamation *s.*

produce *v.a.* produire

producer *s.* producteur, -trice *m. f.*

product *s.* produit *m.*

production *s.* production *f.*

profess *v.a.* professer, déclarer

profession *s.* profession *f.*

professional *adj.* professionnel; de profession

professor *s.* professeur *m.*

profit *s.* profit *m.*; *v.n.* ~ **by** profiter de

profitable *adj.* profitable

profound *adj.* profond

programme *s.* programme *m.*

progress *s.* progrès *m.*; marche *f.*; *v.n.* s'avancer, faire des progrès

prohibit *v.a.* défendre

prohibition *s.* prohibition *f.*, défense *f.*

project *s.* projet *m.*; *v.a.* projeter; *v.n.* saillir

projector *s.* projecteur *m.*

prolong *v.a.* prolonger

prominent *adj.* (pro)éminent

promise *s.* promesse *f.*; *v.a.* promettre

promote *v.a.* donner de l'avancement (à); encourager

promotion *s.* promotion *f.*, avancement *m.*

prompt *adj.* prompt; *v.a.* (rheatre) souffler; inspirer

pronoun *s.* pronom *m.*

pronounce *v.a.* prononcer

pronunciation *s.* prononciation *f.*

proof *s.* preuve *f.*; épreuve *f.*

propeller *s.* hélice *f.*

proper *adj.* propre; convenable

property *s.* propriété *f.*

prophet *s.* prophète *m.*

proportion *s.* proportion *f.*

propose *v.a.* proposer

proposition proposal *s.* proposition *f.*

prose *s.* prose *f.*

prospect *s.* prospective *f.*

prospectus *s.* prospectus *m.*

prosper *v.n.* prospérer

prosperity *s.* prospérité *f.*

prosperous *adj.* prospère

protest *s.* protestation *f.*; protêt *m.*; *v.a.* protester

Protestant *adj.* & *s.* protestant, -e (*m. f.*)

proud *adj.* fier, -ère

prove *v.a.* prouver; éprouver

proverb *s.* proverbe *m.*

provide *v.a.* pourvoir de; fournir de; *v.n.* ~ **for** pourvoir à; **~d that** pourvu que

providence *s.* prévoyance *f.*

province *s.* province *f.*

provincial *adj.* provincial

provision *s.* provision *f.*

provoke *v.a.* provoquer (à)

prudent *adj.* prudent

psalm *s.* psaume *m.*

psychological *adj.* psychologique

psychology *s.* psychologie *f.*

public *adj.* & *s.* public *m.*

publication *s.* publication *f.*

publicity *s.* publicité *f.*

publish *v.a.* publier

publisher *s.* éditeur *m.*

pudding *s.* pouding *m.*

pull *v.a.* tirer; ~ **down** démolir; ~ **out** arracher; ~ **up** arrêter; *v.n.* tirer; ~ **through** s'en tirer; *s.* traction *f.*, tirage *f.*

pulpit *s.* chaire *f.*

pulse *s.* pouls *m.*

pump *s.* pompe *f.*; *v.a.* pomper

punch[1] *s.* poinçon *m.*; *v.a.* poinçonner, percer

punch[2] *s.* punch *m.*

punctual *adj.* ponctuel

puncture *s.* piqûre *f.*; (tire) crevaison *f.*; *v.a.* & *n.* crever

punish *v.a.* punir

punishment *s.* punition *f.*

pupil[1] *s.* élève *m. f.*

pupil[2] *s.* (eye) pupille *f.*

puppy *s.* petit chien *m.*

purchase *s.* achat *m.*; *v.a.* acheter

pure *adj.* pur

purge *v.a.* purger

purify *v.a.* purifier

purity *s.* pureté *f.*

purpose *s.* but *m.*

purse *s.* porte-monnaie *m.*, bourse *f.*

pursue *v.a.* (pour)suivre

pursuit *s.* poursuite *f.*

push *v.a.* & *n.* pousser; ~ **back** repousser; ~ **on** faire avancer; pousser (jusqu'à); *s.* poussé *f.*; allant *m.*

puss *s.* minet *m.*

put *v.a.* mettre; (express) dire; ~ **back** remettre; ~ **down** déposer; attribuer; inscrire; ~ **off** remettre; ôter; ~ **on** mettre; ~ **out** tendre; éteindre; ~ **up** ouvrir; loger; ~ **up** with s'accommoder

puzzle *v.a.* embarrasser

pyjamas *s. pl.* pyjama *m.*

pyramid *s.* pyramide *f.*

Q

quadrangle *s.* quadrilatère *m.*; cour *f.*

quake *v.n.* trembler

qualify *v.a.* qualifier; *v.n.* ~ **for** passer l'examen de

quality *s.* qualité *f.*

quantity *s.* quantité *f.*

quarrel *s.* querelle *f.*; brouille *f.*; *v.n.* se brouiller; ~ **with** se quereller avec

quarter *s.* quartier *m.*; quart *m.*; ~**s** quartiers *m. pl.*

quartet(te) *s.* quatuor *m.*

quay *s.* quai *m.*

queen *s.* reine *f.*; (cards) dame *f.*

queer *adj.* bizarre

quench *v.a.* éteindre

question *s.* question *f.*; *v.a.* interroger

queue *s.* queue *f.*; *v.n.* ~ **up** faire (la) queue

quick *adj.* prompt, rapide; vif

quick(ly) *adv.* vite

quiet *adj.* tranquille; calme; **be** ~ se taire

quilt *s.* courtepointe *f.*

quit *v.a.* quitter

quite *adv.* tout à fait

quiver *v.n.* trembler

quiz *s.* mystification *f.*; persifleur *m.*; *v.a.* railler

quotation *s.* citation *f.*

quote *v.a.* citer

R

rabbi *s.* rabbin *m.*

rabbit *s.* lapin, -e *m. f.*

race[1] *s.* course *f.*; *v.n.* faire la course; courir; lutter de vitesse

race[2] *s.* race *f.*

rack *s.* râtelier *m.*

racket *s.* raquette *f.*

radiate *v.n.* rayonner, irradier; *v.a.* dégager

radiator *s.* radiateur *m.*

radical *adj.* radical

radio *s.* radio *f.*

radioactive *adj.* radioactif

radish *s.* radis *m.*

rag *s.* chiffon *m.*

rage *s.* rage *f.*

raid *s.* razzia *f.*, rafle *f.*; raid *m.*

rail *s.* barre *f.*; rampe *f.*; rail *m.*; **by** ~ par chemin de fer

railway *s.* chemin *m.* de fer

rain *s.* pluie *f.*; *v.n.* pleuvoir

rainy *adj.* pluvieux

raise *v.a.* lever, élever; soulever; (plants) faire pousser, cultiver

rake *s.* râteau *m.*

rally *v.n.* se rallier; *s.* ralliement *m.*

ramify *v.n.* ramifier

random *s.* **at** ~ par hasard

range *s.* rangée *f.*; (mountains) chaîne *f.*; (extent) étendue *f.*; (kitchen) fourneau *m.*; *v.a.* ranger

rank *s.* rang *m.*; grade *m.*

ransom *s.* rançon *f.*; *v.a.* payer rançon pour

rap *s.* tape *f.*; coup *m.*; *v.a.* frapper

rapid *adj.* rapide

rare *adj.* rare

rascal *s.* coquin *m.*

rash *adj.* téméraire; inconsidéré

raspberry *s.* framboise *f.*

rat *s.* rat *m.*

rate *s.* taux *m.*, cours *m.*, tarif *m.*; (speed) vitesse *f.*, allure *f.*; (tax) taxe *f.*; **at the** ~ **of** à la vitesse de; **at any** ~ en tout cas, quoi qu'il en soit; *v.a.* estimer; taxer

rather *adv.* plûtot; un peu

ratify *v.a.* ratifier

ration *s.* ration *f.*

rational *adj.* raisonnable
rattle *s.* bruit *m.*; *v.n.* faire du bruit
raven *s.* corbeau *m.*
raw *adj.* cru; ~ **material** matière *f.* première
ray *s.* rayon *m.*
razor *s.* rasoir *m.*; **safety** ~ rasoir de sûreté; **electric** ~ rasoir électrique
razor-blade *s.* lame *f.* de rasoir
reach *v.a.* arriver (à); atteindre; *v.n.* atteindre; parvenir (à); *s.* étendue *f.*; portée *f.*; **within** ~ à portée
react *v.n.* réagir
reaction *s.* réaction *f.*
reactor *s.* réacteur *m.*
read *v.a.* lire; (study) étudier; ~ **for** (exam) préparer
reader *s.* lecteur, -trice *m. f.*
reading *s.* lecture *f.*
ready *adj.* prêt (à); prompt (à); près (de); **get** ~ (se) préparer
real *adj.* réel; véritable
reality *s.* réalité *f.*
realization *s.* réalisation *f.*
realize *v.a.* réaliser
really *adv.* vraiment
realm *s.* royaume *m.*; fig. domaine *m.*
reap *v.a. & n.* moissonner
reaper *s.* moissonneur *m.*
rear *adj.* de derrière; *s.* arrière *m.*; queue *f.*; *v.a.* élever; *v.n.* se cabrer
reason *s.* raison *f.*; *v.a. & n.* raisonner
reasonable *adj.* raisonnable
reasoning *s.* raisonnement *m.*
rebellion *s.* rébellion *f.*
rebuke *s.* réprimande *f.*; *v.a.* réprimander
recall *v.a.* rappeler; (remember) se rappeler
receipt *s.* reçu *m.*, quittance *f.*; recette *f.*
receive *v.a.* recevoir
receiver *s.* destinataire *m. f.* (phone, wireless) écouteur *m.*, récepteur *m.*, poste *m.*
recent *adj.* récent
recently *adv.* récemment
reception *s.* réception *f.*
receptionist *s.* portier *m.* d'auberge; employé à la réception
recipe *s.* recette *f.*
recital *s.* récit *m.*; récital *m.*
recite *v.a. & n.* réciter
reckless *adj.* insouciant
reckon *v.a.* compter
recognize *v.a.* reconnaître
recollect *v.a.* se rappeler
recommend *v.a.* recommander
recommendation *s.* recommandation *f.*
reconcile *v.a.* réconcilier
record *s.* rapport *m.* officiel; souvenir *m.*, mention *f.*; archives *f. pl.*; (gramophone) disque *m.*; (sport) record *m.*; *v.a.* enrégistrer; rapporter
recount *v.a.* raconter
recover *v.a.* recouvrer; *v.n.* se remettre
recreation *s.* récreation *f.*
recruit *s.* recrue *f.*; *v.a.* recruter
rectangle *s.* rectangle *m.*
rector *s.* recteur *m.*; curé *m.*
recur *v.n.* revenir
red *adj.* rouge; roux

red *adj.* rouge; roux

redress *v.n.* réparer; redresser

reduce *v.a.* réduire

reduction *s.* réduction *f.*

reed *s.* roseau *m.*

reef *s.* ris *m.*; récif *m.*

reel *s.* dévidoir *m.*; bobine *f.*; *v.n.* tourner

refer *v.a.* référer; renvoyer; *v.n.* ~ **to** se rapporter à, s'en rapporter à, se référer à

referee *s.* arbitre *m.*; *v.a.* arbitrer

reference *s.* renvoi *m.*, référence *f.*; rapport *m.*; allusion *f.*; **with ~ to** à propos de; **have ~ to** se rapporter à

refill *s.* recharge *f.*

reflect *v.a.* réfléchir; *v.n.* méditer (sur)

reflection *s.* réflexion *f.*; image *f.*

reform *s.* réforme *f.*; *v.a.* réformer

Reformation *s.* Réforme *f.*

refrain *v.n.* ~ **from** se retenir de

refresh *v.a.* refraîchir

refreshment *s.* rafraîchissement *m.*; ~ **room** buffet *m.*

refrigerator *s.* réfrigérateur *m.*

refuge *s.* refuge *m.*; **take ~** se réfugier

refugee *s.* réfugié, -e *m. f.*

refusal refus *m.*

refuse *v.a.* refuser

refute *v.a.* réfuter

regain *v.a.* reconquérir; regagner; reprendre

regard *s.* égard *m.*; **with ~ to** à l'égard de; **kind(est) ~s** meilleurs amitiés *f. pl.*; *v.a.* regarder; tenir compte (de); considérer

regent *s.* régent *m.*

regime *s.* régime *m.*

regiment *s.* régiment *m.*

region *s.* région *f.*

register *v.a.* enregistrer

regret *v.a.* regretter; *s.* regret *m.*

regular *adj.* régulier

regulate *v.a.* régler

regulation *s.* ordonnance *f.*; réglementation *f.*

rehearsal *s.* répétition *f.*

rehearse *v.a.* répéter

reign *s.* règne *m.*; *v.a.* régner

rein *s.* rêne *f.*

reject *v.a.* rejeter; refuser

relate *v.a.* raconter; **be ~ed to** être apparanté à; *v.n.* ~ **to** se rapporter à; relating to relatif à

relation *s.* relation *f.*, rapport *m.* (à); (relative) parent, -e *m. f.*

relative *s.* parent, -e *m. f.*; *adj.* relatif; ~ **to** au sujet de

relax *v.n.* se relâcher; *v.a.* relâcher

relay *s.* relais *m.*

release *s.* délivrance *f.*; *v.a.* libérer; décharger (de)

reliable *adj.* digne de confiance

relic *s.* relique *f.*

relief[1] *s.* délivrance *f.*; soulagement *m.*; secours *m.*

relief[2] *s.* relief *m.*

relieve *v.a.* soulager; secourir; délivrer

religion *s.* religion *f.*

religious *adj.* religieux

rely *v.n.* ~ **upon** compter sur

remain *v.n.* rester

remark *s.* remarque *f.*; *v.n.* remarquer; *v.n.* faire une remarque

remarkable *adj.* remarquable

remedy *s.* remède *m.*

remember *v.a.* se souvenir (de), se rappeler

remind *v.a.* rappeler (à), faire souvenir (de)

remit *v.a.* remettre

remittance *s.* remise *f.*

remorse *s.* remords *m.*

remote *adj.* reculé

removal *s.* déménagement *m.*; enlèvement; (dismissal) renvoi *m.*

remove *v.a.* déménager; enlever; (dismiss) renvoyer, (from school) retire; *v.n.* déménager; s'en aller

Renaissance *s.* Renaissance *f.*

render *v.a.* rendre

renew *v.a.* renouveler

renounce *v.a.* renoncer (à); dénoncer; répudier

rent *s.* (house) loyer *m.*; *v.a.* louer

repair *s.* réparation *f.*; *v.a.* réparer

repay *v.a.* rembourser

repeat *v.a.* répéter

repentance *s.* repentir *m.*

repetition *s.* répétition *f.*

replace *v.a.* replacer

reply *s.* réponse *f.*; *v.a. & n.* répondre

report *s.* rapport *m.*, compte *m.* rendu; bruit *m.*; bulletin *m.*; *v.a.* rapporter; rendre compte (de)

reporter *s.* reporter *m.*

represent *v.a.* représenter

representation *s.* représentation *f.*

representative *s.* représentant *m.*

reproach *s.* reproche *m.*

reproduce *v.a.* reproduire

reproduction *s.* reproduction *f.*

reprove *v.a.* réprimander

republic *s.* république *f.*

repulsion *s.* répulsion *f.*

repulsive *adj.* repoussant

reputation, repute *s.* réputation *f.*

request *s.* requête *f.*; *v.a.* demander

require *v.a.* demander; exiger

requirement *s.* besoin *m.*; exigence *f.*

rescue *s.* délivrance *f.*; secours *m.*; *v.a.* délivrer; secourir

research *s.* recherce *f.*

resemble *v.a.* ressembler (à)

resent *v.a.* être froissé (de); ressentir

reserve *s.* réserve *f.*; *v.a.* réserver

reside *v.n.* résider

residence *s.* résidence *f.*

resident *s.* habitant *m.*; *adj.* résidant

resign *v.a.* résigner, se démettre (de); *v.n.* donner sa démission

resignation *s.* résignation *f.*; démission *f.*

resist *v.a.* résister (à)

resistance *s.* résistance *f.*

resolution *s.* résolution *f.*

resolve *v.a.* résoudre; *v.n.* se résoudre (à), se décider (à faire)

resort *s.* recours *m.*; ressource *f.*; *v.n.* ~ **to** avoir recours à

resource *s.* ressource *f.*

respect *s.* respect *m.*; rapport *m.*; **in this ~** sous ce rapport; **with ~ to** concernant ...; *v.a.* respecter

respectful *adj.* respectueux

respective *adj.* respectif

respond *v.n.* répondre

response *s.* réponse *f.*

responsability *s.* responsabilité *f.*

responsible *adj.* responsable (de)

rest¹ *s.* reste *m.*; **the ~** les autres

rest² *s.* repos *m.*; pause *f.*; *v.n.* se reposer

restaurant *s.* restaurant *m.*

restless *adj.* sans repos; inquiet; agité

restoration *s.* restauration *f.*

restore *v.a.* restaurer

restrain *v.a.* retenir; ~ **from** empêcher de

restraint *s.* contrainte *f.*; retenue *f.*

restrict *v.a.* restreindre

restriction *s.* restriction *f.*

result *s.* résultat *m.*; *v.n.* ~ **from** résulter de; ~ **in** avoir pour résultat

resume *v.a.* reprendre

retain *v.a.* retenir

retire *v.n.* se retirer

retreat *s.* retraite *f.*

return *v.n.* revenir, retourner; (answer) faire; *s.* retour *m.*; renvoi *m.*; ~ **ticket** billet *m.* d'aller et retour

reveal *v.a.* révéler

revenge *s.* vengeance *f.*; *v.a.* venger

revenue *s.* revenu *m.*

reverend *adj.* révérend

reverse *adj.* inverse; *s.* revers *m.*

review *s.* revue *f.*; (of book) compte *m.* rendu, critique *f.*; *v.a.* revoir; (book) faire la critique (d'un livre)

revision *s.* révision *f.*

revolt *s.* révolte *f.*

revolution *s.* révolution *f.*; (motor) tour *m.*

reward *s.* récompense *f.*; *v.a.* récompenser

rheumatism *s.* rhumatisme *m.*

rhyme *s.* rime *f.*

rhythm *s.* rythme *m.*

rib *s.* côte *f.*

rice *s.* riz *m.*

rich *adj.* riche rid *v.a.* **get ~ of** se débarrasser de

riddle *s.* énigme *f.*

ride *v.n.* monter; aller à cheval or à bicyclette; (bus) voyager; aller (an autobus); *v.a.* monter; *s.* promenade *f.*

ridge *s.* crête *f.*

ridiculous *adj.* ridicule

rifle *s.* fusil *m.*

right *adj.* droit; correct, exact; juste, bon; bien; ~ **side** endroit *m.*; **be** ~ avoir raison; **that's** ~ c'est ça; *s.* droit *m.*; (opposed to left) droite *f.*; *adv.* droit; bien; (very) très

rim *s.* bord *m.*

ring[1] *s.* anneau *m.*; cercle *m.*; (sport) ring *m.*

ring[2] *v.a. & n.* sonner; ~ **up** appeler (au téléphone); *s.* son *m.*; coup *m.* de sonnette; **there is a ~ at the door** on sonne (à la porte)

rinse *v.a.* rinser

riot *s.* émeute *f.*

rip *v.a.* déchirer; ~ **up** arracher; *v.n.* aller à toute vitesse

ripe *adj.* mûr

rise *v.n.* se lever; (revolt) se soulever; (prices) hausser; (originate) naître (de); *s.* montée *f.*; (salary) augmentation *f.*; **give ~ to** donner lieu à

risk *s.* risque *m.*; *v.a.* risquer

rival *adj. & s.* rival, -e (*m. f.*); *v.a.* rivaliser (avec)

rivalry *s.* rivalité *f.*

river *s.* fleuve *m.*, rivière *f.*

road *s.* route *f.*, chemin *m.*

road-map *s.* carte *f.* routière *f.*

roar *s.* rugissement *m.*; *v.n.* rugir; hurler

roast *v.a.* & *n.* rôtir; *s.* rôti *m.*

rob *v.a.* voler

robber *s.* voleur *m.*

robbery *s.* vol *m.*

robe *s.* robe *f.*

robin *s.* rouge-gorge *m.*

rock *s.* rocher *m.*, roc *m.*

rocket *s.* fusée *f.*

rocky *adj.* rocheux

rod *s.* baguette *f.*

rogue *s.* coquin, -e *m. f.*

roll *s.* rouleau *m.*; liste *f.*; *v.a.* rouler

roller-towel *s.* essuie-mains *m.* à rouleau

Roman *adj.* romain; *s.* Romain, -e *m. f.*

romantic *adj.* romanesque; romantique

roof *s.* toit *m.*

room *s.* chambre *f.*; salle *f.*; (space) place *f.*

root *s.* racine *f.*; source *f.*

rope *s.* corde *f.*

rose *s.* rose *f.*

rotten *adj.* pourri, carié

rough *adj.* rude; grossier; brut; (sea) gros

roughly *adv.* approximativement

round *adj.* rond; *adv.* de tour, en rond, autour; **hand** ~ faire circuler; **go** ~ tourner; **turn** ~ tourner, se retourner; *prep.* autour de; *s.* rond *m.*, cercle *m.*; tournée *f.*; tour *m.*

rouse *v.a.* réveiller

route *s.* route *f.*

routine *s.* routine *f.*

row[1] *s.* rang *m.*, rangée *f.*; ligne *f.*

row[2] *v.n.* ramer; *v.a.* faire aller (à la rame); *s.* promenade *f.* en canot

row[3] *s.* chahut *m.*, vacarme *m.*, querelle *f.*; réprimande *f.*

royal *adj.* royal

rub *v.a.* frotter

rubber *s.* caoutchouc *m.*

rubbish *s.* décombres *m. pl.*; ordure(s) *f.* (*pl.*), immondices *f. pl.*

ruby *s.* rubis *m.*

rudder *s.* gouvernail *m.*

rude *adj.* rude

ruffian *s.* bandit *m.*

ruffle *s.* ride *f.*; *v.a.* rider; ébouriffer

rug *s.* couverture *f.*; tapis *m.*

ruin *s.* ruine *f.*; *v.a.* ruiner

rule *s.* autorité *f.*; règle *f.*; (of the road) code *m.*; **as a** ~ généralement; *v.a.* gouverner; régler; guider; ~ out exclure

ruler *s.* gouverneur *m.*, souverain *m.*; (for lines) règle *f.*

rum *s.* rhum *m.*

Rumanian *adj.* roumain; *s.* Roumain, -e *m. f.*

rumour *s.* rumeur *f.*

run *v.n.* courir; fuir, se sauver; (flow) couler; (veh.) marcher, faire le service; (engine) fonctionner; (play in theatre) se jouer; *v.a.* faire fonctionner; mettre en service; faire marcher, faire aller; ~ **after** courir après; ~ **away** s'enfurir; ~ **down** descendre en courant; (health) s'affaiblir; ~ **in** (motor) roder; ~ **into** heurter, rencontrer; ~ **off** s'enfuir; s'écouler; ~ **out** se terminer; ~ **over** passer dessus; ~ **up** (debts) entasser; *s.* course *f.*; voyage *m.*

runner *s.* coureur, -euse *m. f.*

runway *s.* piste (d'envol) *f.*

rupture *s.* rupture *f.*

rural *adj.* rural

rush *v.n.* se précipter, se jeter; *v.a.* entraîner à toute vitesse; *s.* ruée *f.*, hâte *f.*; ~ **hours** heures *f. pl.* d'affluence, coup *m.* de feu

Russian *adj.* russe; *s.* Russe *m. f.*

rust *s.* rouille *f.*

rustic *adj.* rustique

rustle *s.* bruissement *m.*

rye *s.* seigle *m.*

S

sabre *s.* sabre *m.*

sack *s.* sac *m.*

sacrament *s.* sacrement *m.*

sacrifice *s.* sacrifice *m.*

sad *adj.* triste

saddle *s.* selle *f.*

sadness *s.* tristesse *f.*

safe *adj.* sûr, en sûreté, sans danger; *s.* coffre-fort *m.*

safely *adv.* sain et sauf; en sûreté

safety *s.* sûreté *f.*

sail *s.* voile *f.*; *v.n.* faire voile, naviguer

sailor *s.* marin *m.*, matelot *m.*

saint *s.* saint, -e *m. f.*

sake; for the ~ of pour l'amour de

salad *s.* salade *f.*

salary *s.* traitement *m.*, appointements *m. pl.*

sale *s.* vente *f.*; (auction) vente *f.* aux enchères

salesman *s.* vendeur *m.*

saleswoman *s.* vendeuse *f.*

salmon *s.* saumon *m.*

saloon *s.* salon *m.*; ~ **bar** bar *m.*

salt *s.* sel *m.*

salt-cellar *s.* salière *f.*

salvation *s.* salut *m.*

same *adj. & pron.* même

sanatorium *s.* sanatorium *m.*

sanction *s.* sanction *f.*; *v.a.* sanctionner

sand *s.* sable *m.*; **the ~s** la plage

sandal *s.* sandale *f.*

sandwich *s.* sandwich *m.*

sanitary *adj.* sanitaire

sarcastic *adj.* sarcastique

sardine *s.* sardine *f.*

Satan *s.* Satan *m.*

satellite *s.* satellite *m.*

satire *s.* satire *f.*

satisfaction *s.* satisfaction *f.*

satisfactory *adj.* satisfaisant

satisfy *v.a.* satisfaire

Saturday *s.* samedi *m.*

sauce *s.* sauce *f.*

sausage *s.* saucisse *f.*

save *v.a.* sauver; (spare) épargner, gagner; *v.n.* économiser

savings-bank *s.* caisse *f.* d'épargne

Saviour *s.* Sauveur *m.*

saw *s.* scie *f.*; *v.a. & n.* sçier

say *v.a.* dire; **that is to ~** c'est-à-dire

scale[1] *s.* plateau (de balance) *m.*; (pair of) **~s** balance *f.*; *v.a.* peser

scale[2] *s.* échelle *f.*; (music) gamme *f.*

scale[3] *s.* (fish) écaille *f.*

scanty *adj.* maigre

scar *s.* cicatrice *f.*

scarce *adj.* rare

scarcely *adv.* à peine

scare *s.* panique *f.*; *v.a.* effrayer

scarf *s.* écharpe *f.*, foulard *m.*

scarlet *adj.* écarlate

scatter *v.a.* disperser; éparpiller; dissiper

scene *s.* scène *f.*; **behind the ~s** dans les coulisses

scenery *s.* paysage *m.*; (theatre) décor *m.*

scent *s.* odeur *f.*; parfum *m.*; (dog) flair *m.*

schedule *s.* liste *f.*; cédule *f.*

scheme *s.* plan *m.*; projet *m.*

scholar *s.* (child) éconolier, -ère *m. f.*; (learned) savant *m.*

scholarship *s.* bourse *f.*

school *s.* école *f.*; classe *f.*

schoolboy, -girl *s.* écolier, ère *m. f.*

schoolmaster *s.* instituteur *m.*, maître *m.* d'école; (secondary) professeur *m.*

schoolmistress *s.* maîtresse *f.* d'école; (secondary) professeur *m.*

schoolroom *s.* (salle de) classe *f.*

science *s.* science *f.*

scientific *adj.* scientifique

scientist *s.* savant *m.*

scissors *s. pl.* ciseaux *m. pl.*

scold *v.a.* gronder

scoop *s.* écope *f.*

scooter *s.* scooter *m.*

scope *s.* portée *f.*; envergure *f.*; carrière *f.*

scorch *v.a.* roussir, brûler

score *s.* entaille *f.*; (sum) compte *m.*; (games) points *m. pl.*, marque *f.*, score *m.*; (twenty) vingtaine *f.*; (music) partition *f.*; *v.a.* marquer; ~ **out** rayer

scorn *s.* mépris *m.*

Scotch, Scottish, Scots, *adj.* écossais

Scotsman *s.* Écossais *m.*

scout *s.* éclaireur *m.*

scrambled: ~ eggs oeufs *m. pl.* brouillés

scrap *s.* morceau *m.*; bout *m.*

scrape *v.a.* gratter; râcler; ~ **off** décrotter

scratch *v.a.* gratter; égratigner; *v.n.* griffer, gratter; *s.* égratignure *f.*; *m.* coup d'ongle

scream *v.a. & n.* crier; *s.* cri *m.*

screen *s.* écran *m.*

screw *s.* vis *f.*

scrub *v.a.* frotter; nettoyer à la brosse

scrupulous *adj.* scrupuleux

sculptor *s.* sculpteur *m.*

sculpture *s.* sculpture *f.*; *v.a.* sculpter

scythe *s.* faux *f.*

sea *s.* mer *f.*; **by ~** par (voie de) mer

seal[1] *s.* (animal) phoque *m.*

seal[2] *s.* sceau *m.*; *v.a.* sceller; cacheter

seam *s.* couture *f.*

seaport *s.* port *m.* de mer

search *v.a.* chercher; *s.* recherche *f.*

searchlight *s.* projecteur *m.*

seasickness *s.* mal *m.* de mer

seaside *s.* bord *m.* de la mer

season *s.* saison *f.*

seat *s.* siège *m.*; *v.a.* asseoir; placer

second *adj.* second; deux; deuxième; *s.* seconde *f.*

secondary *adj.* secondaire; ~ **school** école *f.* secondaire

second-hand *adj.* de seconde main, d'occasion

secret *adj. & s.* secret (*m.*)

secretary *s.* secrétaire *m. f.*

section *s.* section *f.*

secular *adj.* séculier

secure *adj.* en sûreté, sûr; *v.a.* mettre en sûreté; obtenir; fixer

security *s.* sécurité *f.*; caution *f.*; sûreté *f.*; securities valeurs *f. pl.*; **social ~ sécurité** *f.* socialé

sediment *s.* sédiment *m.*

see *v.a.* voir; (understand) comprendre; (make sure) s'assurer; (accompany) accompagner; ~ about s'occuper de; ~ **out** accompagner jusqu'à la porte; ~ **through** voir à travers, pénêtre; mener à bonne fin; ~ **to** veiller à, s'occuper de.

seed *s.* semence *f.*; graine *f.*

seek *v.a.* chercher

seem *v.n.* sembler, paraître

seize *v.a.* saisir; prendre

seldom *adv.* rarement

select *v.a.* choisir

selection *s.* choix *m.*

self *s.* moi *m.*

self-conscious *adj.* gêné

self-control *s.* maîtrise *f.* de soi-même

selfish *adj.* égoïste

selfishness *s.* égoïsme *m.*

self-respect *s.* respect *m.* de soi

self-service *adj.* ~ **restaurant** restaurant à libre service

sell *v.a.* vendre; ~ **out** ventre tout son stock; *v.n.* se vendre

seller *s.* vendeur, -euse *m. f.*

semaphore *s.* sémaphore *m.*

semicolon *s.* point (et) virgule *m.*

senate *s.* sénat *m.*

senator *s.* sénateur *m.*

send *v.a.* envoyer; (money) remettre; ~ **back** renvoyer; ~ **for** envoyer chercher; ~ **off** expédier; ~ **on** faire suivre; ~ **out** lancer

sender *s.* expéditeur, -trice *m. f.*

sense *s.* sens *m.*

senseless *adj.* insensé; sans connaissance

sensibility *s.* sensibilité *f.*

sensible *adj.* sensible; sensé, raisonnable

sensitive *adj.* sensible

sensual *adj.* sensuel

sentence *s.* jugement *m.*; sentence *f.*; phrase *f.*; *v.a.* condamner

sentiment *s.* sentiment *m.*

sentry *s.* sentinelle *f.*

separate *adj.* séparé; à part; *v.a.* séparer; *v.n.* se séparer

separation *s.* séparation *f.*

September *s.* septembre *m.*

serenade *s.* sérénade *f.*

sergeant *s.* sergent *m.*

series *s.* série *f.*

serious *adj.* sérieux

sermon *s.* sermon *m.*

servant *s.* serviteur, -vante *m. f.*; domestique *m. f.*

serve *v.a. & n.* servir

service *s.* service *m.*; utilité *f.*

service-station *s.* station-service *f.*

session *s.* séance *f.*, session *f.*

set *v.a.* mettre, placer; (limb) remettre; (fashion) donner; (jewels) monter; (watch) régler; (problem) donner; (appoint) fixer; (trap) tendre; *v.n.* (sun) se coucher; ~ **about** se mettre à; ~ **aside** mettre de côté; ~ **down** déposer; noter; ~ **forth** exposer; ~ **in** commencer; ~ **off, out** partir; ~ **on** pousser (à); ~ **up** dresser; établir; ~ **up** for se donner pour; *s.* ensemble *m.*, assortiment *m.*, collection *f.*; (tea) service *m.*; (radio) poste *m.*; (ornaments) garniture *f.*; (tennis) set *m.*; (gang) bande *f.*; ~ **of furni-**

ture ameublement *m.*; ~ **of false teeth** dentier *m.*

setting *s.* mise *f.*, pose *f.*; montage *m.*; installation *f.*; coucher *m.*

settle *v.a.* fixer; arranger; régler, payer; décider, résoudre; *v.n.* s'établir; se poser (sur); se décider à; ~ **down** s'établir

settlement *s.* colonie *f.*

seven *adj.* & *s.* sept.

seventeen *adj.* dix-sept

seventh *adj.* septième

seventy *adj.* & *s.* soixante-dix

several *adj.* plusieurs; différent

severe *adj.* sévère

sew *v.a.* coudre

sex *s.* sexe *m.*

sexual *adj.* sexuel

shabby *adj.* usé, râpé

shade *s.* ombre *f.*; ombrage *m.*; *v.a.* ombrager

shadow *s.* ombre *f.*

shady *adj.* ombreux

shaft *s.* bois *m.*; trait *m.*; flèche *f.*; arbre *m.*

shake *v.a.* secouer; ébranler; (hands) serrer; *v.n.* trembler; s'ébranler; *s.* secousse *f.*

shaky *adj.* tremblant, branlant; cassé; faible

shall (future see Grammar); (command) vouloir; (duty) devoir

shallow *adj.* peu profond

shame *s.* honte *f.*

shameless *adj.* éhonté; honteux

shampoo *s.* shampooing *m.*

shank *s.* jambe *f.*

shape *s.* forme *f.*; *v.a.* façonner; former; diriger; *v.n.* se développer; promettre

shapeless *adj.* sans forme

share *s.* part *f.*; action *f.*; **have a ~ in** contribuer (à); **go ~s** (in) partager; *v.a.* & *n.* partager

shareholder *s.* actionnaire *m. f.*

sharp *adj.* tranchant; aigu; aigre; piquant; perçant; *s.* (music) dièse *m.*; *adv.* net; **9:00** ~ 9 heures précises

sharpen *v.a.* aiguiser; tailler

shatter *v.a.* fracasser; déranger

shave *v.a.* raser; *v.n.* se raser

shawl *s.* châle *m.*

she *pron.* elle

shear *v.a.* tondre; couper; *s.* (pair of) **~s** cisailles *f. pl.*

sheath *s.* étui; fourreau *m.*

shed *v.a.* verser; (light) répandre

sheep *s.* mouton *m.*

sheer *adj.* pur; perpendiculaire

sheet *s.* drap *m.*; (paper) feuille *f.*; ~ **iron** tôle *f.*

shelf *s.* rayon *m.*

shell *s.* (egg, nut) coque *f.*; (peas) cosse *f.*

shelter *s.* abri *m.*; **take** ~ s'abriter; *v.a.* abriter (de); *v.n.* se mettre à l'abri (de)

shepherd *s.* berger

shield *s.* bouclier *m.*; écu *m.*

shift *s.* changement *m.*; (work) équipe *f.*; **make ~ to** s'arranger (de); *v.a.* & *n.* changer de place

shine *v.n.* briller; rayonner (de); the sun is shining il fait du soleil

ship *s.* vaisseau *m.*, navire *m.*; *v.a.* embarquer

shipping *s.* embarquement *m.*; navires *m. pl.*; ~ **company** compagnie *f.* de navigation

shipping-agent *s.* agent maritime *m.*; (goods) expéditeur *m.*

shipwreck *s.* naufrage *m.*; *v.a.* **be ~ed** faire naufrage

shipyard *s.* chantier *m.* de construction

shirt *s.* chemise *f.*

shiver *v.n.* frissonner; (cold) grelotter

shock *s.* choc *m.*; coup *m.*; *v.a.* choquer; frapper d'horreur

shocking *adj.* affreux; choquant

shoe *s.* soulier *m.*

shoeblack *s.* décrotteur *m.*, cireur *m.*

shoelace *s.* lacet *m.*

shoemaker *s.* cordonnier *m.*

shoot *v.a.* tirer, fusiller; lancer; décharger; (game) chasser; (plant) pousser; (rays) darder; (film) tourner; *v.n.* tirer; se précipiter, se lancer; (plant) pousser; (pain) élancer

shooting *s.* tir *m.*, fusillade *f.*; (game) chasse *f.*; *adj.* (pain) lancinant

shop *s.* boutique *f.*, magasin *m.*; *v.n.* **go ~ping** faire des achats or emplettes

shop-assistant *s.* commis *m.*; demoiselle *f.*, vendeur, -euse *m. f.*

shopkeeper *s.* marchand, -e *m. f.*; commerçant, -e *m. f.*

shore *s.* rivage *m.*; rive *f.*

short *adj.* court; petit; bref, brève; (lacking) de manque; *adv.* **be ~ of** manquer de

shorten *v.a.* & *n.* raccourcir; abréger

shorthand *s.* sténographie *f.*

shortly *adv.* sous peu; bientôt; brièvement

shot *s.* coup *m.*; trait *m.*; (bullet) balle *f.*, (cannon) boulet *m.*

shoulder *s.* épaule *f.*

shout *s.* cri *m.*; *v.a.* & *n.* crier

shove *v.a.* pousser

shovel *s.* pelle *f.*

show *v.a.* montrer; indiquer; manifester; exposer; expliquer; *v.n.* se montrer; ~ **in** faire entrer; ~ **off** étaler; faire ressortir; se donner des airs; ~ **out** reconduire; ~ **up** ressortir; *s.* blant *m.*; spectacle *m.*; parade *f.*; exposition *f.*

shower *s.* averse *f.*; *v.a.* faire pleuvoir

shower-bath *s.* douche *f.*

shrill *adj.* aigre; aigu, -ë

shrine *s.* châsse *f.*; lieu saint *m.*

shrink *v.a.* & *n.* rétrécir; reculer

shroud *s.* linceul *m.*

shrub *s.* arbrisseau *m.*, arbuste *m.*

shrug *s.* haussement *m.* d'épaules; *v.a.* hausser

shudder *s.* frisson *m.*; *v.n.* frissonner (de)

shut *v.a.* fermer; (also ~ **in**) enfermer; ~ **off** couper; ~ **up** fermer; se taire

shutter *s.* volet *m.*

shy *adj.* timide

sick *adj.* malade; **be ~** vomir; **be ~ of** être dégoûté de; **fall ~** tomber malade

sickle *s.* faucille *f.*

sickly *adj.* maladif; malsain

sickness *s.* maladie *f.*

side *s.* côte *m.*; bord *m.*; (team) équipe *f.*

siege *s.* siège *m.*

sieve *s.* crible *m.*

sift *v.a.* cribler

sigh *s.* soupir *m.*; *v.n.* soupirer

sight *s.* vue *f.*; spectacle *m.*; **~s** curiosités *f. pl.*

sightseeing; go ~ visiter les curiosités

sign *s.* signe *m.*; enseigne *f.*; *v.a.* & *n.* signer; ~ **on** engager

signal *s.* signal *m.*; *v.a.* signaler; *v.n.* faire des signaux

signature *s.* signature *f.*

significant *adj.* significatif

signify *v.a.* signifier; *v.n.* importer

signpost *s.* poteau *m.* indicateur

silence *s.* silence *m.*

silent *adj.* silencieux; muet

silk *s.* soie *f.*

silly *adj.* sot

silver *s.* argent *m.*; *adj.* d'argent; argenté

similar *adj.* semblable

simple *adj.* simple

simultaneous *adj.* simultané

sin *s.* péché *m.*; *v.n.* pécher

since *adv.* & *prep.* depuis; *conj.* depuis que; (because) puisque

sincere *adj.* sincère

sinew *s.* tendon *m.*

sinful *adj.* pécheur

sing *v.a.* & *n.* chanter

singer *s.* chanteur, -euse *m. f.*; cantatrice *f.*

single *adj.* simple; seul; célibataire; particulier; ~ **ticket** billet d'aller

singular *s.* singulier *m.*; *adj.* remarquable; singulier

sink *v.n.* tomber au fond, sombrer; s'enfoncer; baisser; *v.a.* enfoncer; faire baisser; foncer; couler; *s.* évier *m.*

sinner *s.* pécheur, -eresse *m. f.*

sir *s.* monsieur *m.*; Sir *m.*

sister *s.* soeur *f.*; (nurse) infirmière *f.*

sister-in-law *s.* belle-soeur *f.*

sit *v.n.* s'asseoir; être assis; rester; ~ **down** s'asseoir; se mettre (à); ~ **for** (exam) se présenter à; ~ **up** se dresser; (at night) veiller

site *s.* emplacement *m.*; terrain *m.*; site *m.*

sitting-room *s.* petit salon *m.*

situation *s.* situation *f.*; (employment) position *f.*; emploi *m.*

six *adj.* & *s.* six (*m.*)

sixteen *adj.* & *s.* seize (*m.*)

sixth *adj.* sixième; six

sixty *adj.* & *s.* soixante

size *s.* grandeur *f.*, mesure *f.*; (shoes, etc.) pointure *f.*; numéro *m.*, taille *f.*; (pers.) taille *f.*

skate *v.n.* patiner

skating *s.* patinage *m.*

sketch *s.* croquis *m.*; esquisse *f.*; *v.a.* esquisser

ski *s.* ski *m.*

skid *v.n.* déraper

skier *s.* skieur *m.*

skiff *s.* esquif *m.*

skilful *adj.* adroit

skill *s.* adresse *f.*

skim *v.a.* écrémer

skin *s.* peau *f.*; *v.a.* écorcher; peler

skip *v.a.* & *n.* sauter

skirt *s.* jupe *f.*

skull *s.* crâne *m.*

sky *s.* ciel *m.* (*pl.* cieux)

slack *adj.* lâche; négligent

slacken *v.a.* ralentir; relâcher; *v.n.* se relâcher; diminuer

slacks *s. pl.* pantalon *m.*

slander *s.* calomnie *f.*; *v.a.* calomnier

slant *s.* biais *m.*; *v.a.* faire pencher; *v.n.* être en pente

slap *s.* claque *f.*; soufflet *m.*; *v.a.* claquer; souffleter

slate *s.* ardoise *f.*

slaughter *s.* massacre *m.*

slave *s.* esclave *m. f.*

sledge *s.* traîneau

sleep *s.* sommeil *m.*; **go to ~** s'endormir; *v.a. & n.* dormir

sleeping-car *s.* wagonlit *m.*

sleepy *adj.* somnolent; **be ~** avoir sommeil

sleeve *s.* manche *f.*

slender *adj.* mince, faible

slice *s.* tranche *f.*

slide *s.* glissade *f.*; (photo) diapositive *f.*

slight *adj.* mince; léger

slim *adj.* mince, svelte

sling *s.* fronde *f.*

slip *v.n.* glisser; se glisser (dans); *v.a.* filer; pousser, glisser; **~ off** ôter; **~ on** mettre; **~ out** s'esquiver; *s.* glissade *f.*; (mistake) faux pas *m.*; (paper) fiche *f.*; (underwear) combinaison *f.*

slipper *s.* pantoufle *f.*

slope *s.* biais *m.*; pente *f.*; *v.n.* incliner

slot *s.* fente *f.*

slow *adj.* lent; (clock) en retard; (dull) peu intelligent; **~ to** lent à; *v.a. & n.* **~ down** ralentir

slumber *s.* sommeil *m.*; *v.n.* sommeiller

slump *s.* débâcle *f.*; (in trade) mévente *f.*; dépression *f.*

sly *adj.* rusé

small *adj.* petit; faible; peu important; menu

smart *adj.* (clever) habile, débrouillard; (witty) spirituel; (dress, pers.) élégant, chic; pimpant; (society) élégant

smash *v.a.* briser; fig. écraser; *s.* fracas *m.*; collision *f.*

smear *v.a.* enduire; *s.* tache *f.*

smell *s.* odorat *m.*; odeur *f.*; *v.a. & n.* sentir; **~ out** flairer

smile *s.* sourire *m.*; *v.n.* sourire (*at* à)

smoke *s.* fumée *f.*; *v.a. & n.* fumer

smooth *adj.* lisse; uni; doux, -ce; (sea) calme; *v.a.* aplanir; lisser

smuggle *v.a.* **~ in** faire passer en contrebande; *v.n.* faire la contrebande

smuggler *s.* contrebandier *m.*

snack *s.* morceau (sur le pouce) *m.*; **have a ~** casser la croûte

snail *s.* colimaçon *m.*

snake *s.* serpent *m.*

snap *s.* fermoir *m.*; coup *m.* de dents; claquement *m.*; (photo) instantané *m.*; *v.a.* faire claquer; fermer; **~ at** happer; **~ off** casser

snapshot *s.* intantané *m.*

snatch *s.* action de saisir, *f.*; accès *m.*; fragment *m.*; *v.a.* saisir; **~ at** saisir au vol

sneeze *v.n.* éternuer; *s.* éternuement *m.*

sniff *v.a. & n.* renifler

snore *v.n.* ronfler

snow *s.* neige *f.*; *v.n.* neiger

snug *adj.* commode

so *adv.* ainsi; si; donc; **~ that** de sorte que; afin que

soak *v.n.* tremper

soap *s.* savon *m.*

soar *v.n.* prendre son essor; *fig.* s'élancer

sob *v.n.* sangloter; *s.* sanglot

sober *adj.* sobre; sensé

social *adj.* social

socialism *s.* socialisme *m.*

society *s.* société *f.*

sock *s.* chaussette *f.*

socket *s.* cavité *f.*; (electric) prise *f.* de contact

soda-water *s.* eau *f.* de Seltz

sofa *s.* canapé *m.*

soft *adj.* mou, mol, molle; doux, -e

soil *s.* terroir; (stain) tache; *v.a.* souiller

soldier *s.* soldat *m.*

sole[1] *s.* plante *f.*; semelle *f.*; (fish) sole *f.*

sole[2] *adj.* seul

solicit *v.a.* solliciter

solicitor *s.* avoué *m.* solicitor *m.*

solidarity *s.* solidarité *f.*

solitude *s.* solitude *f.*

solution *s.* solution *f.*

solve *v.a.* résoudre

some *adj.* quelque; de; *pron.* quelques-uns; les uns; en (+ verb); *adv.* environ

somebody, -one *pron.* quelqu'un

somehow *adv.* d'une façon quelconque; ~ **or other** d'une façon ou d'une autre

something *s. & pron.* quelque chose *m.*

sometime *adv.* quelque jour, autrefois

sometimes *adv.* quelquefois, parfois

somewhere *adv.* quelque part

son *s.* fils *m.*

song *s.* chanson *f.*

son-in-law *s.* gendre *m.*

soon *adv.* bientôt

sore *adj.* douloureux; **have a ~ ...** avoir mal à ...; *s.* plaie *f.*

sorrow *s.* douleur *f.*

sorry *adj.* **be ~ for** regretter; ~! pardon !

sort *s.* sorte *f.*; genre *m.*; type *m.*; ~ **of** une espèce de

soul *s.* âme *f.*

sound[1] *s.* son *m.*; bruit *m.*; *v.n.* sonner; *v.a.* sonner; sonder; (physician) ausculter

sound[2] *adj.* sain; solide; droit; profond; en bon état

soup *s.* potage *m.*; (clear) consommé *m.*; (thick) soupe *f.*

sour *adj.* aigre; acide; (milk) tourné

source *s.* source *f.*

south *s.* sud *m.*, midi *m.*; *adj.* sud; du sud; *adv.* vers le sud

southeast *adj. & s.* sud-est (*m.*); *adv.* vers le sud-est

southern *adj.* du sud

southwest *adj. & s.* sud-ouest (*m.*); *adv.* vers le sud-ouest

sovereign *s.* souverain, -e *m. f.*

sow[1] *v.a. & n.* semer (de)

sow[2] *s.* truie *f.*

space *s.* espace *m.*

space-craft, -ship, -vehicle *s.* astronef *m.*

space-flight *s.* navigation *f.* astronautique

spaceman *s.* cosmonaute *m.*, astronaute *m.*

spade *s.* bêche *f.*; (cards) pique *m.*

span *s.* empan *m.*; ouverture; *v.a.* traverser; couvrir

Spaniard *s.* Espagnol, -e

Spanish *adj. & s.* espagnol (*m.*)

spanner *s.* clef *f.*

spare *adj.* maigre; disponible; de réserve; ~ **parts** pièces de rechange *f. pl.*; ~ **time** loisir *m.*;

v.a. épargner; économiser; (evade) éviter
spark *s.* étincelle *f.*
sparrow *s.* moineau *m.*
speak *v.n.* parler hardiment; ~ **up** parler plus haut; **...** ~**ing** ici ...
spear *s.* lance *f.*
special *adj.* spécial
specialist *s.* spécialiste *m. f.*
specific *adj.* spécifique
specify *v.a.* spécifier
speck *s.* grain *m.*; tache *f.*
spectacles *s. pl.* lunettes *f.*
spectacular *adj.* impressionnant
spectator *s.* spectateur, -trice *m. f.*
speech *s.* parole *f.*; langage *m.*; (address) discours *m.*
speed *s.* vitesse *f.*
speedy *adj.* rapide; prompt
spell[1] *v.a. & n.* épeler; orthographier, écrire; **how is it spelt?** comment cela s'écrit-il ?
spell[2] *s.* période *f.*; tour *m.*
spelling *s.* ortographe *f.*
spend *v.a.* dépenser; (time) passer; *v.n.* dépenser
sphere *s.* sphère *f.*
spice *s.* épice *f.*
spider *s.* araignée *f.*
spill *v.a.* repandre; renverser
spin *v.a. & n.* filer; faire tourner
spinach *s.* épinards *m. pl.*
spine *s.* épine (dorsale) *f.*
spinster *s.* vieille fille *f.*; célibataire *f.*
spiral *adj.* en spirale
spire *s.* flèche *f.*
spirit *s.* esprit *m.*; âme *f.*; spectre *m.*; caractère *m.*, coeur *m.*; ~**s** spiritueux *m. pl.*
spiritual *adj.* spirituel
spit *s.* crachat *m.*; *v.a. & n.* cracher
spite *s.* dépit *m.*; **in ~ of** malgré
splash *s.* éclaboussement *m.*; *v.a. & n.* éclabousser (de)
spleen *s.* rate *f.*
splendid *adj.* spendide
splinter *s.* éclat *m.*; (bone) esquille *f.*
split *v.a.* fendre; (also ~ **up**) partager; *v.n.* se fendre; se diviser
spoil *v.a.* gâter; dépouiller (de); endommager; *v.n.* se gâter
sponge *s.* éponge *f.*
spontaneous *adj.* spontané
spoon *s.* cuiller *f.*
spoonful *s.* cuillerée *f.*
sport *s.* sport *m.*; amusements *m. pl.*
sportsman *s.* sportsman *m.*
spot *s.* tache *f.*; (place) endroit *m.*; *v.a.* tacher; reconnaître
spout *s.* gouttière *f.*; bec *m.*; *v.a.* lancer
sprain *v.a.* donner une entorse (à)
spray *s.* embrun *m.*, vaporisateur *m.*; atomiseur *m.*; *v.a.* vaporiser, atomiser; arroser
spread *v.a.* étendre; répandre; (cloth) mettre; (cover) couvrir; (news) faire circuler; *v.n.* s'étendre; *s.* propagation *f.*; étendue *f.*
spring[1] *s.* printemps *m.*
spring[2] *v.n.* sauter; pousser; jaillir; provenir (de), descendre (de), naître (de); ~ **up** se lever vite; jaillir; *s.* saut *m.*; (watch, etc.) ressort *m.*
sprinkle *v.a.* répandre; asperger (de), arroser

sprout *v.a. & n.* germer; pousser; *s.* pousse *f.*; Brussels **~s** choux *m. pl.* de Bruxelles

spur *s.* éperon *m.*, aiguillon *m.*; *v.a.* éperonner; **~ on** pousser à

spy *s.* espion, -onne *m. f.*; *v.n.* espionner

squander *v.a.* gaspiller

square *s.* carré *m.*; (town) place *f.*; *adj.* carré; honnête

squeeze *v.a.* serrer; presser

squint *v.n.* loucher; *s.* strabisme *m.*

squire *s.* écuyer *m.*; châtelain *m.*

squirrel *s.* écureuil *m.*

stability *s.* stabilité *f.*

stable *s.* écurie *f.*; *adj.* stable

stack *s.* pile *f.*; meule *f*

stadium *s.* stade *m.*

staff *s.* état-major *m.*; bâton *m.*; hampe *f.*; (institution) personnel *m.*; **~ officer** officier d'état-major *m.*

stag *s.* cerf *m.*

stage *s.* scène *f.*; (drama) théâtre *m.*; (period) période *f.*; (platform) estrade *f.*; *v.a.* mettre en scène

stagger *v.n.* chanceler; *v.a.* bouleverser

stain *s.* tache *f.*; *v.a.* tacher; salir

stair *s.* marche; **~s** escalier *m.*

staircase *s.* escalier *m.*

stake *s.* pieu *m.*; **at ~** en jeu; *v.a.* garnir de pieux; mettre au jeu; jouer

stale *adj.* rassis

stall *s.* stalle *f.*; fauteuil *m.*; (books) kiosque *m.* à journaux

stammer *v.n.* bégayer

stamp *s.* timbre-poste *m.*; estampe *f.*; contrôle *m.*; empreinte *f.*; *v.a.* timbrer; estamper; contrôler

stand *v.n.* être debout, se tenir debout, se soutenir; (be situated) se trouver; (remain) rester; **~ out** ressortir; **~ up** se lever; *s.* position *f.*; (vehicles) station *f.*; (stall) étalage *m.*; stand *m.*

standard *s.* étendard *m.*; étalon *m.*; niveau *m.*; *adj.* régulateur; au titre; (authors) classique

star *s.* étoile *f.*

stare *v.n.* (also **~ at**) regarder fixement

start *v.n.* partir; commencer; *v.a.* faire partir; faire lever; commencer; lancer; *s.* commencement *m.*; départ *m.*

starve *v.n.* mourir de faim; *v.a.* faire mourir de faim

state *s.* état *m.*; *v.a.* affirmer; porter; déclarer

statement *s.* déclaration *f.*

statesman *s.* homme *m.* d'état

station *s.* poste *m.*; endroit *m.*; (railway) gare *f.*; (police) poste *m.* de police

stationer *s.* papetier *m.*; **~'s shop** papeterie *f.*

statistic(al) *adj.* statistique

statistics *s.* statistique *f.*

statue *s.* statue *f.*

statute *s.* statut *m.*; ordonnance *f.*

stay *v.n.* rester; être installé; **~ away** rester absent; **~ up** veiller

steady *adj.* ferme; soutenu; (pers.) rangé; *int.* attention !

steak *s.* tranche *f.*; bifteck *m.*

steal *v.a.* voler

steam *s.* vapeur *f.*

steamboat *s.* bateau *m.* à vapeur

steam-engine *s.* locomotive *f.*

steel *s.* acier *m.*

steep *adj.* raide, escarpé

steeple *s.* clocher *m.*

steer *v.a.* gouverner; diriger

steering-gear *s.* appareil *m.* de direction

steering-wheel *s.* volant *m.*

stem *s.* tige *f.*; queue *f.*

step *s.* pas *m.*; (stair) marche *f.*; (ladder) échelon *m.*; **take ~s** faire des démarches; *v.n.* faire un pas; marcher; aller, venir; **~ in** entrer

stepmother *s.* belle-mère *f.*

stereotype *s.* cliché *m.*

sterile *adj.* stérile

stern *s.* arrière *m.*; *adj.* sévère

stew *s.* ragoût *m.*; (fruit) compote *f.*; *v.a.* (meat) faire un ragout de; (fruit) faire une compote de

steward *s.* régisseur *m.*; steward *m.*

stewardess *s.* hôtesse *f.* de l'air

stick *s.* bâton *m.*, canne *f.*, petite branche *f.*; *v.a.* coller; *v.n.* se coller; **~ on** attacher; **~ to** rester fidèle à

sticky *adj.* gluant

stiff *adj.* raide; dur

still *adj.* calme; *adv.* toujours; encore; cependant

sting *s.* aiguillon *m.*; *v.a. & n.* piquer

stink *v.n.* puer; *s.* puanteur *f.*

stipulate *v.a.* stipuler

stir *v.a.* remuer; exciter; *v.n.* remuer; bouger; *s.* remuement *m.*

stirrup *s.* étrier *m.*

stitch *s.* point *m.*; *v.a. & n.* coudre

stock *s.* marchandises *f. pl.*; provision *f.*; (tree) tronc *m.*; (cattle) bestiaux *m. pl.*; (finance) valeurs *f. pl.*; Stock Exchange Bourse *f.*

stockholder *s.* actionnaire *m. f.*

stocking *s.* bas *m.*

stomach *s.* estomac *m.*

stone *s.* pierre; (fruit) noyau *m.*; *v.a.* lapider

stony *adj.* pierreux

stool *s.* tabouret *m.*, escabeau *m.*

stop *v.a.* arrêter; empêcher (de); (teeth) plomber; retenir suspendre; *v.n.* s'arrêter; cesser; *s.* halte *f.*; arrêt *m.*; (organ) jeu *m.*; (sigh) signe de ponctuation *m.*

store *s.* provision *f.*; **~s** grand magasin *m.*; *v.a.* emmagasiner

stork *s.* cicogne *f.*

storm *s.* orage *m.*

story[1] *s.* histoire *f.*

story[2] (also **storey**) *s.* étage *m.*

stout *adj.* fort; intrépide

stove *s.* poèle *m.*; fourneau *m.*

straight *adj.* droit; honnête; d'aplomb; *adv.* juste; droit

straighten *v.a.* (re)dresser; *v.n.* se redresser

strain *s.* effort *m.*; tension *f.*; *v.a.* tendre; (filter) passer; (muscle) forcer

strange *adj.* étrange(r)

stranger *s.* étranger, -ère *m. f.*

strap *s.* courroie *f.*

straw *s.* paille *f.*

strawberry *s.* fraise *f.*

stray *adj.* égaré; *v.n.* errer

streak *s.* raie *f.*; bande *f.*

stream *s.* courant *m.*; *v.n.* couler, ruisseler

street *s.* rue *f.*

strength *s.* force *f.*

strengthen *v.a.* fortifier

stress *s.* force *f.*; (grammar) accent *m.*

stretch *s.* effort *m.*; étendue *f.*; *v.a.* étendre; élargir

stretcher *s.* brancard *m.*

strew *v.a.* semer

strict *adj.* strict

stride *s.* enjambée *f.*; grand pas *m.*; *v.n.* enjamber

strike *v.a.* frapper; (blow) asséner; (work) cesser; *v.n.* frapper; (clock) sonner; (workers) se mettre eu grève; *s.* grève *f.*; **be on** ~ être en grève

striking *adj.* frappant

string *s.* ficelle *f.*; corde *f.*

strip *s.* bande *f.*; bout *m.*; *v.a.* déshabiller; *v.n.* se déshabiller

stripe *s.* bande *f.*

strip-lighting *s.* éclairage *m.* par luminescent

strive *v.n.* s'efforcer (de)

stroke *s.* coup *m.*; (swimming) brasse *f.*; (pen) trait *m.*

strong *adj.* fort; vigoureux; puissant; solide

structure *s.* structure *f.*

struggle *v.n.* lutter (avec); faire de grands efforts (pour); *s.* lutte *f.*; mélee *f.*

stub *s.* souche *f.*; bout *m.*

stubborn *adj.* obstiné

stud *s.* bouton *m.*

student *s.* étudiant, -e *m. f.*

studio *s.* atelier *m.*

study *s.* étude *f.*; cabinet *m.* de travail; *v.a.* & *n.* étudier

stuff *s.* étoffe *f.*; materiaux *m. pl.*; *v.a.* remplir; fourrer

stumble *v.n.* trébucher; ~ **(up)on** tomber sur; *s.* faux pas *m.*

stump *s.* souche *f.*; *v.a.* estomper

stupid *adj.* stupide

style *s.* style *m.*

subject *s.* sujet, -te *m. f.*; *adj.* ~ **to** sujet à; *v.a.* assujettir (à)

submarine *s.* sous-marin *m.*

submission *s.* soumission *f.*

submit *v.a.* soumettre

subordinate *adj.* & *s.* subordonné; *v.a.* subordonner

subscribe *v.a.* & *n.* (~ **to**) souscrire (à); s'abonner (à)

subscriber *s.* souscripteur *m.*; souscripteur *m.*; abonné, e *m. f.*

subscription *s.* souscription *f.*; abonnement *m.*

subsequent *adj.* subséquent

subsequently *adv.* par la suite

subsidy *s.* subside *m.*

subsist *v.n.* exister; subsister (de)

subsistence *s.* subsistance *f.*

substance *s.* substance *f.*

substantial *adj.* substantiel

substantive *s.* substantif *m.*

substitute *v.a.* substituer (*for* à)

substitution *s.* substitution *f.*

subtle *adj.* subtil

subtract *v.a.* soustraire

subtraction *s.* soustraction *f.*

suburb *s.* faubourg *m.*; ~**s** banlieue *f.*

subway *s.* souterrain *m.*; métro *m.*

succeed *v.a.* succéder (à); *v.n.* (be successful) réussir (à); faire ses affaires; ~ **to** succéder à

success *s.* succès *m.*

successful *adj.* heureux, (exam) reçu

succession *s.* succession *f.*

successive *adj.* successif

such *adj.* tel, -le; ~ **and** ~ tel(le) ou tel(le); *pron.* ~ **as** ceux, celles

suck *v.a.* & *n.* sucer; *s.* **give** ~ **to** allaiter

sudden *adj.* soudain
suddenly *adv.* soudain
suet *s.* graisse *f.* de rognon
suffer *v.a. & n.* souffrir
sufficient *adj.* suffisant
sufficiently *adv.* suffisamment
sugar *s.* sucre *m.*
suggest *v.a.* suggérer; proposer
suggestion *s.* suggestion *f.*
suicide *s.* suicide *m.*
suit *s.* (clothes) complet *m.*; (cards) couleur *f.*; (law) procès *m.*; (request) requête *f.*; *v.a.* convenir (à); adapter (à); *v.n.* convenir (à); alier (avec)
suitable *adj.* convenable; ~ **for** adapté à
suitcase *s.* mallette *f.*, valise *f.*
sum *s.* somme *f.*; ~ **total** somme totale *f.*; *v.a.* ~ **up** résumer
summary *s.* résumé *m.*
summer *s.* été *m.*
summon *v.a.* convoquer; appleler
sun *s.* soleil *m.*
Sunday *s.* dimanche *m.*
sunny *adj.* ensoleillé; exposé au soleil
sunrise *s.* lever *m.* du soleil
sunset *s.* coucher *m.* du soleil
sunshine *s.* soleil *m.*
sunstroke *s.* coup *m.* de soleil
superannuate *v.a.* mettre à la retraite
superficial *adj.* superficiel
superfluous *adj.* superflu
superior *s. & adj.* supérieur (*m.*)
supermarket *s.* supermarché *m.*
supersonic *adj.* supersonique
superstition *s.* superstition *f.*
superstitious *adj.* superstitieux
supervise *v.a.* surveiller
supervision *s.* superveillance *f.*
supper *s.* souper *m.*
supplement *s.* supplément *m.*; *v.a.* suppléer (à)
supplementary *adj.* supplémentaire
supply *s.* provision *f.*; approvisionnement *m.*; ~ **and demand** l'offre et la demande; *v.a.* fourner (de); suppléer
support *s.* appui *m.*; support *m.*; *v.a.* supporter; soutenir; appuyer
suppose *v.a.* supposer
supposition *s.* supposition *f.*
suppress *v.a.* supprimer
suppression *s.* suppression *f.*; répression *f.*
supreme *adj.* suprême
sure *adj.* sûr; **be ~ to** ne pas manquer de; **make ~ that** s'assurer que
surely *adv.* sûrement
surface *s.* surface *f.*
surgeon *s.* chirurgien *m.*
surgery *s.* chirurgie *f.*
surname *s.* nom *m.* de famille
surpass *v.a.* surpasser
surprise *s.* surprise *f.*; *v.a.* surprendre
surprising *adj.* surprenant
surrender *s.* abandon *m.*; reddition *f.*; *v.a.* rendre; renoncer; *v.n.* se rendre
surround *v.a.* entourer (de)
surroundings *s. pl.* environs *m. pl.*; entourage *m.*
survey *s.* vue *f.*; examen *m.*; *v.a.* contempler, regarder; examiner; expertiser
survive *v.a. & n.* survivre (à)

suspect *adj.* & *s.* suspect, -e (*m. f.*); *v.a.* & *n.* soupçonner

suspenders *s. pl.* jarretelles *f. pl.*

suspicion *s.* soupçon *m.*

suspicious *adj.* soupçonneux; suspect

swallow[1] *s.* hirondelle *f.*

swallow[2] *v.a.* avaler; gober

swan *s.* cygne *m.*

swarm *s.* essaim *m.*; foule *f.*; *v.n.* essaimer; s'assembler en foule

swear *v.a.* jurer; prêter; *v.n.* jurer

sweat *s.* sueur *f.*; *v.a.* exploiter; *v.n.* suer

Swede *s.* Suédois, -e *m. f.*

Swedish *adj.* & *s.* suédois (*m.*)

sweep *v.a.* balayer; (chimney) ramoner; *s.* coup *m.* de balai; courbe *f.*; grand geste *m.*; (*pers.*) ramoneur *m.*

sweet *adj.* doux; (*pers.*) gentil; *s.* bonbon *m.*; entremets *m.*

sweetheart *s.* bien-aimé, -ée *m. f.*; **~!** mon amour !, ma chérie !

swell *v.n.* (s')enfler; se gonfler; grossir; *v.a.* gonfler; bouffir; *s.* houle *f.*; élévation *f.*

swim *v.n.* nager; aller à la nage; flotter; *v.a.* nager; *s.* **have a ~** aller nager

swimmer *s.* nageur, -euse *m. f.*

swimming pool *s.* piscine *f.*

swine *s.* cochon *m.*

swing *s.* va-et-vient *m.*; rythme *m.*; (for children) escarpolette *f.*, balançoire *f.*; *v.a.* balancer; *v.n.* osciller; se balancer

Swiss *adj.* suisse; *s.* Suisse *m. f.*

switch *s.* badine *f.*; aiguille *f.*; interrupteur *m.*, commutateur *m.*; *v.a.* cingler; aiguiller; couper; **~ off** couper (le courant); **~ on** donner (le courant), tourner (le bouton)

sword *s.* épée *f.*; sabre *m.*

syllable *s.* syllabe *f.*

symbol *s.* symbole *m.*

symmetrical *adj.* symétrique

symmetry *s.* symétrie *f.*

sympathy *s.* sympathie *f.*

symphony *s.* symphonie *f.*

synagogue *s.* synagogue *f.*

synthetic *adj.* synthétique

syringe *s.* seringue *f.*

syrup *s.* sirop *m.*

system *s.* système *m.*

systematic(al) *adj.* systématique

T

table *s.* table *f.*; **clear the ~** desservir; **lay the ~** mettre le couvert

tablecloth *s.* nappe *f.*

tablespoon *s.* cuiller *f.* à soupe

tablet *s.* tablette *f.*

tack *s.* broquette *f.*, petit clou *m.*

tackle *s.* attirail *m.*; apparaux *m. pl.*; *v.a.* saisir à bras le corps; (problem) essayer de résoudre

tact *s.* tact *m.*

tag *s.* ferret *m.*; étiquette (volante) *f.*; bout *m.*

tail *s.* queue *f.*

tailor *s.* tailleur *m.*

take *v.a.* prendre; (carry) porter; (walk) faire; **~ after** ressembler à; **~ away** enlever; **~ down** descendre, (write) prendre) (par écrit); **~ in** (paper) s'abonner à; **~ off** ôter; (*v.n.*) prendre son élan; **~ on** se charger de; **~ to** se mettre à; **~ up** ramasser, relever

tale *s.* conte *m.*, histoire *f.*

talent *s.* talent *m.*

talk *v.a. & n.* parler (*about, of* de); **~ing of** à propos de; *s.* conversation *f.*; causerie *f.*

tall *adj.* grand; **how ~ is he?** quelle est sa taille ?

tame *adj.* apprivoisé

tan *s.* tan *m.*

tank *s.* réservoir *m.*; char *m.* d'assaut

tankard *s.* chope *f.*

tap *s.* robinet *m.*; (blow) tape *f.*; petit coup *m.*; *v.a.* mettre en perce; (strike) frapper légèrement, taper

tape *s.* ruban *m.* (de coton)

tape-recorder *s.* magnétophone *m.*

tapestry *s.* tapisserie *f.*

target *s.* cible *f.*

tariff *s.* tarif *m.*

tart *s.* tart *f.*

task *s.* tâche *f.*; (school) devoir *m.*

taste *s.* goût *m.*

tasteless *adj.* sans saveur

tasty *adj.* savoureux, de bon goût

tatter *s.* lambeau *m.*

tavern *s.* taverne *m.*

tax *s.* impôt *m.*; **~ free** exempt d'impôts

taxi *s.* taxi *m.*

tea *s.* thé *m.*

teach v. a enseigner, instruire; (how to) apprendre (à)

teacher *s.* instituteur, -trice *m. f.*; professeur *m. f.*

teaching *s.* enseignement *m.*

team *s.* équipe *f.*

teapot *s.* théière *f.*

tear[1] *s.* (eye) larme *f.*

tear[2] *v.a.* déchirer; **~ away, down, out** arracher: **~ up** déchireer; *s.* déchirure *f.*

tease *v.a.* taquiner

teaspoon *s.* cuiller *f.* à thé

technical *adj.* technique

technology *s.* technologie *f.*

tedious *adj.* ennuyeux

teenager *s.* adolescent, -e *m. f.*

telecast *v.a.* téléviser

telegram *s.* télégramme *m.*

telegraph *s.* télégraphe *m.*

telephone *s.* téléphone *m.*; *v.a. & n.* téléphoner (*to* à)

telescope *s.* téléscope *m.*; réfracteur *m.*; *v.a.* téléscoper

televise *v.a.* téléviser

television *s.* télévision *f.*

television set *s.* appareil *m.* de TV, téléviseur *m.*

telex *s.* télex *m.*

tell *v.a.* dire; raconter; distinguer; **~ s.o. to do sth.** enjoindre, dire à qn. de faire qch.

temper *s.* colère *f.*; tempérament *m.*

temperature *s.* température *f.*

temporary *adj.* temporaire

tempt *v.a.* tenter

ten *adj. & s.* dix (*m.*)

tenant *s.* locataire *m. f.*

tend *v.n.* tendre (à)

tendency *s.* tendence *f.*

tender[1] *v.a.* offrir; **~ for** soumissionner; *s.* soumission *f.*

tender[2] *adj.* tendre

tennis *s.* tennis *m.*

tension *s.* tension *f.*

tent *s.* tente *f.*

tenth *adj.* dixième; dix

term *s.* terme *m.*; (school) trimestre *m.*; **be on good ~s** être bien (avec); *v.a.* appeler

terminate *v.a.* terminer; *v.n.* se terminer

terminus *s.* (gare *f.*) terminus *m.*

terrace *s.* terrasse *f.*

terrible *adj.* terrible

territory *s.* territoire *m.*

test *s.* épreuve *f.*; examen *m.*; (school) composition *f.*, (oral) épreuve *f.*; orale; *v.a.* mettre à l'épreuve

testify *v.a.* affirmer

testimony *s.* témoignage *m.*

text *s.* texte *m.*

textbook *s.* manuel *m.*

textile *s.* textile *m.*

than *conj.* que; (with numbers) de

thank *v.a.* remercier; ~ **you** merci; *s.* **~s** remerciements *m. pl.*; merci

thankful *adj.* reconnaissant

that[1] *adj.* ce, cet, cette; ces; *pron.* celui, celle, ceux; cela; **~s it** c'est cela

that[2] *conj.* que

the *art.* le, la, les; ce, cet, cette; ces

theatre *s.* théâtre *m.*

their *pron.* leur, leurs

theirs *pron.* le leur, la leur, les leurs; à eux, à elles

them *pron.* les; leur; eux, elles

theme *s.* thème *m.*; sujet *m.*

themselves *pron.* se; eux-mêmes, elles-mêmes

then *adv.* alors; (after that) puis; (consequently) donc

theology *s.* théologie *f.*

theoretical *adj.* théorique

theory *s.* théorie *f.*

there *adv.* là; (with verb) y; ~ **is, are** il y a

therefore *adv.* donc

thermometer *s.* thermomètre *m.*

thermos *s.* thermos *f.*

they *pron.* ils, elles; ~ **say** on dit

thick *adj.* épais

thief *s.* voleur, -euse *m. f.*

thigh *s.* cuisse *f.*

thimble *s.* dé *m.*

thin *adj.* mince; malgre; *fig.* pauvre

thing *s.* chose *f.*; **~s** effets *m. pl.*

think *v.a.* croire; concevoir; *v.n.* croire; penser (about, of à); ~ **out** élaborer; ~ **over** réfléchir à, penser

third *adj.* troisième; trois; *s.* tiers *m.*

thirsty *adj.* altéré; **be** ~ avoir soif

thirteen *adj.* & *s.* treize (*m.*)

thirty *adj.* & *s.* trente (*m.*)

this, *pl.* these *pron.* cela; *adj.* ceci; ce, cet, cette; ces

thorn *s.* épine *f.*

thorough *adj.* profond, complet; consommé

thoroughfare *s.* artère *f.* principal, grande rue *f.*; **no** ~ rue barrée, passage interdit

thoroughly *adv.* tout à fait, à fond

though conj. quoique, bien que; *adv.* tout de même

thought *s.* pensée *f.*; idée *f.*; (care) souci *m.*

thoughtful *adj.* pensif; attentif

thoughtless *adj.* étourdi; insouciant

thousand *s.* & *adj.* mille (*m.*)

thrash *v.a.* battre

thread *s.* fil *m.*; *v.a.* enfiler

threat *s.* menace *f.*

threaten *v.a.* & *n.* menacer (de)

three *adj.* & *s.* trois (*m.*)

threshold *s.* seuil *m.*

thrifty *adj.* économe

thrill *s.* tressaillement *m.*; *v.a.* **be ~ed with** frissonner de

thrive *v.n.* prospérer

throat *s.* gorge *f.*

throne *s.* tône *m.*

through *prep.* à travers; au travers de; par; par suite de; pendant; *adv.* d'un bout à l'autre; **be ~ with** avoir fini qch.; *adj.* direct

throughout *prep.* & *adv.* d'un bout à l'autre

throw *v.a.* jeter; **~ away** jeter, dissiper; **~ down** renverser; jeter à terre; **~ off** se débarrasser de; ôter; **~ out** rejecter; **~ over** abandonner; *s.* jet *m.*

thrust *v.a.* fourrer, pousser; enforcer; *s.* poussé *f.*; botte *f.*

thumb *s.* pouce *m.*

thunder *s.* tonnerre *m.*; *v.n.* tonner

Thursday *s.* jeudi *m.*

thus *adv.* ainsi

ticket *s.* billet *m.*; étiquette *f.*

ticket-collector *s.* contrôleur *m.*

tide *s.* marée *f.*; courant *m.*

tidy *adj.* propre; bien rangé; (*pers.*) ordonné; *v.a.* (also **~ up**) mettre en ordre

tie *v.a.* attacher; lier; nouer; **~ down** lier; **~ up** attacher; *s.* lien *m.*; cravate *f.*; (sport) partie *f.* égale

tiger *s.* tigre, -esse *m. f.*

tight *adj.* serré; tendu

tighten *v.a.* serrer

tile *s.* tuile *f.*

till *prep.* jusqu'à; *conj.* jusqu'à ce que

tilt *s.* inclinaison *f.*; *v.n.* s'incliner, pencher; *v.a.* pencher

time *s.* temps *m.*; moment *m.*; (clock) heure *f.*; (occasions) fois; **at ~s** de temps en temps; **by the ~ that** avant que; **for the ~ being** actuellement; **what ~ is it?** quelle heure est il ?; **have a good ~** s'amuser bien; **keep good ~** marcher bien

timely *adj.* opportun

timetable *s.* horaire *m.*; indicateur *m.*; (school) emploi *m.* du temps

tin *s.* étain *m.*; (conserve) boîte *f.* (en fer blanc)

tinned *adj.* en boîte; conservé

tint *s.* teinte *f.*

tiny *adj.* tout petit

tip[1] *s.* bout *m.*; *v.a.* renverser; *v.n.* (also **~ over**) se renverser

tip[2] *s.* (money) pourboire *m.*; *v.a.* donner un pourboire (à)

tire[1] *s.* pneu(matique) *m.*

tire[2] *v.a.* fatiguer; *v.n.* se fatiguer

tired *adj.* **be ~ of** être las de

tissue *s.* tissu *m.*

tissue paper *s.* papier *m.* de soie

title *s.* titre *m.*

to *prep.* à; vers; en

toast *s.* rôtie *f.*; (bread, drink) toast *m.*; *v.a.* rôtir

tobacco *s.* tabac *m.*

tobacconist *s.* marchand *m.* de tabac; **~'s** débit *m.* de tabac

today *adv.* aujourd'hui

toe *s.* orteil *m.*, doigt *m.* du pied

together *adv.* ensemble; en même temps

toil *s.* travail *m.*; *v.n.* travailler

toilet *s.* toilette *f.*

toilet paper *s.* papier *m.* hygiénique

tomato *s.* tomate *f.*

tomb *s.* tombeau *m.*

tomorrow *adv.* demain

ton *s.* tonne *f.*

tone *s.* ton *m.*

tongs *s. pl.* pincettes *f. pl.*; pince *f.*

tongue *s.* langue *f.*

tonight *adv.* cette nuit; ce soir

tonsil *s.* amygdale *f.*

too *adv.* trop; (also) aussi

tool *s.* outil *m.*; instrument *m.*

tooth *s.* dent *f.*

toothache *s.* mal *m.* de dents

toothbrush *s.* brosse *f.* à dents

toothpaste *s.* pâte *f.* dentrifrice

top *s.* sommet *m.*, faîte *m.*; dessus *m.*; couvercle *m.*; tête *f.*; premier, -ère *m. f.*; *v.a.* couronner; dépasser

topic *s.* sujet *m.*; **~s of the day** actualités *f. pl.*

torch *s.* torche *f.*

tortoise *s.* tortue *f.*

toss *s.* mouvement *m.*; *v.a.* jeter; lancer en l'air; ballotter; up lancer en l'air

total *adj.* & *s.* total (*m.*)

totter *v.n.* chanceler

touch *s.* toucher *m.*; attouchement *m.*; touche *f.*; légère *f.* attaque; *v.a.* toucher

tough *adj.* dur; robuste; rude

tour *s.* voyage *m.*; tour *m.*; tournée *f.*; *v.n.* voyager

tourism *s.* tourisme *m.*

tourist *s.* touriste *m.*

tournament *s.* tournoi *m.*

tow *s.* étoupe *f.*; remorque *f.*; *v.a.* remorquer

toward(s) *prep.* vers; envers; pour

towel *s.* essuie-main(s) *m.*, serviette *f.*

tower *s.* tour *f.*

town *s.* ville *f.*

town hall *s.* hôtel *m.* de ville

toy *s.* jouet *m.*; *v.n.* jouer (avec)

trace *s.* trace *f.*; trait *m.*; *v.a.* tracer; ~ **back** remonter à

track *s.* traces *f. pl.*; sentier *m.*; (railw.) voie *f.*; (running) piste *f.*

tractor *s.* tracteur *m.*

trade *s.* commerce *m.*; (occupation) métier *m.*; *v.n.* commercier; ~ **in** faire le commerce de

trademark *s.* marque *f.* de fabrique

tradesman *s.* commerçant *m.*

trade(s)-union *s.* syndicat *m.*

tradition *s.* tradition *f.*

traditional *adj.* traditionnel

traffic *s.* trafic *m.*; circulation *f.*; ~ **lights** feux *m. pl.* de signalisation

tragedy *s.* tragédie

tragic(al) *adj.* tragique

trail *s.* trace *f.*; *v.a.* & *n.* traîner

train *s.* train *m.*; (series) suite *f.*; *v.a.* entraîner, former

trainer *s.* entraîneur *m.*

traitor *s.* traître *m.*

tram *s.* tramway *m.*

tramp *v.n.* aller à pied; *s.* bruit *m.* de pas; (pers.) chemineau *m.*

transaction *s.* transaction *f.*

transfer *s.* transport *m.*; *v.a.* transférer

transform *v.a.* transformer (en)

transfusion *s.* transfusion *f.*

transgress *v.a.* transgresser; *v.n.* pécher

transistor *s.* transistor *m.*

transit *s.* transit *m.*; **in** ~ en cours de route

translate *v.a.* traduire

translation *s.* traduction *f.*

translator *s.* traducteur, -trice *m. f.*

transmission *s.* transmission *f.*

transmit *v.a.* transmettre, émettre

transmitter *s.* (poste) émetteur *m.*

transparency *s.* diapositive *f.*

transport *s.* transport *m.*; *v.a.* transporter

trap *s.* piège *m.*

trash *s.* rebut *m.*; niaiseries *f. pl.*

travel *v.n.* voyager; *s.* voyage *m.*

traveller *s.* voyageur, -euse *m. f.*

tray *s.* plateau *m.*

treachery *s.* trahison *f.*

tread *s.* pas *m.*; *v.a. & n.* marcher (sur)

treasure *s.* trésor *m.*

treasury *s.* trésor *m.*; trésorerie *f.*

treat *v.a.* traiter

treatment *s.* traitement *m.*

treaty *s.* traité *m.*

tree *s.* arbre *m.*

tremble *v.n.* trembler

tremendous *adj.* terrible; immense

trench *s.* tranchée *f.*

trend *s.* tendance *f.*

trespass *v.n.* envahir sans autorisation; ~ **against** offenser; ~ **on** abuser de; *s.* offense *f.*

trial *s.* essai *m.*; épreuve *f.*; (law) procès *m.*

tribe *s.* tribu *f.*

tribute *s.* tribut *m.*

trick *s.* ruse *f.*; tour *m.*; truc *m.*; *v.a.* duper

trifle *s.* bagatelle *f.*; **a** ~ un peu; *v.n.* ~ **with** traiter légèrement

trim *s.* état *m.*; tenue *f.*; *adj.* bien tenu; *v.a.* arranger; garnir, orner; dresser

trip *s.* excursion *f.*; voyage *m.*; *v.a.* ~ **up** faire trébucher

triumph *s.* triomphe *m.*; *v.n.* triompher

triumphant *adj.* triomphant

trolley *s.* fardier *m.*, diable *m.*; trolley *m.*

trolley-bus *s.* trolleybus *m.*

troop *s.* troupe *f.*

trophy *s.* trophée *m.*

tropic(al) *adj.* tropique

tropics *s. pl.* tropiques *m. pl.*

trot *s.* trot *m.*; *v.n.* trotter

trouble *s.* affliction *f.*; malheur *m.*; dérangement *m.*; difficulté *f.*; *v.a.* inquiéter; déranger; affliger

troublesome *adj.* ennuyeux

trousers *s. pl.* pantalon *m.*

trout *s.* truite *f.*

truck *s.* wagon *m.*

true *adj.* vrai; exact; fidèle; **come** ~ se réaliser

truly *adv.* vraiment

trumpet *s.* trompette *f.*; *v.a.* proclamer

trunk *s.* melle *f.*; (tree) tronc *m.*

trunk-call *s.* appel *m.* interurbain

trust *s.* confiance *f.*; espoir *m.*; dépôt *m.*; trust *m.*; *v.a.* se confier (à); faire crédit (à); *v.n.* espérer; compter sur

truth *s.* vérité *f.*

try *v.a.* essayer, éprouver; (law) mettre en jugement; ~ **on** essayer; *s.* essai *m.*

tub *s.* bac *m.*; (bath) tub *m.*

tube *s.* tube *m.*; tuyau *m.*; métro *m.*

Tuesday *s.* mardi *m.*

tug *s.* effort *m.*; *v.a.* tirer; remorquer

tugboat *s.* (bateau) remorqueur *m.*

tuition *s.* enseignement *m.*

tumble *v.n.* tomber

tumout *s.* tumeur *f.*

tune *s.* air *m.*; accord *m.*; harmonie *f.*; **in** ~ d'accord; **out of** ~ faux;

v.a. & *n.* accorder; ~ **in to** mettre sur; ~ **up** régler; s'accorder

tunnel *s.* tunnel *m.*

turbine *s.* turbine *f.*

turbo-jet; ~ engine turboréacteur *m.*

turbo-prop *s.* turbopropulseur *m.*

turkey *s.* dindon, dinde *m. f.*

Turkish *adj.* turc, -que; *s.* Turc, -que *m. f.*; (lang.) turc *m.*

turn *v.a.* tourner, détourner; diriger; devenir; avoir recours (à); ~ **about** (se) tourner; ~ **back** retourner; ~ **down** plier, baisser; repousser; ~ **upside down** renverser; ~ **in** se coucher; ~ **off** fermer, serrer; éteindre; ~ **on** ouvrir; allumer; ~ **over** (se) renverser; ~ **up** arriver, apparaître; *s.* tour *m.*; détour *m.*; (mind, style) tournure *f.*, (tide) changement *m.*

turning *s.* tournant *m.*

turnip *s.* navet *m.*

turnover *s.* chiffre *m.* d'affaires

turret *s.* tourelle *f.*

turtle *s.* tortue *f.*

tutor *s.* précepteur *m.*; *v.a.* instruire

twelfth *adj.* douzième; douze

twelve *adj.* & *s.* douze (*m.*)

twentieth *adj.* vingtième

twenty *adj.* & *s.* vingt (*m.*)

twice *adv.* deux fois

twig *s.* brindille *f.*

twin *adj.* & *s.* jumeau (*m.*), jumelle (*f.*)

twist *s.* (road) coude *f.*; torsion *f.*; *v.a.* tordre; dénaturer; *v.n.* s'entortiller

twitter *v.n.* gazouiller

two *adj.* & *s.* deux (*m.*)

type *s.* type *m.*; caractère *m.*; *v.a.* taper (à la machine)

type-script *s.* manuscrit *m.* dactylographié

typewriter *s.* machine à écrire *f.*

typical *adj.* typique

typist *s.* dactilo(graphe) *m. f.*

U

udder *s.* mamelle *f.*

ugly *adj.* laid

ulcer *s.* ulcère *m.*

ultimate *adj.* final, dernier

umbrella *s.* parapluie *m.*

umpire *s.* arbitre *m. f.*

unable *adj.* incapable; ~ **to** impuissant à faire qch.; dans l'impossibilité de

unaccustomed *adj.* inaccoutumé, peu habitué (à)

unaided *adj.* sans aide

unanimous *adj.* unanime

unassisted *adj.* sans aide

unaware; be ~ of ignorer

unbearable *adj.* insupportable

uncertain *adj.* incertain

uncertainty *s.* incertitude *f.*

unchangeable *adj.* immuable

uncle *s.* oncle *m.*

uncomfortable *adj.* peu confortable

uncommon *adj.* rare; extraordinaire

unconditional *adj.* sans conditions

unconscious *adj.* sans connaissance; ~ **of** sans conscience de

uncover *v.a.* découvrir

undamaged *adj.* non endommagé

undefined *adj.* non défini

undeniable *adj.* incontestable

under *prep.* sous; au-dessous de; dans

undercarriage *s.* châssis *m.*, train (d'atterrissage) *m.*

underclothes *s. pl.* vêtements *m. pl.* de dessous

underdeveloped *adj.* sous-développé

underdone *adj.* pas assez cuit, saignant

undergo *v.a.* subir

undergraduate *s.* étudiant, -e (non diplomé) *m. f.*

underground *s.* métro(politain) *m.*

underline *v.a.* souligner

undermine *v.a.* miner

underneath *prep. & adv.* au-dessous (de)

undersigned *adj. & s.* soussigné, -e (*m. f.*)

understand *v.a. & n.* comprendre; **it is understood that** il est convenu que

understanding *s.* entendement *m.*; intelligence *f.*

undertake *v.a.* entreprendre; **~ to** se charger de, s'engager à

undertaking *s.* entreprise *f.*

underwear *s.* vêtements *m. pl.* de dessous

undesirable *adj.* peu désirable

undo *v.a.* défaire

undress *v.n.* se déshabiller

undue *adj.* indu

uneasy *adj.* inquiet; mal à l'aise; incommode

uneducated *adj.* sans instruction

unemployed *adj. & s.* sans travail; **the ~** les chômeurs *m.*

unemployment *s.* chômage *m.*

unequal *adj.* inégal

uneven *adj.* inégal; impair

unexpected *adj.* inattendu; soudain

unfair *adj.* injuste; déloyal

unfavorable *adj.* défavorable

unfortunate *adj.* malheureux

unfortunately *adv.* malheureusement

unhappy *adj.* malheureux

unhealthy *adj.* maladif; (place) insalubre

uninhabited *adj.* inhabité

uninteresting *adj.* peu intéressant, sans intérêt

union *s.* union *f.*

unique *adj.* unique

unit *s.* unité *f.*; (motor) bloc *m.*

unite *v.a.* unir; *v.n.* s'unir

unity *s.* unité *f.*; harmonie *f.*

universal *adj.* universel

university *s.* université *f.*

unjust *adj.* injuste

unkind *adj.* dur; peu aimable

unknown *adj.* inconnu

unless *conj.* à moins que ... ne; à moins de

unlike *adj.* dissemblable

unload *v.a.* décharger

unlock *v.a.* ouvrir

unmarried *adj.* célibataire

unnatural *adj.* non naturel, dénaturé

unnecessary *adj.* inutile

unnoticed *adj.* inaperçu

unoccupied *adj.* inoccupé; libre; non occupé

unpack *v.a.* déballer

unpaid *adj.* impayé

unparalleled *adj.* incomparable

unpleasant *adj.* désagréable

unprecedented *adj.* sans exemple or précédent

unprejudiced *adj.* sans préjugés, impartial

unprepared *adj.* non préparé; **be ~ for** ne pas s'attendre à qch.

unprofitable *adj.* peu profitable

unpromising *adj.* qui s'annonce mal; peu prometteur

unqualified *adj.* non qualifié; sans restriction

unreal *adj.* irréel

unreasonable *adj.* déraisonnable

unsatisfactory *adj.* peu satisfaisant

unseen *adj.* invisible; unaperçu

unsettled *adj.* non réglé; (in mind) indécis; incertain

unskilled *adj.* non spécialisé

unsolved *adj.* non résolu

unspeakable *adj.* inexprimable

unsteady *adj.* tremblant; peu fixe; chancelant; inconstant

unsuccessful *adj.* malheureux; infructueux

unsuitable *adj.* inconvenant; peu propre (à)

untidy *adj.* sans ordre, malpropre; en désordre

until *prep.* jusqu'à; conj. jusqu'à ce que; avant que

unto *prep.* jusqu'à

unusual *adj.* rare, peu commun

unwell *adj.* indisposé; souffrant

unwilling *adj.* peu disposé (à)

unworthy *adj.* indigne

unyielding *adj.* inflexible

up *adv.* en montant, vers le haut; (en) haut; **go ~** monter; **be ~ in** être fort en; **what's ~?** qu'est-ce qu'il y a ?' *prep.* vers le haut de; en haut; *adj.* montant

uphill *adj.* montant; *adv.* **go ~** monter

uphold *v.a.* soutenir; appuyer

upholsterer *s.* tapissier *m.*

upon *prep.* sur

upper *adj.* supérieur; (deck) deuxième; **the ~ classes** les hautes classes

upright *adj.* droit; honnête

upset *v.a.* renverser; fig. troubler, bouleverser; *adj.* renversé; fig. dérangé; **be ~** être indisposé

upside down *adv.* sens dessus dessous

upstairs *adv.* en haut; **go ~** monter (l'escalier)

up-to-date *adj.* moderne, à la mode

upwards *adv.* en haut, vers le haut, en montant

urge *v.a.* prier instamment (de); recommander instamment; pousser en avant

urgent *adj.* urgent; pressant

us *pron.* nous

usage *s.* usage *m.*

use *v.a.* se servir de; traiter; faire usage (de); consommer; **~ up** user; consommer; **~d to** habitué à; **get ~d to** s'habituer à; *s.* usage *m.*; emploi *m.*; utilité *f.*; **be of ~** être utile (à); **(of) no ~** inutile; **out of ~** hors d'usage or de service

useful *adj.* utile (à)

useless *adj.* inutile

usher *s.* (court) (huissier) audiencier *m.*

usherette *s.* (theatre) ouvreuse *f.*

usual *adj.* usuel

usually *adv.* ordinairement

utensil *s.* ustensile *m.*

utility *s.* utilité *f.*

utilize *v.a.* utiliser

utmost *adj.* extrême; le plus grand; *s.* le plus; tout son possible

utter[1] *adj.* le plus grand; absolu

utter[2] *v.a.* dire, prononcer; pousser

utterance *s.* prononciation *f.*; expression *f.*; parole *f.*

V

vacancy *s.* vacance *f.*

vacant *adj.* vacant; vide; sans expression

vacation *s.* vacances *f. pl.*

vaccinate *v.a.* vacciner

vaccination *s.* vaccination *f.*

vacuum cleaner *s.* aspirateur *m.*

vague *adj.* vague

vain *adj.* vain; vaniteux; **in ~** en vain

valid *adj.* valide

validity *s.* validité *f.*

valley *s.* vallée *f.*

valuable *adj.* de valeur

value *s.* valeur *f.*; *v.a.* évaluer; priser

valve *s.* soupape *f.*; lampe *f.*, tube *m.*

van *s.* fourgon *m.*; camion *m.* de livraison; wagon *m.*

vanish *v.n.* disparaître; (also **~ away**) s'évanouir

vanity *s.* vanité *f.*

variety *s.* variété *f.*

various *adj.* divers

varnish *s.* vernis *m.*

vary *v.a. & n.* varier

vase *s.* vase *m.*

vast *adj.* vaste

vault *s.* voûte *f.*; cave *f.*, caveau *m.*

veal *s.* veau *m.*

vegetable *s.* légume *m.*

vehicle *s.* véhicule *m.*

veil *s.* voile *m.*

vein *s.* veine *m.*

velvet *s.* velours *m.*

venison *s.* venaison *f.*

vent *s.* ouverture *f.*; give ~ to donner libre cours à

ventilation *s.* ventilation *f.*

ventilator *s.* ventilateur *m.*

venture *s.* risque *m.*; hasard *m.*; *v.a.* risquer; hasarder; *v.n.* **~ (up-)on** se hasarder à, se risquer à

verb *s.* verbe *m.*

verdict *s.* décision *f.*, verdict *m.*

verge *s.* bord *m.*

verify *v.a.* vérifier

verse *s.* vers *m.*; strophe *f.*

version *s.* version *f.*

vertical *adj.* vertical

very *adv.* très; **~ good** très bien; *adj.* vrai; même

vessel *s.* vaisseau *m.*

vest *s.* gilet *m.*; chemise *f.* américaine

vestry *s.* sacristie *f.*; assemblée *f.*

veterinary *adj.* **~ surgeon** vétérinaire *m.*

veto *s.* véto *m.*; *v.a.* mettre son véto (à)

vex *v.a.* vexer

vibrate *v.n.* vibrer, osciller

vibration *s.* vibration *f.*

vicar *s.* curé *m.*

vice- *prefix* vice-

vicinity *s.* voisinage *m.*

victim *s.* victime *f.*

victorious *adj.* victorieux

victory *s.* victoire *f.*

victuals *s. pl.* victuailles *f. pl.*

view *s.* vue *f.*; avis *m.*; **on ~** exposé; **have in ~** se proposer (de); **with a ~ to** en vue de; **point of ~**

point *m.* de vue; *v.a.* voir; regarder; envisager

viewer *s.* spectateur, -trice *m. f.*

vigorous *adj.* vigoureux

vigour *s.* vigueur *f.*

village *s.* village *m.*

villain *s.* scélérat *m.*

vine *s.* vigne *f.*

vinegar *s.* vinaigre *m.*

vineyard *s.* vignoble *m.*

vintage *s.* vendange *f.*

violate *v.a.* violer

violation *s.* violation *f.*

violence *s.* violence *f.*

violent *adj.* violent

violet *s.* violette *f.*; (colour) violet *m.*; *adj.* violet

violin *s.* violon *m.*

violinist *s.* violoniste *m. f.*

violoncellist *s.* violoncelliste *m.*

violoncello *s.* violoncelle *m.*

virgin *s.* vierge *f.*

virtue *s.* vertu *f.*

visa, visé *s.* visa *m.*

visibility *s.* visibilité *f.*

visible *adj.* visible

vision *s.* vision *f.*, vue *f.*

visit *s.* visite *f.*; séjour *m.*; **be on a ~ to** être en visite chez; *v.a.* visiter

visitor *s.* visiteur, -euse *m. f.*

vital *adj.* vital

vitamin *s.* vitamine *f.*

vocabulary *s.* vocabulaire *m.*

vocation *s.* vocation *f.*

voice *s.* voix *f.*; *v.a.* exprimer

voltage *s.* voltage *m.*

volume *s.* volume *m.*

voluntary *adj.* volontaire

volunteer *s.* volontaire *m.*; *v.n.*; s'engager (pour)

vomit *v.a. & n.* vomir

vote *s.* vois; *v.a. & n.* voter (sur)

voucher *s.* pièce *f.* de dépense; pièce *f.* de recette; bon *m.*

vow *s.* voeu *m.*; *v.a.* vouer; jurer; *v.n.* faire un voeu; jurer

vowel *s.* voyelle *f.*

voyage *s.* voyage *m.*; *v.n.* voyager (par mer)

vulgar *adj.* vulgaire

W

wade *v.a.* passer à gué

wafer *s.* gaufrette *f.*; hostie *f.*

wag *v.a.* hocher; (tail) agiter; *v.n.* s'agiter

wage(s) *s.* (*pl.*) salaire *m.*, gages *m. pl.*; *v.a.* **~ war** faire la guerrc

wag(g)on *s.* wagon *m.*

waist *s.* taille *f.*

waistcoat *s.* gilet *m.*

wait *v.a. & n.* attendre (for qn., qch.)

waiter *s.* garçon *m.* (de restaurant); **head~** premier garçon *m.*, maître *m.* d'hôtel

waiting room *s.* salle *f.* d'attente

wake *v.a.* (also **~ up**) réveiller; *v.n.* (also **~ up**) s'éveiller

waken *v.a.* évailler; *v.n.* s'éveiller

walk *s.* march *f.*; promenade *f.*; (path) allée *f.*; **go for a ~** faire une promenade; *v.n.* aller à pied; marcher; (pleasure) se promener; **~ off** s'en aller; **~ out** sortir

wall *s.* mur *m.*

wallet *s.* portefeuille *m.*

walnut *s.* noyer *m.*; (fruit) noix *f.*

waltz *s.* valse *f.*

wander *v.n.* errer; s'égarer (de); divaguer

want *s.* besoin *m.*; manque *m.*; **for ~ of** faute de; *v.a.* avoir besoin (de); manquer (de); vouloir; demander; *v.n.* faire défaut; **be ~ing** in manquer de

war *s.* guerre *f.*

ward *s.* pupille *m: f.*; (hospital) salle *f.*

warden *s.* gouverneur *m.*; directeur *m.*

warder *s.* gardien, -enne *m. f.*

wardrobe *s.* armoire *f.*

ware *s.* marchandise(s) *f.* (*pl.*); article *m.*

warehouse *s.* magasin *m.*; dépôt *m.*

warm *adj.* chaud; **be ~** avoir chaud; *v.a.* chauffer; **~ up** réchauffer; *v.n.* se chauffer

warmth *s.* chaleur *f.*

warn *v.a.* avertir; prévenir; mettre sur ses gardes (contre)

warning *s.* avertissement *m.*; avis *m.*

warrant *s.* autorisation *f.*; mandat *m.*; *v.a.* garantir; justifier

wash *v.a.* laver; *v.n.* se laver; **~ away** effacer; **~ up the dishes** faire la vaisselle; *s.* lavage *m.*; lotion *f.*; toilette *f.*; lessive *f.*

washbasin *s.* cuvette *f.* (de lavabo)

washing machine *s.* machine *f.* à laver

wasp *s.* guêpe *f.*

waste *s.* désert *m.*, (money) gaspillage *m.*; (energy) déperdition *f.*; (loss) perte *f.*; déchets *m. pl.*; **~ of time** perte de temps *f.*; *adj.* inculte; de rebut; **~ paper** papier *m.* de rebut; *v.a.* gaspiller; perdre; ravager

watch *s.* garde *f.*; gardien *m.*, garde *m.*; (to indicate time) montre *f.*; *v.a.* veiller, garder; obsrever; regarder; *v.n.* veiller; **~ out**! ouvrez l'oeil !

watchmaker *s.* horloger *m.*

water *s.* eau *f.*

water-closet *s.* cabinet *m.*

waterfall *s.* chute *f.* d'eau

watering-place *s.* station *f.* balnéaire; ville *f.* d'eaux

waterproof *adj.* imperméable; *s.* caoutchouc *m.*

wave *s.* vague *f.*; onde *f.*; *v.a.* agiter; (hair) onduler; *v.n.* flotter; onduler

wavelength *s.* longueur *f.* d'onde

waver *v.n.* vaciller

wax *s.* cire *f.*

way *s.* chemin *m.*, route *f.*; distance *f.*; côte *m.*; (means) moyen *m.*; façon *f.*, manière *f.*; **which ~?** de quel côte ?; **it's a long ~ to** il y a loin pour aller (à); **on the ~** chemin faisant; **~ in** entrée *f.*; **~ out** sortie *f.*; **out of the ~** retiré; extraordinaire; **this ~** de ce côté-ci, par ici; **by ~ of** par; **by the ~** à propos; **in a ~** à certains égards; **give ~ to** céder à

we *pron.* nous

weak *adj.* faible

weakness *s.* faibless *f.*

wealth *s.* richesse *f.*; profusion *f.*

wealthy *adj.* riche

weapon *s.* arme *f.*

wear *v.a.* porter; **~ away, down, out** (s')user; **~ off** (s')effacer; *s.* usage *m.*; usure *f.*

weary *adj.* las, fatigué

weather *s.* temps *m.*

weather-forecast *s.* prévisions *f. pl.* du temps; bulletin *m.* météorologique

weave *v.a.* tisser

web *s.* tissu *m.*; (spider) toile *f.*

wedding *s.* mariage *m.*

wedding ring *s.* alliance *f.*, anneau *m.* de marriage

wedge *s.* coin *m.*; *v.a.* coincer; caler

Wednesday *s.* mercredi *m.*

weed *s.* mauvaise herbe *f.*; *v.a.* sarcler

week *s.* semaine *f.*

weekday *s.* jour *m.* de semaine; **on ~s** en semaine

weekend *s.* fin *f.* de semaine, week-end *m.*

weekly *adj.* de la semaine; hebdomadaire; *s.* (journal) hebdomadaire *m.*

weep *v.n.* pleurer

weigh *v.a. & n.* peser; **~ down** faire pencher, surcharger, accabler

weight *s.* poids *m.*; **put on ~** prendre du corps

welcome *adj.* bienvenu; **~!** soyez le bienvenu !; *s.* accueil *m.*; *v.a.* souhaiter la bienvenue (à); accueillir (avec plaisir)

well[1] *adv.* bien; **~, ~!** allons, allons !; *adj.* bien (portant)

well[2] *s.* puits *m.*

well-being bien-être *m.*

well-informed *adj.* bien informé, renseigné

well-to-do *adj.* aisé; **be ~** être dans l'aisance

west *s.* ouest *m.*

western *adj.* de l'ouest

westward *adv.* vers l'ouest

wet *adj.* mouillé, humide; pluvieux; **~ through** trempé jusqu'aux os; *v.a.* mouiller; tremper

whale *s.* baleine *f.*

what rel. *pron.* ce qui, ce que; interrog. *pron.* qu'est-ce qui, que; *int.* quoi !

wheat *s.* blé *m.*, froment *m.*

wheel *s.* roue *f.*; (steering) volant *m.*

when *adv. & conj.* quand

whenever *adv.* toutes les fois que

where *adv.* où

whereas *conj.* tandis que; vu que

wherever *adv.* partout où

whether *conj.* soit que; (if) si; **~ or not ...** qu'il en soit ainsi ou non ...

which *(interrog.) adj.* quel, quelle; *pron.* lequel; (relative) *adj.* lequel, laquelle; *pron.* qui, que, lequel

while *conj.* pendant que; (whereas) tandis que; (as long as) tant que; *s.* temps *m.*; **be worth~** to cela vaut la peine de; *v.a* **~ away** faire passer

whip *s.* fouet

whisk *v.a.* fouetter; *s.* époussette *f.*; (eggs) fouet à oeufs *m.*

whisper *s.* chuchotement *m.*; murmure *m.*; *v.a.* dire à l'oreille; *v.n.* chuchoter; murmurer

whistle *s.* sifflet *m.*; *v.a. & n.* siffler

white *adj.* blanc, blanche; pâle

Whit Sunday dimanche de la Pentecôte

who *pron.* qui

whole *s.* tout *m.*; totalité *f.*; **on the ~** à tout prendre; *adj.* tout le, toute la; entier, -ère

wholesale *adj. & adv.* en gros

wholesome *adj.* sain

wholly *adv.* entièrement

whom *pron.* que; lequel; *interrog.* qui ?, qui est-ce que ?

why *adv.* pourquoi

wicked *adj.* méchant

wide *adj.* large; étendue; **6 feet** ~ 6 pieds de largeur

widow *s.* veuve *f.*

widower *s.* veuf *m.*

width *s.* largeur *f.*

wife *s.* femme *f.*

wild *adj.* sauvage; déréglé; impétueux; frénétique

wilful *adj.* volontaire

will *s.* volonté *f.*; intention *f.*; testament *m.*; **at** ~ à volonté; **of one's own free** ~ de plein gré; *v.n. & aux.* vouloir; *(future tense unexpressed, see grammar)*

willing *adj.* bien disposé; **be** ~ vouloir bien

willingly *adv.* volontiers

win *v.a. & n.* gagner

winch *s.* manivelle *f.*

wind[1] *s.* vent *m.*; souffle *m.*

wind[2] *v.a.* enrouler; dévider; ~ **up** (clock) remonter; *fig.* liquider; *v.n.* tourner, serpenter; s'enrouler

window *s.* fenêtre *f.*; (car) glace *f.*

windscreen *s.* pare-brise *m.*

windy *adj.* venteux

wine *s.* vin *m.*

wing *s.* aile *f.*; vol *m.*; **take** ~ s'envoler

wink *s.* clin d'oeil *m.*; *v.a.* clignoter

winner *s.* gagnant *m.*

winter *s.* hiver *m.*

wipe *v.a.* essuyer; ~ **out** effacer; *s.* coup *m.* de torchon

wire *s.* fil *m.* (de fer); télégramme *m.*; **live** ~ fil *m.* en charge; *v.a. & n.* **télégraphier**

wireless *s.* T.S.F.; télégraphic sans fil; ~ **set** poste *m.* (de T.S.F.)

wise *adj.* sage; prudent

wish *s.* désir *m.*; ~**es** voeux *m. pl.*; *v.a.* désirer (de); souhaiter; (should like) vouloir (in conditional)

wit *s.* esprit *m.*; (pers.) bel esprit *m.*

witch *s.* sorcière *f.*

with *prep.* avec; (at) chez

withdraw *v.n.* se retirer; *v.a.* retirer

within *adv.* dedans; *prep.* (time) en; (place) dans; à

without *prep.* sans; (place) en dehors de

witness *s.* témoignage *m.*; (pers.) témoin *m.*; *v.a.* être témoin de; (attest) témoigner; (document) signer (à)

witty *adj.* spirituel

wizard *s.* sorcier *m.*

wolf *s.* loup, louve *m. f.*

woman *s.* femme *f.*

womb *s.* matrice *f.*; fig. sein *m.*

wonder *s.* étonnement *m.*; (a thing) merveille *f.*; *v.n.* ~ **at** être étonné de; (curious) se demander; **I** ~ je me le demande

wonderful *adj.* étonnant

wood *s.* bois *m.*

wooden *adj.* de bois

woodman *s.* bûcheron *m.*

wool *s.* laine *f.*

woollen *adj.* de laine

word *s.* mot *m.*; (utterance) parole *f.*; (term) terme *m.*; (information) avis *m.*; upon **my** ~! ma parole !; **have a** ~ **with** avoir deux mots avec

work *s.* travail *m.*; (achievement) ouvrage *m.*; ~ **(of art)** oeuvre *f.* d'art; ~**s (of s.o.)** oeuvres *f. pl.*, (factory) usine *f.*; **set to** ~ se mettre à l'oeuvre; *v.a.* faire travailler; (wood) ouvrager; *v.n.* travailler; (operate) fonctionner, marcher

worker *s.* travailleur, -euse *m. f.*, ouvrier, -ère *m. f.*

workman *s.* ouvrier *m.*

workshop *s.* atelier *m.*

world *s.* monde *m.*

world war *s.* guerre *f.* mondiale

world-wide *adj.* universel; mondial

worm *s.* ver *m.*

worry *s.* ennui *m.*, tracas *m.*; *v.a.* tracasser; importuner; *v.n.* se tracasser (de), se tourmenter; **don't ~!** soyez tranquille !

worse *adj.* pire, plus mauvais; **grow ~** empirer; *adv.* pis

worship *s.* culte *m.*; *v.a. & n.* adorer

worst *adj.* le, la pire; le, la plus malade; *adv.* le plus mal; *s.* pis *m.*

worth *s.* valeur *f.*; *adj.* **be ~** valoir; **is it ~while?** cela (en) vaut-il la peine ?; **it is not ~ the trouble** cela ne vaut pas la peine

worthless *adj.* sans valeur, indigne

worthy *adj.* digne

wound *s.* blessure *f.*

wounded *adj.* blessé; **the ~** les blessés

wrap *s.* (garment) peignoir *m.*; *v.a.* **~ up** envelopper; fig. être absorbé (in dans)

wrapper *s.* toile d'emballage *f.*; (book) bande *f.*

wreck *s.* naufrage *m.*; navire *m.* naufragé; fig. ruine *f.*; *v.a.* ruiner; **be ~ed** faire naufrage; être naufragé

wrench *s.* torsion *f.*; (tool) clef (à écrous) *f.*; *v.a.* tordre; (ankle) fouler

wrestle *v.n.* lutter (avec)

wrestler *s.* lutteur *m.*

wrestling *s.* lutte *f.*

wring *v.a.* tordre

wrinkle *s.* ride *f.*; (crease) faux pli *m.*; *v.a.* rider

wrist *s.* poignet *m.*

writ *s.* exploit *m.*

write *v.a. & n.* écrire; **~ down** noter; **~ off** amortir; **~ out** transcrire

writer *s.* écrivain *m.*

writing *s.* écriture *f.*; écrit *m.*; in ~ par écrit

writing desk *s.* bureau *m.*

wrong *adj.* incorrect, faux; **be ~** avoir tort; se tromper (de); **take the ~ train** se tromper de train; ce n'est pas le livre qu'il faut

X

Xmas *s.* Noël *m.*

x-ray *adj.* **~ treatment** radiothérapie *f.*; **~ photograph** radiograpie *f.*

Y

yacht *s.* yacht *m.*

yard *s.* yard *m.*; cour *f.*

yarn *s.* fil *m.*; histoire *f.*

yawn *s.* bâillement *m.*; *v.n.* bâiller

year *s.* an *m.*; année *f.*

yearly *adv.* annuellement

yearn *v.n.* **~ for** soupirer après

yeast *s.* levure *f.*

yell *v.n.* hurler

yellow *adj.* jaune

yes *adv.* oui; (after negation) si

yesterday *adv.* hier

yet *adv.* encore; **not ~** pas encore; **as ~** jusqu'à présent; *conj.* néanmoins

yield *v.a.* produire; accorder; rendre; *v.n.* céder (à); fléchir

yoke *s.* joug *m.*

yolk *s.* jaune *m.*

you *pron.* tu; vous

young *adj.* jeune; (animal) petit; **~er** plus jeune

your *adj.* votre, (*pl.*) vos

yours *pron.* à vous; le, la vôtre, les vôtres

yourself *pron.* vous-même, -s

youth *s.* jeunesse *f.*; (pers.) jeune homme *m.*

youth hostel *s.* auberge *f.* de la jeunesse

Z

zeal *s.* zèle *m.*

zealous *adj.* zélé

zero *s.* zéro *m.*

zest *s.* enthousiasme *m.*; goût *m.*

zigzag *s.* zigzag *m.*; *adv.* en zigzag

zinc *s.* zinc *m.*

zipper *s.* fermeture éclair *f.*

zone *s.* zone *f.*

zoo *s.* zoo *m.*

zoology *s.* zoologie *f.*